« PAVILLONS »
*Collection dirigée par
Maggie Doyle et Jean-Claude Zylberstein*

DU MÊME AUTEUR

*Bad Blood. Pérégrination le long de la frontière
irlandaise*, Flammarion, 1996
Désormais notre exil, Flammarion, 1993 ;
10-18, 2002
La Bruyère incendiée, Flammarion, 1996
Histoire de la nuit, Flammarion, 1997 ;
10-18, 2001
Finbar's Hotel, œuvre collective, Joëlle Losfeld, 1999
Le Bateau-phare de Blackwater, Denoël, 2001 ;
10-18, 2003

COLM TÓIBÍN

LE MAÎTRE

traduit de l'anglais (Irlande) par Anna Gibson

ROBERT LAFFONT

*Ouvrage publié avec le concours
du Centre national du livre
et de Ireland Literature Exchange*

Titre original : THE MASTER
© Colm Tóibín, 2004
Traduction française : Éditions Robert Laffont, S.A., Paris, 2005

ISBN : 2-221-10209-6
(édition originale : ISBN 0-330-48565-2 Picador/Pan Macmillan Ltd,
Londres)

À Bairbre et Michael Stack

1

Janvier 1895

Parfois dans la nuit il rêvait des morts – visages familiers et d'autres, à demi oubliés, fugitivement invoqués par la mémoire. Là, au réveil, il comprit que l'aube était encore loin ; il n'y aurait aucun bruit, aucun mouvement avant plusieurs heures. Il toucha les muscles engourdis de sa nuque, les trouva durs et solides sous ses doigts, mais pas douloureux. En bougeant la tête, il les entendit grincer. « Je suis comme une vieille porte », se dit-il.

Il lui fallait impérativement se rendormir. Il ne pouvait pas rester éveillé pendant ces heures-là. Il voulait dormir, sombrer dans un noir miséricordieux, un lieu de repos et d'obscurité, pas trop obscur cependant, un lieu qui ne soit pas hanté, pas peuplé, un lieu sans présences vacillantes.

Lorsqu'il ouvrit de nouveau les yeux, il ne savait plus où il était. Il se réveillait souvent ainsi, troublé, agité, avec des débris de rêve encore en mémoire et une impatience terrible que la journée commence. Il lui arrivait parfois, quand il se rendormait, de retrouver la lumière douce de Bellosguardo au début du printemps, le paysage voilé dans le lointain, le pur plaisir du soleil sur son visage, son fauteuil installé près du mur de la vieille maison avec le parfum de la glycine, des roses précoces et du jasmin. Au réveil, il espérait alors que la journée ressemblerait à son rêve, qu'une trace de son bien-être, de sa couleur et de sa lumière s'attarderait jusqu'au prochain retour du crépuscule.

Mais ce rêve-là avait été différent. La nuit était tombée ou tombait quelque part sur une cité, une ancienne ville d'Italie comme Orvieto ou Sienne, mais rien de précis, une cité de rêve aux rues étroites, où il marchait en se hâtant ; il ne se rappelait plus s'il était seul ou avec quelqu'un, mais il se hâtait, au milieu des étudiants qui remontaient à ses côtés la rue à flanc de colline bordée de boutiques, de cafés et de restaurants illuminés, des étudiants qu'il souhaitait laisser derrière lui et qu'il s'arrangeait pour dépasser. Il eut beau forcer sa mémoire, il n'était pas certain d'avoir été accompagné, dans le rêve ; peut-être seulement quelqu'un marchait-il derrière lui. Il ne se rappelait aucun détail de cette présence, de cette ombre intermittente, mais pendant un moment il y avait eu, lui semblait-il, quelqu'un, ou peut-être seulement une voix, toute proche, qui comprenait mieux que lui l'urgence de se dépêcher et qui l'exhortait dans un murmure à marcher plus vite et à écarter de son passage les étudiants.

Pourquoi ce rêve ? À l'approche étroite et mal éclairée de chaque petite place, il s'en souvenait, la tentation lui venait de quitter le brouhaha de la rue, mais on l'incitait à continuer. Qui donc l'y incitait – son compagnon fantomatique ? Enfin il débouchait sur une grande place à l'italienne, avec des tours, des toits crénelés et un ciel d'encre bleu nuit, lisse et consistant ; il s'immobilisait pour le contempler, il en examinait la symétrie et la texture comme si ce ciel avait été encadré. Cette fois – et il frissonna en se remémorant la scène – il y avait du monde au centre de la place. Les personnages lui tournaient le dos, formaient un cercle ; il ne pouvait voir aucun visage. Il s'apprêtait à les rejoindre lorsque les silhouettes se retournèrent et lui firent face. Il reconnut sa mère, telle qu'elle était à la fin de sa vie, au moment où il l'avait vue pour la dernière fois. Parmi les autres femmes se tenait sa tante Kate. Toutes deux étaient mortes depuis des années ; elles s'approchaient de lui, lentement, en souriant ; leurs visages étaient éclairés comme ceux d'un tableau. Le mot qui lui vint à l'esprit, et qu'il était persuadé d'avoir rêvé autant que la scène, fut le mot « implorantes ». Elles l'imploraient, lui ou quelqu'un d'autre, le pressaient, le conjuraient, puis étendaient les mains en supplication, et tandis qu'elles continuaient d'approcher, de venir vers lui, il se réveilla glacé de peur, avec le sentiment qu'il aurait tout donné pour qu'elles lui disent quelque chose, ou pour pouvoir lui-même offrir quelque consolation aux deux personnes de sa vie qu'il avait le plus aimées. Il éprouva dans le sillage de ce rêve une tristesse épuisante, lancinante et, joint à la certitude qu'il ne devait à aucun prix se rendormir, un désir intense de se mettre à écrire, n'importe quoi qui fût capable de l'engourdir, de le distraire de la vision de ces deux femmes perdues pour lui.

Il dut se couvrir le visage en se remémorant l'instant qui avait, dans le rêve, provoqué son réveil abrupt. Il aurait donné n'importe quoi pour l'oublier, pour l'empêcher de le poursuivre tout au long de la journée qui s'annonçait : sur cette grande place, il avait croisé le regard de sa mère, et c'était un regard de panique ; elle semblait prête à crier. Elle désirait intensément quelque chose qui était hors de sa portée, qui lui était refusé, et il ne pouvait pas lui venir en aide.

Dans les derniers jours avant la nouvelle année, il refusa toutes les invitations. Il écrivit à Lady Wolseley qu'il consacrait son temps aux répétitions, en compagnie de plusieurs grosses femmes qui fabriquaient les costumes. Il était mal à l'aise, anxieux, agité, mais parfois aussi il se surprenait à suivre l'action sur scène comme si elle avait été inédite et capable de l'émouvoir. Il demanda à Lady

Wolseley et à son mari d'unir leurs prières pour lui lors de la première, qui n'était plus très loin.

Après ces journées, il se sentait incapable d'entreprendre quoi que ce soit, et il dormait d'un sommeil capricieux. Il ne voyait personne en dehors de ses domestiques, et ceux-là savaient qu'il ne fallait pas lui parler ou le déranger au-delà du strict nécessaire.

La première de *Guy Domville*, sa pièce consacrée à un riche héritier catholique sommé de choisir entre la perpétuation de sa lignée ou le monastère, était fixée au 5 janvier. Toutes les invitations avaient été envoyées et il avait déjà reçu de nombreuses réponses positives. Alexander, qui était à la fois le directeur du St James, le metteur en scène et l'interprète du rôle-titre de la pièce, avait de nombreux partisans, et les costumes – il avait situé l'histoire au dix-huitième siècle – étaient somptueux. Néanmoins, malgré le plaisir qu'il prenait depuis peu à la compagnie des acteurs, au côté scintillant de ce monde et aux menues améliorations apportées jour après jour à la mise en scène, il n'était, disait-il, pas fait pour le théâtre. Assis à son bureau, il regretta que ce ne fût pas un jour ordinaire, où il aurait pu relire ses phrases de la veille, passer une matinée lente en corrections et remplir une fois de plus l'après-midi d'écriture ordinaire. Pourtant, il le savait, son humeur était capable de changer aussi vite que la lumière du jour dans son bureau ; soudain, il ne trouverait aucun bonheur en dehors de sa vie au théâtre et il se reprendrait à haïr la compagnie de ses pages blanches. L'âge mûr, pensa-t-il, l'avait rendu instable.

Sa visiteuse arriva à onze heures pile. Il n'aurait pu refuser de la recevoir ; sa lettre avait été tournée avec une insistance prudente. Bientôt, écrivait-elle, elle quitterait définitivement Paris ; elle voulait donc repasser par Londres une dernière fois. Le ton curieusement définitif et résigné de cette lettre était si étranger à l'esprit habituel de la princesse qu'il avait été immédiatement alerté quant au sérieux de sa situation. Bien qu'il ne l'eût pas vue depuis des années, ils étaient restés en correspondance, et il avait eu de ses nouvelles par d'autres amis. Mais ce matin, dans l'état où il était, encore hanté par le rêve de la nuit et inquiet du sort qu'allait connaître sa pièce, il ne voyait d'elle qu'un nom noté dans son agenda, remuant un vieux souvenir aussi net dans ses grandes lignes que flou dans le détail.

Lorsqu'elle entra dans la pièce – visage de vieille dame au sourire chaleureux, imposante silhouette qu'elle déplaçait toujours avec une lenteur réfléchie – et qu'elle lui adressa de sa belle voix douce, presque murmurante, son bonjour caractéristique, si gai et affectueux, il lui fut pourtant facile de repousser ses inquiétudes pour *Guy Domville* et ces quelques heures gaspillées loin du théâtre. Il avait oublié combien il l'appréciait et comment, en sa présence, il était aussitôt transporté à l'époque de ses vingt ans, quand il s'efforçait de traîner le plus possible dans la compagnie des écrivains français et russes à Paris.

Au cours des années suivantes, les présences de l'ombre avaient commencé à le captiver autant que les célébrités ; les personnages qui n'avaient pas atteint la renommée, qui avaient échoué dans leur ambition ou qui n'avaient même jamais eu l'intention de prospérer. Sa visiteuse était l'épouse du prince Oblisky. Le prince avait la réputation d'être sévère et distant ; le destin de la Russie et son propre exil farouche le préoccupaient plus que les divertissements de la soirée ou que la compagnie prestigieuse qu'il y côtoyait. La princesse était russe elle aussi, mais elle avait passé presque toute sa vie en France. Le couple était perpétuellement entouré d'une atmosphère d'allusions, de rumeurs, de sous-entendus. C'était, pensait-il, un élément constitutif de cette époque et de ce lieu. Chaque personne de sa connaissance était alors nimbée de cette auréole d'une autre existence à demi secrète, à demi révélée, destinée à être connue mais jamais évoquée de façon explicite.

Dans ces années-là, on scrutait les visages au cas où ils révéleraient quelque chose malgré eux, et on avait toujours l'oreille dressée à l'affût de nuances et d'indices. New York et Boston n'avaient jamais été ainsi. Quant à Londres, où il avait fini par s'installer, les gens y étaient convaincus qu'on n'avait ni moi caché ni vie secrète tant qu'on ne leur déclarait pas solennellement le contraire.

Il se rappelait encore le choc que cela avait été pour lui de découvrir Paris, la culture de la duplicité facile, l'impression que lui avaient faite ces hommes et ces femmes surveillés par le regard attentif des romanciers et rompus à l'art de passer sous silence avec un calme parfait ce qui leur tenait le plus à cœur.

Il n'avait jamais aimé l'intrigue. Cependant il lui plaisait de connaître les secrets, car ne pas les connaître revenait à passer à côté de presque tout. Il avait à son tour appris à ne rien révéler de lui et à accueillir toute information nouvelle l'air de rien, comme si une simple plaisanterie venait d'être échangée. Les hommes et les femmes des salons du Paris littéraire se déplaçaient comme autant de joueurs dans une partie de savoir et de non-savoir, de faux-semblants et de dissimulation. Il avait tout appris d'eux.

Il approcha un siège pour la princesse, lui apporta quelques coussins supplémentaires, lui proposa ensuite un autre fauteuil ou, pourquoi pas, une chaise longue qui serait peut-être plus confortable.

— À mon âge, répliqua-t-elle avec un sourire, rien n'est confortable.

Il cessa de papillonner, se retourna et la dévisagea. Il savait par expérience que lorsqu'il fixait son regard gris et calme sur les gens, ceux-ci devenaient calmes à leur tour ; ils comprenaient, ou du moins semblaient comprendre, que leur prochaine réplique se devrait d'être sérieuse, que l'heure du badinage était passée.

14

— Je dois rentrer en Russie, déclara-t-elle dans son français lent à l'élocution soignée. Voilà ce qui m'attend. Quand je dis « rentrer », on pourrait croire que j'y ai déjà vécu, et c'est vrai, mais pas d'une manière qui ait le moindre sens pour moi. Je n'ai aucun désir de revoir la Russie. Mais il tient absolument à ce que j'y retourne, et à ce que je quitte la France une fois pour toutes.

Elle souriait en disant cela, comme elle avait toujours souri, mais son visage exprimait de l'angoisse et une sorte de perplexité. Elle avait fait entrer le passé avec elle, et pour lui, depuis la mort de ses parents et de sa sœur, tout rappel d'un temps révolu éveillait une mélancolie pesante, terrible. Le passage des années n'y changeait rien, et jamais il n'aurait imaginé dans sa jeunesse la douleur qu'entraînerait plus tard le deuil ; une douleur que seuls le travail et le sommeil étaient désormais capables de tenir en échec.

La voix douce de la princesse et l'aisance de ses manières prouvaient s'il en était besoin qu'elle n'avait guère changé. Son mari était connu pour sa brutalité envers elle. Il avait des problèmes, dit-elle, liés à ses terres. Elle commença à parler d'un certain domaine, lointain, perdu, où il s'apprêtait à la reléguer.

La lumière liquide et soyeuse de janvier filtrait dans la pièce. Il écoutait sa visiteuse. Il savait que le prince Oblisky avait laissé en Russie le fils issu d'un premier mariage avant de venir à Paris. Régnait toujours autour de sa personne un relent d'intrigue politique, une vague idée qu'il était de ceux qui comptaient potentiellement pour l'avenir de la Russie, et qu'il attendait son heure.

— Mon mari dit qu'il est temps pour nous tous de regagner la mère patrie. Il est devenu réformateur. Il soutient que la Russie s'écroulera si elle n'est pas réformée. Je lui réponds que la Russie s'est écroulée il y a longtemps ; mais je ne lui rappelle pas que la réforme l'intéressait beaucoup moins du temps où il n'avait pas de dettes. La famille de sa première femme a élevé l'enfant et ne veut pas entendre parler de lui.

— Où vivrez-vous ?

— Dans un manoir en ruine, où des paysans à demi tarés auront sans cesse le nez collé à mes fenêtres, à supposer qu'il y ait encore des carreaux. Voilà où je vais vivre.

— Et Paris ?

— Je dois tout abandonner ; ma maison, mes domestiques, mes amis, mon existence entière. Je vais mourir ou de froid ou d'ennui. Ce sera une course entre les deux.

— Mais pourquoi ?

Il avait posé la question d'une voix douce.

— Il prétend que j'ai dilapidé tout son argent. Alors j'ai vendu la maison, j'ai passé des jours à brûler des lettres, à pleurer, à trier les vêtements. Et maintenant je dis au revoir à tout le monde. Je quitte Londres demain ; je vais passer un mois à Venise. Ensuite je partirai pour la Russie. Il me répète que je ne suis pas la seule, que d'autres y retournent aussi ; mais eux vont à Saint-Pétersbourg. Ce n'est pas ce qu'il a choisi pour moi.

Elle parlait avec émotion, mais en l'observant il eut le sentiment d'être au théâtre et de voir une de ses comédiennes prendre plaisir à sa propre performance. Par moments on aurait pu croire qu'elle racontait une anecdote amusante à propos de quelqu'un d'autre.

— J'ai vu tous ceux de mes amis qui sont encore vivants et j'ai relu les lettres de ceux qui sont morts. Pour certains, j'ai fait les deux. J'ai brûlé les lettres de Paul Joukovsky, et je l'ai croisé après. Je ne m'attendais pas à le voir. Il vieillit mal. Ça non plus, je ne m'y attendais pas.

Elle soutint son regard, et pendant une fraction de seconde ce fut comme si une claire lumière d'été avait traversé la pièce. Paul Joukovsky, calcula-t-il, devait approcher la cinquantaine ; ils ne s'étaient pas vus depuis des années. Personne n'était jamais venu mentionner son nom de cette manière auparavant.

Il savait qu'il devait réagir vite, poser une question, changer de sujet. Peut-être y avait-il eu, dans une de ces lettres, une phrase égarée, une allusion à une conversation ou à un rendez-vous. Mais il ne le pensait pas. Peut-être sa visiteuse lui laissait-elle simplement comprendre, par goût de la nostalgie, ce qu'elle avait pressenti de lui en ces années-là, ce que suggérait son personnage. Ses tentatives pour se montrer sérieux, hésitant et poli n'avaient pas berné les femmes comme elle qui voyaient ses lèvres pleines, suivaient ses regards et comprenaient tout instantanément. Elles n'avaient jamais rien dit, bien sûr, tout comme la princesse elle-même, tant d'années plus tard, ne disait rien – juste un nom suivi d'un silence. Un vieux nom qui résonnait à ses oreilles. Un nom qui, autrefois, avait été tout pour lui.

— Mais sûrement vous allez revenir ?

— C'est la promesse qu'il m'a extorquée. Que je ne reviendrais pas. Que je demeurerais en Russie.

Le ton était dramatique, et il crut soudain la voir sur scène : elle l'avait arpentée avec désinvolture tout en bavardant, puis soudain elle décochait sa flèche, la réplique unique destinée à atteindre sa cible. Ce qu'elle venait de dire lui fit d'un coup comprendre le sens réel de toute cette histoire. Elle avait dû faire quelque chose de très mal pour être ainsi soumise à nouveau au pouvoir de son mari. Le cercle qu'elle fréquentait bruissait assurément de conjectures et de sous-entendus ; certains savaient, et ceux qui ne savaient pas devaient être en mesure de deviner, tout comme elle le laissait deviner en ce moment.

Il se surprit, absorbé par ces réflexions, à observer la princesse pour tenter d'évaluer la portée de ses propos tout en réfléchissant à la meilleure manière de s'en servir. Il faudrait consigner ses paroles dès qu'elle serait partie. Il espérait ne rien entendre de plus, aucun détail explicite mais, tandis qu'elle parlait encore, il comprit sans aucun doute possible qu'elle avait peur, et cela éveilla de nouveau sa sympathie.

— Vous savez, certains sont déjà retournés là-bas, et les rapports sont excellents. Saint-Pétersbourg reprend vie mais, encore une fois, ce n'est pas là que je vais. Daudet, que j'ai croisé à une fête, m'a dit une chose idiote, en croyant peut-être me consoler. Quoi qu'il arrive, m'a-t-il dit, vous aurez toujours vos souvenirs. À quoi bon mes souvenirs ! Je lui ai répondu que les souvenirs ne m'avaient jamais intéressée. Ce que j'aime, c'est aujourd'hui et demain, et pourquoi pas aussi après-demain, quand je suis en forme. L'année dernière n'existe plus, que m'importe l'année dernière ?

— Elle importe à Daudet, j'imagine.

— Oui, beaucoup trop.

Elle se leva pour prendre congé et il la raccompagna jusque dans la rue. Voyant qu'elle avait fait attendre un fiacre, il se demanda qui le payait.

— Et Paul ? interrogea-t-elle soudain. J'aurais peut-être dû vous donner certaines de ses lettres. Cela vous aurait-il fait plaisir ?

Henry lui tendit la main comme s'il n'avait pas entendu la question. Il remua les lèvres, fut sur le point de parler mais se ravisa. Il retint quelques instants la main de la princesse dans la sienne. Elle était presque en larmes en s'éloignant vers la voiture.

Il habitait l'appartement dans De Vere Gardens depuis près de dix ans, mais le nom de Paul n'avait pas résonné une seule fois entre ses murs jusqu'à ce jour. Sa présence avait été enterrée sous le travail quotidien qui était d'écrire, de se souvenir et d'imaginer. Même dans ses rêves, il y avait des années que Paul n'était pas reparu.

L'histoire de la princesse n'avait pas besoin d'être écrite. Il en garderait les éléments présents à l'esprit. Il ne savait pas encore de quelle manière il la travaillerait, s'il choisirait les derniers jours de la princesse à Paris – brûlant ses lettres, distribuant ses objets, laissant tout derrière elle – ou encore son dernier salon, ou son entrevue avec son mari, le moment où elle prenait connaissance de son sort.

Il se souviendrait de sa visite. C'était autre cnose qu'il souhaitait à présent écrire. Il l'avait déjà fait une fois, en prenant soin de détruire les feuillets tout de suite après. Il lui semblait étrange, presque triste, d'avoir tant produit, tant restitué de matériau intime, en sachant que ce qu'il avait le plus grand besoin d'écrire ne serait jamais vu ni publié, ne serait jamais connu ni compris de quiconque.

Il prit la plume et commença. Il aurait pu rendre son écriture illisible ou choisir un code sténo indéchiffrable pour tout autre que lui. Pourtant il traça les mots distinctement sur la page, en les prononçant au fur et à mesure à voix basse. Il ignorait pourquoi cela devait être écrit, pourquoi le simple retour du souvenir ne lui suffisait pas. Mais la visite de la princesse et ses paroles sur le bannissement, la mémoire, les choses qui avaient pris fin et qui ne reviendraient plus – il cessa d'écrire et poussa un soupir –, le fait qu'elle eût prononcé ce nom comme s'il était encore intensément présent quelque part, à portée de main, tout cela le guidait, imprimait son ton singulier à ce qu'il avait entrepris d'écrire.

Il coucha sur le papier ce qui s'était produit lors de son retour à Paris après qu'il eut reçu un message de Paul, cet été-là, près de vingt ans plus tôt. Au crépuscule, dans une petite rue de la ville magnifique, la tête levée, aux aguets, il s'était tenu dans l'attente de l'instant où s'illuminerait la fenêtre du troisième étage. Quand enfin la lampe s'était allumée, il avait plissé les yeux pour mieux apercevoir le visage de Paul Joukovsky derrière la vitre, ses cheveux noirs, la vivacité de ses yeux, le pli boudeur qui se transformait si facilement en sourire, le nez étroit, le menton large, les lèvres pâles. La rue n'était guère éclairée ; il se savait invisible, et incapable aussi de bouger pour retourner chez lui ou – la simple idée lui coupait le souffle – pour tenter d'accéder à l'appartement de Paul.

Sa note avait été sans ambiguïté ; elle laissait entendre qu'il serait seul. Il n'y avait aucun mouvement là-haut. Le visage de Paul n'était pas reparu à la fenêtre. Il se demandait à présent si ces heures-là n'avaient pas été les plus authentiques de sa vie. La comparaison la plus juste qui lui vint à l'esprit était celle d'un voyage en mer, silencieux, plein d'expectative, un interlude suspendu entre deux pays, pendant qu'il se tenait là avec la sensation de flotter et avec la certitude qu'un seul pas de sa part serait un pas vers l'impossible, vers le grand inconnu. Il attendit, dans l'espoir de capter encore une vision fugitive de ce qui se trouvait là, derrière la fenêtre, le visage inabordable. Et pendant des heures il était resté ainsi immobile sous la pluie, frôlé de temps à autre par un passant, et pas un seul instant dans la lumière de la lampe le visage n'était redevenu visible.

Il acheva le récit de cette nuit, puis il se prit à songer à la suite de l'histoire qui ne pourrait, elle, jamais être écrite, peu importe le caractère secret du papier ou la vitesse à laquelle il serait brûlé ou déchiré. La suite de l'histoire était imaginaire, il ne s'autoriserait jamais à la mettre en mots. Dans cette histoire-là, il quittait son poste de guet et traversait la rue. Il se signalait à l'attention de Paul qui descendait lui ouvrir et ensemble, en silence, ils gravissaient l'escalier. Il n'y avait aucun doute – Paul, dans son message, avait été très clair – sur ce qui allait se passer.

Il s'aperçut que ses mains tremblaient. Il ne s'était jamais permis d'imaginer au-delà de ce point. Il avait osé aller jusque-là, jusqu'à cette limite, en croyant s'approcher de quelque chose, mais en vérité il ne s'était approché de rien. Sa station sous la pluie dura jusqu'au moment où la lumière à la fenêtre s'éteignit. Il attendit encore un moment pour voir s'il se passerait autre chose, mais les fenêtres restèrent obscures ; elles ne révélaient absolument rien. Puis, lentement, il retourna chez lui à pied. Il était de nouveau sur la terre ferme. Ses vêtements étaient trempés, ses chaussures avaient été détruites par la pluie.

Il prit beaucoup de plaisir aux répétitions en costumes, et s'amusa à peupler le théâtre vide de spectateurs imaginaires. Les éclairages, les voix sonores, la splendeur extravagante des costumes le remplissaient de fierté et de bonheur. En toutes ces années il n'avait jamais vu quelqu'un acheter ou lire un de ses livres. Et à supposer même qu'il eût été témoin d'une telle scène, il n'aurait eu aucune idée de l'effet produit par ses phrases. La lecture était une activité aussi privée, silencieuse et solitaire que l'était l'écriture. Maintenant, il allait entendre le public retenir son souffle, pousser des exclamations, faire soudain silence.

Il plaça d'abord ses amis et connaissances ; puis, entreprise plus excitante et plus périlleuse, il remplit le parterre et le poulailler d'inconnus. Il imagina les yeux brillants d'intelligence d'un homme au visage sensible, aux lèvres étroites, à la peau claire et douce, élancé et solide, au maintien plein d'aisance. Après une courte hésitation, il plaça ce personnage au centre de la rangée derrière la sienne, près d'une jeune femme aux mains petites, délicates et jointes, le bout de ses doigts touchant presque ses lèvres. Seul dans la salle, il observait ces spectateurs potentiels quand Alexander fit son entrée dans le rôle de Guy Domville. À mesure que l'enjeu du conflit se précisait sur la scène, Henry gardait à l'œil le couple qu'il avait fait surgir derrière lui ; il vit le visage de la femme s'éclairer à la vue du fabuleux costume de Mrs Edward Saker, témoin de l'élégance élaborée qui avait eu cours un siècle plus tôt ;

il vit l'expression de son admirateur aux lèvres fines se faire attentive et grave au moment où Guy Domville, nonobstant son immense fortune et son avenir radieux, décidait de renoncer au monde et d'embrasser une vie de prière et de contemplation dans un monastère.

La pièce était encore trop longue, et il connaissait l'inquiétude des comédiens à propos de certaines incohérences entre l'acte I et l'acte II. Alexander, imperturbable, lui avait dit de n'y prêter aucune attention ; les acteurs avaient été remontés par Miss Vetch, qui n'avait pas de rôle digne de ce nom dans l'acte II et se contentait d'une minuscule réapparition dans l'acte III. Il savait bien cependant qu'il dérogeait ainsi à une règle de base : un personnage, une fois établi, devait rester présent dans la suite de la narration, à moins d'être réellement très mineur ou de mourir avant la fin. Ce qu'il n'aurait jamais tenté dans un roman, il l'osait dans une pièce de théâtre. Il priait pour que cela marche.

Il détestait ces coupes qu'on l'avait obligé à faire dans le texte, mais il ne pouvait pas se plaindre. Au début il avait beaucoup rechigné – avait, en réalité, affiché une stupéfaction douloureuse –, au point de se rendre indésirable dans les bureaux d'Alexander. Puis il avait renoncé ; il ne servait à rien de leur répéter que si la pièce avait eu besoin de coupes, il les aurait réalisées lui-même avant de la remettre entre leurs mains. Chaque jour désormais, il donnait de nouveaux coups de ciseau, et il lui semblait étrange qu'après quelques heures il fût le seul à remarquer encore les trous, les passages manquants.

Pendant les répétitions il n'avait pas grand-chose à faire. Il était à la fois excité et troublé par l'idée que seule la moitié du travail lui appartenait, l'autre moitié revenant au metteur en scène, aux comédiens, aux costumières et aux décorateurs. Tout ce travail à son tour était dominé par l'élément du temps, ce qui représentait aussi une grande nouveauté pour lui. Il y avait, surplombant l'avant-scène, une immense horloge invisible dont le tic-tac requérait toute l'attention du dramaturge et dont les aiguilles, le soir de la première, se déplaceraient à partir de vingt heures trente de façon aussi précise que la patience des spectateurs. Dans cette période agitée de deux heures – en tenant compte des deux entractes – il lui faudrait exposer et résoudre le problème qu'il s'était posé à lui-même, ou marcher à l'échafaud.

Au rythme des répétitions, pendant que sa pièce commençait à lui paraître plus détachée de lui et plus réelle, il acquit la certitude qu'il avait trouvé sa voie et qu'il n'avait pas commencé trop tard à écrire pour le théâtre. Il était prêt maintenant à changer de vie. Il voyait se profiler la fin des longues journées solitaires ; la satisfaction morose de l'écriture de fiction serait remplacée par une existence où il écrirait pour la voix, le mouvement et une forme d'immédiateté dont il avait toujours cru qu'elle lui était refusée. Ce nouveau monde était désormais à sa portée. Puis tout à coup, le matin en particulier, il avait la certitude du contraire, qu'il échouerait et qu'il lui faudrait revenir bon gré mal gré à son véritable moyen d'expression : la page imprimée. Il n'avait jamais connu de tels jours d'exaltation et de revirements soudains.

Pour les comédiens, il n'éprouvait qu'affection. Par instants il aurait fait pour eux tout ce qui était en son pouvoir. Il veillait à ce que soient livrés en coulisse, pendant les longues journées de répétition, des paniers de victuailles : poulet et rôti froids, salades, pommes de terre à la mayonnaise, pain frais, beurre. Il adorait les voir manger, assister à ce moment où ils passaient de leur personnage de théâtre à la vie civile. Il anticipait avec plaisir un avenir où il leur écrirait de nouveaux rôles, qu'il les verrait créer puis interpréter tous les soirs jusqu'à la fin des représentations, quand ils retourneraient une fois de plus au monde pâle du dehors.

Il avait aussi le sentiment qu'il entamait, en tant que romancier, une période mauvaise signalée par le déclin de l'empressement des éditeurs à son égard. Une nouvelle génération d'auteurs qu'il ne connaissait guère et qu'il n'appréciait pas s'était arrogé une domination universelle. Cette impression d'être un écrivain quasi fini lui pesait ; il produisait peu, et la publication dans les revues, autrefois si utile et si lucrative, lui était de plus en plus fermée.

Il se demandait si le théâtre pourrait devenir pour lui non seulement un divertissement et une source de plaisir, mais un gagne-pain, une manière de nouveau départ maintenant que l'écriture romanesque fructueuse paraissait lui faire défaut. *Guy Domville*, son drame sur le conflit entre vie matérielle et vie contemplative, entre les vicissitudes de l'amour humain et une existence vouée à des joies supérieures, avait été écrit en vue de remporter les suffrages, de répondre aux attentes du public, et il guettait le soir de la première avec un mélange d'optimisme – la certitude absolue du triomphe – et d'anxiété profonde, nourrie par le sentiment que le succès, la célébrité et les louanges ne seraient jamais pour lui.

Tout dépendait maintenant de la première. Il avait tout imaginé dans les moindres détails, sauf ce que lui-même ferait ce soir-là. Dans les coulisses, sa présence gênerait ; dans la salle, il serait bien trop agité, bien trop prompt à autoriser le moindre bruit, le moindre soupir, le moindre silence, à le troubler ou à l'exalter de façon indue. Il pouvait, pensa-t-il, se cacher au *Cap and Bells*, le pub le plus proche du théâtre, et demander à Edmund Gosse, en qui il avait toute confiance, de se faufiler dehors à la fin de l'acte II pour lui raconter comment ça allait. Mais deux jours avant la date fatidique, il décréta lui-même que son plan était absurde.

Il allait pourtant devoir faire quelque chose. Il n'y aurait personne avec qui dîner ce soir-là, car il avait invité à la première tous les gens qu'il connaissait, et la plupart d'entre eux avaient accepté. Il pouvait se rendre dans une ville pas trop éloignée de Londres, visiter ce qu'il y avait à y visiter et revenir par le train du soir à l'heure des applaudissements. Mais rien, il le savait, ne détournerait ses pensées du verdict qui l'attendait. Il aurait aimé être attelé à un nouveau roman, dont la publication en feuilleton ne débuterait qu'au printemps. Il aurait voulu pouvoir travailler dans le calme de son bureau, dont les fenêtres laissaient filtrer la lumière grise du matin, cette lumière spéciale qui était celle de Londres en hiver. Il se languissait de la solitude et du réconfort de savoir que sa vie dépendait non pas de la multitude, mais de sa capacité à rester lui-même.

Il fut décidé, après beaucoup d'indécision et de concertation avec Gosse et Alexander, qu'il irait au Haymarket pour voir la nouvelle pièce d'Oscar Wilde. C'était, lui semblait-il, la seule manière de se contraindre à l'immobilité entre vingt heures trente et vingt-deux heures quarante-cinq ; il pourrait ensuite se rendre à pied au théâtre St James. Gosse et Alexander s'accordèrent avec lui sur ce plan, le meilleur plan, le seul envisageable. Il aurait l'esprit ailleurs, au moins pendant une partie du temps, et il débarquerait au St James à l'instant magique où sa pièce aurait juste touché à sa fin ou serait sur le point de le faire.

Voilà, pensa-t-il tout en s'habillant pour la soirée, comment se comporte le monde réel – ce monde dont il s'était retiré et au sujet duquel il se perdait en conjectures. C'est ainsi que se gagne l'argent, que s'établissent les réputations. Cela se fait dans le risque et l'excitation, le ventre noué, le cœur battant, l'imagination enfiévrée de possibles. Combien de jours de sa vie ressembleraient à celui-ci ? Si sa pièce, inaugurant peut-être une série capable d'assurer sa fortune, devait connaître le succès, les soirées de première à venir seraient plus douces, moins enflammées que celle-ci. Pourtant, tandis qu'il attendait le fiacre en bas, il éprouvait toujours un regret aussi vif de n'être pas plutôt

25

attelé à un autre projet littéraire, devant des pages blanches qui n'attendaient que lui, avec la perspective d'une soirée sans engagements où il n'aurait rien à faire sinon écrire. Ce désir de retraite était très puissant en lui au moment d'embarquer pour le Haymarket. Il aurait donné n'importe quoi pour être plus vieux de trois heures et demie et pour connaître l'issue : se mirer dans les éloges et l'adulation ou affronter le pire.

Pendant que le fiacre se frayait un chemin vers le théâtre il éprouva subitement une désolation étrange, inédite, brutale. C'était trop ; il en demandait trop. Il se força à penser aux décors, aux éclairages brillants, aux costumes, au drame lui-même, puis à ceux qui avaient répondu à son invitation, et soudain il ne ressentit plus qu'une excitation pleine d'espoir. Il avait désiré tout cela, et maintenant il l'avait, il ne devait pas se plaindre. Il avait montré à Gosse la liste des invités qui rempliraient l'orchestre et les loges, et Gosse avait déclaré qu'une telle galaxie de célébrités aristocratiques, littéraires et scientifiques n'avait encore jamais été réunie dans une salle londonienne.

Au-dessus de ces gens-là il y aurait – il hésita et sourit en pensant qu'à sa table de travail il se serait interrompu pour chercher le mot juste, au-dessus d'eux il y aurait – comment dire ? – les spectateurs qui avaient payé de leur poche, le public réel dont le soutien et les applaudissements importeraient bien plus que le soutien et les applaudissements de ses amis. Ces spectateurs-là étaient, il faillit presque le dire à haute voix, ceux qui ne lisent pas mes livres. Le monde, songea-t-il avec un nouveau sourire tandis que la phrase suivante se présentait spontanément à son esprit, en est plein. Ils ne sont jamais en manque d'âmes sœurs. Ce soir, il l'espérait, ce public serait de son côté.

À l'instant où il posa le pied sur le trottoir devant le Haymarket, il devint jaloux d'Oscar Wilde. Une atmosphère de gaieté frivole émanait de la foule qui se pressait vers l'entrée du théâtre ; ils avaient tous l'air de gens farouchement décidés à s'amuser. Lui-même, à ce qu'il croyait, n'avait jamais de sa vie eu cet air-là, et il se demanda comment il allait survivre aux deux heures qu'il lui faudrait passer au milieu d'un public si émoustillé et si folâtre. Aucun de ceux qu'il voyait là, individu, couple ou groupe, ne paraissait le moins du monde susceptible d'apprécier *Guy Domville*. Ils voulaient un dénouement heureux. Il eut un instant de vertige en repensant à ses altercations avec Alexander sur la fin bien moins qu'heureuse de *Guy Domville*.

Il regretta de n'avoir pas réservé un fauteuil en bout de rang. Il se trouva encerclé à sa place, et après le lever du rideau, quand le public commença à rire de répliques qui lui semblaient grossières et malvenues, il eut la sensation d'être assiégé. Il ne rit pas une seule fois ; pas un seul moment de la pièce ne lui parut drôle et, de façon plus significative à ses yeux, pas un seul moment ne lui parut vrai. Chaque réplique, chaque scène était jouée comme si la bêtise constituait une manifestation supérieure de la vérité. L'auteur ne manquait aucune occasion de faire passer pour esprit le manque d'esprit ; et ces platitudes mises bout à bout déclenchaient chez le public une hilarité franche complètement dépourvue d'arrière-pensées.

À supposer qu'*Un mari idéal* fût une pièce faible et vulgaire, il était manifestement le seul à être de cet avis, et au premier entracte la tentation de s'éclipser fut intense. Mais il n'avait nulle part où aller. Son unique consolation était de ne pas être tombé un soir de première ; aucune foule mondaine ne se pressait dans le foyer du théâtre, il ne reconnaissait personne et personne ne le reconnaissait. Réconfort supplémentaire et supérieur, il ne voyait nulle part trace de Wilde lui-même, cette incarnation d'Irlandais braillard et encombrant, ou de son entourage.

Il se demanda ce que lui-même aurait pu tirer d'une telle histoire. Dans son état actuel, c'était une parodie d'écriture, un appel au rire facile, aux réactions primaires. Le portrait d'une classe dominante corrompue était factice ; l'intrigue progressait de façon mécanique ; la pièce entière était mal construite et sans vie. Personne n'en garderait le moindre souvenir, et lui se la rappellerait uniquement à cause du supplice qu'il endurait, de la tension extrême de savoir que son propre drame se jouait au même moment à quelques minutes de marche à peine. Sa pièce à lui traitait du renoncement, et ces gens-là n'avaient renoncé à rien. À la fin, pendant qu'ils applaudissaient à tout rompre et que les comédiens revenaient saluer encore et encore, il vit à leurs visages congestionnés et heureux qu'ils n'avaient aucune intention de s'amender dans l'immédiat.

Pendant qu'il traversait St James Square pour prendre connaissance de son propre sort, le succès absolu de ce qu'il venait de voir jouer lui apparut soudain comme une prémonition affreuse du naufrage de *Guy Domville*, et il s'immobilisa en plein carrefour, paralysé par la terreur de cette probabilité et n'ayant plus le courage d'y aller pour en apprendre davantage.

Plus tard, au fil des ans, il découvrirait par bribes et allusions une partie de ce qui s'était passé ce soir-là. Il n'apprit jamais l'entière vérité, mais une chose était sûre : la divergence entre les spectateurs invités et les spectateurs payants avait été aussi impossible à surmonter que le fossé entre lui-même et le public d'Oscar Wilde. Les spectateurs payants avaient, paraît-il, commencé à tousser et à s'agiter avant même la fin de l'acte I. À l'acte II, l'entrée en scène de Mrs Edward Saker dans son volumineux costume d'époque avait suscité des rires. Et une fois la moquerie déclenchée, le public avait pris un plaisir grandissant à se montrer injurieux. Les rires n'avaient pas tardé à se transformer en huées.

Il apprit aussi plus tard, bien plus tard, ce qui était arrivé après qu'Alexander eut lancé sa réplique finale : « Je suis le dernier, ô mon Seigneur, des Domville. » Quelqu'un au poulailler avait hurlé : « Ça au moins, c'est une sacrée bonne nouvelle ! » Il y avait eu des sifflements et des lazzis et, après le tomber du rideau, de nouvelles huées, des quolibets et des insultes pendant que les autres spectateurs, ceux de l'orchestre et de la corbeille, applaudissaient de toutes leurs forces.

À son arrivée au St James, il choisit l'entrée des artistes ; le régisseur vint aussitôt à sa rencontre et l'assura que tout s'était bien passé, que sa pièce était un succès. Quelque chose dans le ton de sa voix incita Henry à l'interroger davantage afin de découvrir l'ampleur et la qualité de ce succès mais, au même instant, les premiers applaudissements fusèrent et, en prêtant l'oreille, il prit par erreur les huées pour des cris d'enthousiasme. Il entrevit Alexander qui quittait le plateau d'une démarche raide, l'air grave, et attendait quelques instants avant d'aller saluer. Il s'approcha des coulisses, convaincu du triomphe des comédiens. Les sifflets et les cris devaient signaler un enthousiasme particulier pour l'un ou l'autre, dont sûrement Alexander.

Il s'attarda tant et si bien qu'Alexander l'aperçut. Plus tard, on lui raconta que ses amis dans la salle l'avaient réclamé aux cris fervents de : « L'auteur ! L'auteur ! », pas assez fervents toutefois pour qu'il les entende. Alexander, lui, les entendit, du moins le prétendit-il par la suite, car en croisant le regard de l'auteur il s'approcha de lui, l'air toujours aussi figé et solennel, le prit par la main et le conduisit, lentement et fermement, sur la scène.

Voici donc son public, les spectateurs qu'il s'était plu à imaginer tout au long des répétitions. Il les avait imaginés attentifs et prêts à se laisser toucher, il les avait imaginés immobiles et sérieux. À aucun moment il n'avait anticipé un tel chaos d'agitation et de bruit. Il l'accueillit un moment, en proie à la confusion ; puis il s'inclina. En redressant le buste, il comprit ce qu'il avait sous les yeux. Les spectateurs payants du parterre et du dernier balcon sifflaient et huaient. Il parcourut la salle du regard ; vit la moquerie et le mépris. Le public invité, qui était resté assis, applaudissait encore, mais les bravos étaient noyés sous le crescendo de désapprobation bruyante et grossière de ceux qui n'avaient jamais lu ses livres.

Le pire était arrivé – en cet instant, alors qu'il ne savait pas quel parti prendre, alors que, submergé par une panique qu'il ne pouvait réprimer, il ne contrôlait plus l'expression de son visage. À présent il discernait les visages de ses amis – Sargent, Gosse, Philip Burne-Jones – qui continuaient poliment à applaudir, dérisoires face aux hurlements de la meute. Rien ne l'avait préparé à cela. Lentement, il quitta la scène. Il ne s'attarda pas pour entendre les paroles d'apaisement d'Alexander au public. Il en voulait à Alexander de l'avoir fait monter sur scène, il en voulait à la foule de siffler, mais, surtout, il s'en voulait d'être là. Il n'y avait plus d'alternative à présent, il allait devoir s'éclipser par l'entrée des artistes. Il avait tellement rêvé cet instant de triomphe, où il se mêlerait aux spectateurs invités, ravi que tant de vieux amis se soient déplacés pour être témoins de son succès au théâtre. Maintenant il allait rentrer chez lui, la tête basse, tel un homme qui a commis un crime et qui est en danger imminent d'arrestation.

Il attendit à l'écart, dans les coulisses, pour éviter de croiser les acteurs. Il avait renoncé à partir tout de suite, ne sachant pas qui il risquait de rencontrer dans les rues proches du théâtre. Ni lui ni ses amis n'auraient su quoi dire, si démesurée et si publique était sa défaite. Pour ses amis, cette soirée serait classée dans les annales de l'indicible, celles-là mêmes où il avait toujours scrupuleusement évité de faire apparaître son nom. Après un moment, il comprit toutefois qu'il ne pouvait pas trahir les comédiens dans un moment pareil. Il n'avait pas le droit de céder à son besoin horrible d'être seul, de s'échapper dans la nuit et de marcher comme quelqu'un qui n'avait rien écrit et qui n'était personne. Il devait aller les voir un par un et les remercier ; il devait insister pour que soit maintenu le souper prévu après le triomphe de sa pièce. Debout dans l'ombre, il se prépara, se cuirassa en refoulant un à un ses besoins personnels, quels qu'ils soient. Puis il serra les poings et se disposa à y aller, à s'incliner, à sourire et à imaginer que la soirée dans toute sa gloire avait été redevable uniquement au talent des comédiens dans la grande tradition de la scène londonienne.

2

Février 1895

Après l'échec de *Guy Domville*, sa détermination à travailler entra en lutte avec le sentiment d'avoir été vaincu et exposé. Il n'avait guère, il le comprenait à présent, pris la mesure du « grand pied plat » du public, et maintenant il devait faire face au mélancolique constat que rien de ce qu'il pouvait écrire n'était susceptible d'emporter un jour les suffrages du plus grand nombre. La plupart du temps il parvenait, s'il s'en donnait la peine, à dominer ces pensées. Ce qu'il ne contrôlait pas en revanche était la douleur lancinante du matin, qui se prolongeait désormais jusqu'à midi et au-delà. Il y avait, dans la pièce d'Oscar Wilde, une réplique qui lui avait plu, où était posée cette question : le brouillard de Londres était-il dû à la tristesse des Londoniens ou était-ce le brouillard qui causait la tristesse ? Sa tristesse à lui, songea-t-il pendant que la lumière chiche du matin d'hiver filtrait par sa fenêtre, était comme le brouillard de Londres. Sauf qu'elle ne semblait pas vouloir se lever et qu'elle s'accompagnait d'une fatigue inconnue jusqu'alors, une léthargie qui le choquait et le déprimait.

Il se demandait, dans l'hypothèse où il devait un jour devenir un auteur plus démodé qu'il ne l'était déjà, et au cas où les dividendes de la succession de son père venaient à s'amenuiser, si cette impécuniosité représenterait une humiliation publique. Finalement cela se réduisait toujours à l'argent, à la douceur que l'argent conférait à l'âme. L'argent était une sorte de grâce. Partout où il était allé dans le monde, le fait d'en avoir et d'en jouir situait les gens à part. L'argent accordait aux hommes la sérénité d'un contrôle distant sur le monde et il offrait aux femmes une conscience calme de leur valeur, une lumière intérieure que même le grand âge ne pouvait oblitérer.

Il lui était facile de penser que son destin était d'écrire pour quelques élus, éventuellement pour la postérité, mais en aucun cas pour récolter les fruits qui lui auraient donné tant de plaisir dans l'immédiat, comme une maison à lui, un jardin agréable et la disparition de la peur du lendemain. Il conservait l'orgueil des décisions prises, le fait qu'il n'eût jamais transigé, que son dos et ses yeux le faisaient souffrir uniquement parce qu'il continuait de travailler jour après jour à un art qui était pur et indifférent aux ambitions mercenaires.

Pour son père et pour son frère, comme pour beaucoup de gens à Londres, un échec sur le marché était une forme de succès, et un succès sur le marché un événement qu'on passait sous silence. Il n'avait jamais de sa vie recherché activement le dur verdict populaire. Il n'en désirait pas moins que ses livres se vendent ; il voulait briller sur le marché et empocher les gains sans compromettre d'aucune façon le caractère sacré de son art.

Il lui importait de savoir comment il était considéré ; et être considéré comme un artiste qui ne faisait rien pour rendre ses œuvres accessibles lui plaisait ; être considéré comme un homme qui se dévouait dans une solitude désintéressée à un art noble lui procurait de la satisfaction. Il reconnaissait cependant que l'absence de succès était une chose, et la faillite retentissante autre chose encore. Ainsi son échec notoire et transparent au théâtre lui inspirait-il un profond malaise et une réticence à s'aventurer dans les cercles élargis de la société londonienne. Il se sentait comme un général revenu du champ de bataille tout imprégné d'une odeur de défaite et dont la présence dans les chauds salons illuminés de Londres aurait paru fâcheuse et incongrue.

Il connaissait à Londres des militaires de carrière. Il avait évolué avec une aisance circonspecte dans le monde des puissants, et il avait suivi attentivement maintes conversations anglaises portant sur l'intrigue politique et la bravoure militaire. Lorsqu'il se trouvait assis au milieu de l'habituelle collection de riches accessoires et de vieux guerriers dans la maison de Lord Wolseley à Portman Square, il pensait souvent à ce qu'auraient dit sa sœur Alice ou son frère William s'ils avaient pu assister à un échantillon de ce bellicisme impérial d'après dîner, à ces évocations chaleureuses de troupes, d'attaques et de massacres. Alice avait été la plus anti-impérialiste de la famille ; elle avait même aimé Parnell et appelé de ses vœux le Home Rule pour l'Irlande. William avait ses sentiments irlandais, lui aussi, et même ses attitudes antianglaises.

Lord Wolseley était cultivé, comme ils l'étaient tous, il était courtois et fascinant, avec ses fossettes roses et ses yeux perçants. Henry se retrouvait dans la compagnie de ces hommes parce que leurs épouses voulaient qu'il y soit. Elles aimaient ses manières, ses yeux gris et ses origines américaines, mais plus que tout elles appréciaient sa façon d'écouter, d'assimiler chaque parole et de poser des questions pertinentes qui semblaient admettre, autant que ses gestes et que ses répliques, l'intelligence de l'interlocuteur.

C'était plus facile pour lui lorsqu'il n'y avait pas d'autres écrivains présents ni quiconque qui fût familier de ses œuvres. Les hommes qui se retrouvaient entre eux après le dîner pour échanger anecdotes et ragots politiques ne l'intéressaient jamais autant que ce qu'ils racontaient ; les femmes, en revanche, l'intéressaient toujours quoi qu'elles racontent. Lady Wolseley l'intéressait beaucoup parce qu'elle était tout intelligence, sympathie et charme et parce qu'elle avait l'allure, les manières et les goûts d'une Américaine. Elle avait l'habitude de promener sur ses invités réunis un regard émerveillé et admiratif avant de se tourner en souriant vers la personne la plus proche et de lui parler à voix basse comme si elle lui confiait un secret.

Il avait besoin de quitter Londres, mais il ne pensait pas qu'il pourrait supporter d'être seul où que ce soit. Il ne voulait évoquer sa pièce avec personne et il ne croyait pas être capable de travailler. S'il partait en voyage, les choses seraient peut-être différentes à son retour. Il était plein de visions et d'idées. Il priait et espérait que son imagination puisse être convertie en pages d'écriture. C'était là, lui semblait-il, tout ce qu'il désirait désormais.

Il choisit l'Irlande car il était commode de s'y rendre et que cela ne mettrait pas ses nerfs à l'épreuve. Pas plus Lord Houghton, le nouveau Lord Lieutenant dont il avait également connu le père, que Lord Wolseley, le commandant en chef des forces de Sa Majesté en Irlande, n'avaient vu sa pièce ; il accepta de passer une semaine respectivement chez l'un et chez l'autre. Il avait été surpris par la véhémence des invitations et par l'apparente rivalité quant à la durée de son séjour. Mais une fois installé à Dublin Castle, il comprit le problème.

L'Irlande connaissait une période de troubles ; non seulement le gouvernement de Sa Majesté avait échoué à en venir à bout, mais il avait encouragé le désordre par une série de concessions. Celles-ci, relativement faciles à justifier devant le Parlement, s'étaient révélées impossibles à expliquer aux propriétaires terriens et aux garnisons, qui boycottaient depuis lors tous les événements de la saison mondaine à Dublin Castle. Lord Houghton en était venu à dépendre d'invités d'importation, et cela expliquait son empressement.

Le vieux Lord Houghton avait été un homme simple dans ses manières comme dans ses goûts, enclin, surtout pendant les dernières années de sa vie, à se faire plaisir et à amuser les autres ; son fils était tout au contraire plein de rigueur et de suffisance. En accédant au statut de Lord Lieutenant, le nouveau Lord Houghton avait trouvé la clé du bonheur. Il se pavanait, apparemment seul à ignorer qu'en dépit de ses intentions louables il comptait pour peu. Il était le représentant de la reine en Irlande, et il s'acquittait de ce rôle avec tout le cérémonial et le protocole dont il était capable ; il remplissait ses journées d'inspections, de réceptions et de revues de troupes, et ses soirées de dîners et de bals. Il supervisait sa maisonnée comme si la reine était toujours en résidence et susceptible d'apparaître d'un instant à l'autre dans son ineffable grandeur impériale.

La petite cour pompeuse de ce vice-roi était, du point de vue de Henry, un épuisement pour le corps comme pour l'esprit. Il y eut quatre bals en six jours et un grand dîner tous les soirs. Y assistait une classe décimée de notables et de militaires du cru, aidée par les invités à résidence venus d'Angleterre – très nombreux, quant à eux, mais non moins ternes et de second plan. Par bonheur, la plupart n'avaient jamais entendu parler de lui ; il ne fit aucun effort pour les éclairer.

— Si je puis vous donner un conseil, lui dit une de ces dames anglaises, bouchez-vous le nez, fermez les yeux, et, si vous le pouvez, couvrez-vous aussi les oreilles. Commencez à le faire dès l'instant où vous débarquez en Irlande et n'arrêtez que lorsque vous franchissez les portes du château ou du pavillon royal, selon l'endroit où vous logez.

La dame rayonnait de satisfaction. Il aurait voulu que sa sœur Alice, morte depuis trois ans, soit là pour la mettre en déroute. Alice, il le savait, aurait intérieurement peaufiné une satire pour plus tard, et elle aurait expédié maintes lettres sur le thème de la pilosité faciale de la dame, sur l'état de ses dents et sur le coassement de sa voix quand elle atteignait les notes d'admonestation les plus aiguës. La dame lui souriait.

— J'espère que je ne vous ai pas alarmé. Vous semblez alarmé.

Il était alarmé en effet, parce qu'il avait découvert une petite pièce avec une table, du papier, de l'encre et quelques livres, et il était très occupé à rédiger une lettre. Il pensa soudain que la meilleure manière de se débarrasser de cette femme serait d'agiter les mains dans sa direction en sifflant comme s'il avait eu affaire à un troupeau d'oies.

— Mais le château est charmant, poursuivait-elle, et les bals de l'an dernier étaient éblouissants, bien au-delà de ce qu'on trouve à Londres, savez-vous.

Il la toisa d'un regard qui se voulait décourageant, et ne dit rien.

— Et il y a certaines personnes ici qui auraient beaucoup à apprendre de Sa Seigneurie. Vous savez qu'à Londres nous sommes régulièrement invités dans les plus grandes maisons. Mais nous ne connaissons pas Lord Wolseley, pas plus que sa femme, d'ailleurs. Lord Houghton a eu la gentillesse de nous présenter lors du dîner intime qu'il a donné à notre arrivée ; j'étais placée à côté de lui, et mon mari, qui est un homme très gentil et très doux et également très riche, si je puis me permettre de le préciser, et honnête bien sûr, a eu le malheur d'être placé à côté de Lady Wolseley.

Elle s'arrêta pour reprendre haleine, et l'indignation dans sa voix monta d'un cran.

— Il faut croire que Lord Wolseley a appris un de ces systèmes de signalisation pendant ses guerres et qu'il lui a donné l'ordre en secret d'ignorer mon mari, comme il m'a ignorée, moi. Quelle grossièreté ! Et quelle grossièreté aussi de sa part à elle ! Lord Houghton était mortifié. Les

Wolseley, c'est, je pense, un couple vraiment très, très grossier.

Henry décida qu'il était temps de mettre un terme à la conversation, mais comment s'y prendre avec cette femme qui était manifestement à l'affût de la moindre grossièreté ? Toutefois, la grossièreté était peu de chose comparée à la perspective d'endurer de nouvelles minutes de sa conversation.

— J'ai bien peur de devoir regagner mes appartements de toute urgence, dit-il enfin.

— Par exemple !

Elle bloquait la porte. Il fit un pas vers elle ; elle ne bougea pas. Ses traits étaient crispés en un sourire plein de rancune.

— Et maintenant, bien entendu, nous ne serons pas invités au Royal Hospital. Mon mari affirme que nous n'irions pas même si nous l'étions, mais moi, j'adorerais y aller pour voir, et les soirées y sont extraordinaires, paraît-il, malgré la grossièreté des hôtes. Et le jeune Mr Webster, le député, dont mon mari dit qu'il est absolument plein d'avenir et qu'il risque d'être Premier ministre un de ces jours, sera là.

Elle s'interrompit et contempla un instant le sommet de la tête de Henry en se caressant la joue. Puis elle poursuivit.

— Mais nous ne sommes pas assez bien pour eux, voilà ce que j'ai dit à mon mari. Vous, vous avez un grand avantage. Vous êtes américain. Personne ne sait qui était votre père ni votre grand-père. Vous pourriez être n'importe qui, en somme.

Il la toisait avec froideur, en silence, de l'autre bout du tapis.

— Je ne dis pas cela pour vous insulter, ajouta-t-elle.

Il ne répondit pas.

— Ce que je voulais dire, reprit la dame, c'est que l'Amérique a l'air d'être une très belle démocratie.

Il s'inclina.

— Vous y seriez extrêmement bienvenue.

Deux jours plus tard, il fit le trajet de Dublin Castle jusqu'au Royal Hospital de Kilmainham, de l'autre côté de la ville. Il avait déjà vu l'Irlande, au cours d'un voyage entrepris depuis Queenstown, dans le comté de Cork, jusqu'à Dublin ; il avait aussi brièvement séjourné à Kingstown. Il avait aimé Kingstown, la lumière de la mer, la sensation d'ordre et de calme. Mais ce trajet-là lui rappela son périple à travers le pays, où il avait été le témoin d'une misère à la fois abjecte et omniprésente. Parfois, en apercevant une cabane, il n'aurait su dire si elle finissait de s'écrouler ou si elle abritait une famille entière. Tout était en ruine, ou partiellement en ruine. La fumée sortait de cheminées à demi pourries, et aucun de ceux qui émergeaient de ces taudis ne pouvait s'empêcher de crier au passage d'une voiture ou, si celle-ci ralentissait, de s'en approcher d'un air malveillant. Jamais pendant ce voyage il ne s'était senti à l'abri de leur regard hostile, de leurs yeux sombres et accusateurs.

Dublin, par certains aspects, était différent. Il y avait davantage de liens entre la classe mendiante et ceux qui possédaient argent et manières. Mais pour autant, la misère qui s'étalait jusqu'aux grilles du château le laissait déprimé et anxieux. À bord de la voiture officielle qui l'emmenait vers le Royal Hospital, ce qu'il remarqua par-dessus tout fut l'accablement des Irlandais. Il essaya de fixer son regard ailleurs, en vain. Les dernières rues étaient trop étroites pour lui éviter de voir la pauvreté des visages et des maisons, et de sentir que des femmes et des enfants importuns pouvaient à tout moment lui barrer le passage. Si son frère William avait été là, il n'aurait pas eu de mots assez durs pour cette arrière-cour appauvrie et négligée de l'Empire.

Il fut soulagé lorsque l'équipage s'engagea dans la grande allée du Royal Hospital, et surpris également par la majesté de la bâtisse ainsi que par la grâce et l'élégante symétrie du parc. C'était, et cette idée le fit sourire, comme entrer au royaume des cieux après une chevauchée tumultueuse en enfer. Même les domestiques qui apparurent pour le saluer et prendre ses bagages semblaient différents, d'une disposition céleste. Peut-être devrait-il leur demander de le sauver, de refermer les grilles et de lui épargner toute nouvelle confrontation avec la pauvreté de la ville jusqu'à son départ.

Il savait que l'hospice avait été construit au dix-septième siècle pour les soldats âgés, et lors de son premier tour de reconnaissance il apprit que cent cinquante d'entre eux étaient encore logés le long des interminables couloirs disposés autour d'une cour centrale et prenaient de l'âge avec bonheur dans ce cadre splendide. Lorsque Lady Wolseley s'excusa auprès de lui de la proximité de ces pensionnaires, il répondit qu'il était lui aussi à sa manière un vieux soldat, ou du moins un soldat vieillissant, et qu'il se sentirait ici comme chez lui, pour peu qu'on lui donnât un semblant de lit.

Sa chambre donnait non pas sur la cour mais sur le fleuve et sur le parc. Lorsqu'il ouvrit les yeux le lendemain de bonne heure, les pelouses étaient couvertes de brume blanche. Il se rendormit, d'un sommeil cette fois profond et paisible, et fut réveillé par une présence discrète qui se déplaçait sur la pointe des pieds dans l'ombre de la chambre.

— J'ai laissé un peu d'eau chaude pour la toilette de monsieur, et je ferai couler un bain au moment qui lui conviendra le mieux.

C'était une voix d'homme, un accent anglais, doux et rassurant.

— Madame la vicomtesse dit que s'il le souhaite, monsieur peut prendre le petit déjeuner dans sa chambre.

Henry demanda son bain tout de suite et son petit déjeuner dans la chambre. Il s'interrogea sur ce que penserait madame la vicomtesse s'il restait invisible jusqu'à l'heure du déjeuner ; sa solitude, présumait-il, pouvait s'abriter derrière le prétexte de l'art. La perspective d'une matinée passée dans la seule compagnie de la vue offerte par ses fenêtres et de sa chambre aux proportions parfaites le remplissait de bonheur.

En interrogeant le valet de chambre pour connaître son nom, il découvrit que ce n'était pas du tout un valet mais un caporal, et il comprit alors que les Wolseley avaient à leur disposition quantité de ces officiers d'ordonnance. Celui-ci s'appelait Hammond ; il possédait une voix calme et un air de discrétion naturelle. Henry pressentit tout de suite que Hammond serait un valet très demandé si l'armée devait un jour se passer de ses services.

Au déjeuner la conversation roula bientôt, comme il l'avait prévu, sur les récents événements à Dublin Castle.

— Les Irlandais étaient épouvantables, de toute manière, déclara Lady Wolseley, et nous devrions tous être soulagés qu'ils boudent la saison. Ces affreuses matrones qui traînaient partout leurs affreuses filles, prêtes à tout pour leur trouver un mari ; la vérité, c'est que personne ne veut épouser leurs filles, absolument personne.

Il y avait, en dehors de lui, cinq invités venus d'Angleterre ; il avait déjà rencontré deux d'entre eux. Il remarqua leur discrétion, leur air souriant et leurs éclats de rire pendant que leur hôte et leur hôtesse s'efforçaient de rivaliser d'esprit.

— Lord Houghton, continua Lady Wolseley, se prend pour la famille royale en Irlande, et la première chose dont la famille royale a besoin, c'est de sujets, mais comme les Irlandais refusent de l'être, il en a importé une cargaison entière d'Angleterre, ainsi que Mr James, hélas, ne le sait que trop bien, je pense.

Il ne dit rien et prit garde à ne faire aucun geste qui puisse être interprété comme un acquiescement.

— Il a invité tous ceux qui étaient disposés à venir, ajouta Lord Wolseley. Nous avons dû procéder à un sauvetage en règle de Mr James.

Il faillit répondre que Lord Houghton était un hôte parfait ; puis il résolut qu'il valait mieux ne pas prendre part à cette conversation.

— Et pour que tout ait l'air gai et normal, renchérit Lady Wolseley, il n'a cessé de donner des bals et des dîners. Ce pauvre Mr James était épuisé en arrivant ici. La semaine dernière, Lord Houghton nous a invités à une soirée dans ses appartements privés. C'était en effet épouvantablement intime. Je me suis retrouvée placée à côté d'un homme très fruste, pendant que Lord Wolseley subissait sa femme, qui ne l'était pas moins. Le mari a au moins eu la dignité de se taire, mais l'épouse était moins bien dressée, malheureusement. Nous avons fait semblant de rien, bien sûr, nous avons fait comme s'ils n'étaient pas là.

Ce soir-là, alors qu'il se retirait, Lady Wolseley tint à le raccompagner jusqu'au bout d'un des interminables couloirs. Le ton de sa voix suggérait qu'elle n'allait pas tarder à lui faire des confidences sur les autres invités.

— Hammond vous donne-t-il satisfaction ? s'enquit-elle soudain. Je suis désolée qu'il n'ait pu être là pour vous accueillir à votre arrivée.

— Il est parfait, on ne peut rêver mieux.

— Oui, c'est pour cela que je l'ai choisi. Il a beaucoup de charme, n'est-ce pas, et de discrétion aussi, il me semble...

Elle l'observait. Il ne dit rien.

— Oui, reprit-elle, je pensais bien que vous seriez de cet avis. Il ne s'occupe de personne à part vous et, bien entendu, il est disponible à toute heure. Je crois qu'il ressent comme un honneur le fait d'être à votre service. Je lui ai dit que quand nous serions tous morts et oubliés, on se souviendrait de vous seul et on lirait encore vos livres. Et il m'a répondu alors une chose vraiment charmante, avec cette voix charmante et calme qu'il a, il a dit : « Je ferai tout mon possible pour le rendre heureux pendant son séjour. » Aussi simplement que cela ! Et je crois qu'il était sincère.

Ils étaient arrivés au pied de l'escalier ; le visage de Lady Wolseley rayonnait littéralement de sous-entendus. Il lui sourit avec douceur et lui souhaita une bonne nuit. En se tournant pour gravir la deuxième volée de marches, il vit qu'elle le regardait encore, un étrange sourire aux lèvres.

Les rideaux avaient été tirés et un feu brûlait dans le salon de son appartement. Hammond ne tarda pas à entrer en portant un broc de toilette.

— Monsieur compte-t-il veiller tard ?

— Non, je vais me retirer bientôt.

Hammond était grand, et son visage paraissait plus mince et plus doux à la lueur des flammes. Il alla à la fenêtre, rectifia le tombé du rideau et s'approcha ensuite de la cheminée pour tisonner le feu.

— J'espère que je ne dérange pas monsieur, mais ce charbon est vraiment très médiocre.

Il avait parlé dans un quasi-murmure. Henry était installé devant l'âtre, dans son fauteuil.

— Non, je vous en prie, faites.

— Monsieur désire-t-il son livre ?

— Mon livre ?

— Celui que monsieur lisait aujourd'hui. Je peux aller le chercher, il est dans l'autre pièce.

Le regard brun de Hammond était posé sur lui avec une expression amicale, teintée d'humour. Il ne portait ni barbe ni moustache. Il se tenait immobile dans la lumière jaune, sans trace d'embarras, comme si le silence de Henry ne le prenait guère au dépourvu.

— Je ne pense pas que je vais lire dans l'immédiat, répondit Henry lentement.

Il sourit et fit mine de se lever.

— J'ai le sentiment d'avoir dérangé monsieur.

— Non, je vous en prie, ne vous inquiétez pas. Il est l'heure de se coucher.

Il tendit à Hammond une pièce d'une demi-couronne.

— Merci, monsieur, mais ce n'est pas nécessaire.

— Je vous en prie, vous me feriez plaisir en l'acceptant.

— Je remercie monsieur.

Le lendemain à l'heure du déjeuner, il découvrit que de nouveaux invités avaient rempli les chambres et les couloirs des appartements de Lord et de Lady Wolseley, qui résonnaient à présent de voix joyeuses et de rires. Au dîner, les Wolseley annoncèrent leur décision de donner un bal à leur tour ; Lady Wolseley précisa que les gens du château pourraient ainsi bénéficier d'une leçon dans l'art d'offrir un bal digne de ce nom loin de chez soi.

Toutefois, dès qu'il fut question de costumes, Henry refusa net en décrétant qu'il était trop vieux jeu pour se déguiser. Vers la fin de la soirée, alors que Lady Wolseley le priait avec insistance de venir au bal en militaire et que Henry maintenait avec une insistance égale qu'il n'en ferait rien, leur échange fut interrompu par un jeune homme qui appartenait sans doute au dernier arrivage. Il était empressé, plein d'assurance, et il jouissait clairement de la faveur de Lady Wolseley.

— Mr James, dit-il, ma femme veut venir en Daisy Miller, peut-être pourriez-vous nous aider à définir son costume ?

— Personne ne peut venir en Daisy Miller, répliqua Lady Wolseley. La règle, en ce qui concerne les dames, c'est que nous incarnions un Gainsborough, un Romney ou un Sir Joshua. Et je peux vous dire, Mr Webster, que j'ai l'intention d'éclipser tout le monde.

— Comme c'est étrange, répliqua le jeune homme, ce sont précisément les paroles de ma femme ce matin. Quelle extraordinaire coïncidence !

— Personne, Mr Webster, ne peut venir en Daisy Miller, insista Lady Wolseley sur un ton de colère feinte. Rappelez-vous, s'il vous plaît, que mon mari est à la tête d'une armée et gardez également présent à l'esprit que certains de nos vieux pensionnaires sont capables de férocité quand on les provoque.

Plus tard, Henry prit Lady Wolseley à part.

— Et qui est, je vous prie, Mr Webster ?

— Oh, c'est un député. Lord Wolseley dit qu'il a de l'avenir à condition qu'il cesse d'avoir autant d'esprit. Il s'exprime beaucoup à la Chambre et, selon Lord Wolseley, cela doit cesser aussi. Sa femme est très riche. Blé ou farine, ou peut-être avoine, je ne sais plus. Bref, elle a l'argent et lui a tout le reste qu'on puisse désirer, excepté le tact. C'est pourquoi je suis heureuse que vous soyez là. Peut-être pourriez-vous lui donner quelques leçons en la matière.

Hammond était irlandais, bien qu'il eût l'accent de Londres pour avoir été emmené enfant en Angleterre. Il paraissait prendre plaisir à s'attarder pendant qu'il vaquait à ses occupations. Il s'excusait chaque fois de ces allées et venues. Henry lui fit comprendre qu'elles ne le dérangeaient pas.

— J'aime l'hospice, monsieur, et les vieux soldats, disait-il de sa voix douce. Ils ont fait les guerres, pour la plupart, et certains continuent à se battre toute la journée. Ils croient que les fenêtres et les portes sont des Turcs, des Zoulous ou Dieu sait quoi, et ils veulent les charger. C'est étrange ici, monsieur. Un peu d'Irlande et un peu d'Angleterre, comme moi. C'est peut-être pour ça que je m'y sens bien.

Sa présence demeurait naturelle et bienvenue. Il avait la démarche légère et une grande agilité, malgré sa stature. Ses yeux, au regard toujours droit, jamais baissé, faisaient de leur propriétaire l'égal de ce qu'il voyait, assimilant tout sur l'instant, comprenant tout. Il semblait porter une série de jugements calmes pendant qu'il se déplaçait d'un endroit à l'autre.

— Madame la vicomtesse me dit que je devrais lire un des livres de monsieur. Elle dit qu'ils sont très bons. J'aimerais le faire, monsieur.

Henry dit à Hammond qu'il lui enverrait un livre dès son retour à Londres. Il l'adresserait au Royal Hospital.

— À l'attention de Tom Hammond, monsieur. Caporal Tom Hammond.

Chaque fois que Henry retournait dans ses appartements après un repas ou une promenade dans le parc, Hammond se découvrait une raison de lui rendre visite. Ces raisons étaient toujours excellentes. Il ne traînait jamais, n'était jamais désœuvré, ne faisait jamais de bruit inutile mais, peu à peu, au fil des jours, il se détendit et prit l'habitude de passer du temps près de la fenêtre à bavarder, à poser des questions et à écouter attentivement les réponses.

— Monsieur a donc quitté l'Amérique pour venir en Angleterre. La plupart des gens font l'inverse. Aimez-vous Londres ? Sûrement, vous devez l'aimer.

Henry hochait la tête et répondait qu'il aimait Londres, en effet ; puis il essayait d'expliquer qu'il était parfois difficile d'y travailler, à cause des sollicitations trop nombreuses.

Aux repas, au milieu des bavardages, des rires et des efforts des uns pour amuser les autres, Henry se languissait du moment où il reverrait Hammond. C'était cet instant qu'il attendait, qui remplissait ses pensées, pendant qu'il se morfondait à la table du dîner où Lady Wolseley et Mr Webster se surpassaient pour briller en conversation. Il imaginait Hammond dos à la fenêtre, debout, attentif, l'écoutant. Mais une fois de retour, après quelques questions de Hammond, ou après avoir lui-même tenté de lui expliquer quelque chose, il ne souhaitait plus que le silence, et que Hammond le quitte.

Il savait que tout ce qu'il avait fait dans sa vie, tout ce qu'il avait écrit, son passé familial, ses années londoniennes, ne pouvait que sembler d'une étrangeté absolue aux yeux de Hammond. Par moments, en sa présence, il se sentait proche de lui et en quelque façon réconforté par leur échange. Mais ensuite Hammond se mettait à évoquer sa propre vie, ou ses espoirs, ou ses vues sur le monde, et une grande distance apparaissait alors entre eux, d'autant plus considérable que Hammond ne s'en apercevait pas et qu'il continuait de bavarder, toujours honnête, inconscient de l'effet produit et – Henry devait bien se l'avouer – un tantinet assommant.

— S'il devait y avoir une guerre entre la Grande-Bretagne et les États-Unis, Mr James, où irait votre loyauté ? lui demanda Webster, profitant d'une pause dans la conversation d'après dîner.

— Ma loyauté irait à rétablir la paix entre les deux pays.

— Et en cas d'échec ?

— Il se trouve, intervint Lady Wolseley, que je connais la réponse. Mr James chercherait à connaître la position de la France, et il se rangerait de ce côté.

— Mais dans l'histoire consacrée à Agatha Grice, le personnage américain de Mr James tient l'Angleterre en horreur et raconte à notre sujet les choses les plus affreuses.

Webster avait parlé d'une voix forte, si bien que l'attention des convives était maintenant tournée vers lui.

— Je crois qu'il nous doit une réponse, conclut-il.

Henry observa Webster de l'autre côté de la table ; il avait les joues empourprées par la chaleur et les yeux brillants du plaisir de dominer ainsi la tablée.

— Mr Webster, dit Henry calmement lorsqu'il fut certain que le jeune homme avait fini. J'ai été témoin d'une guerre et j'en ai vu les dégâts de près. Mon frère a failli mourir lors de la guerre de Sécession. Ce qu'il a souffert est inqualifiable. Je ne peux pas, Mr Webster, parler de la guerre avec légèreté.

— Bravo, commenta Lord Wolseley. Bien parlé !

— Je me suis contenté de poser à Mr James une question simple, protesta Webster.

— Et il vous a donné une réponse très simple que vous paraissez avoir quelque peine à saisir, répliqua Lord Wolseley.

Pendant que Lord et Lady Wolseley s'adonnaient aux préparatifs de leur bal, en consultant leurs invités sur divers détails et en consacrant un temps infini à superviser les décorations dans la grande salle, de nouveaux amis continuaient d'affluer, parmi lesquels une femme que Henry avait souvent croisée chez Lady Wolseley. Son nom était Gaynor, et son défunt mari avait occupé un rang éminent dans l'armée. Elle arriva accompagnée de sa fille Mona, qui avait dix ou onze ans. Seule enfant au milieu de tous ces adultes, Mona devint très vite la cible des réflexions et de l'admiration générale, par sa beauté timide et son élégance naturelle. Elle bougeait avec une grâce mesurée et semblait heureuse de ne presque pas parler, de ne rien exiger, d'être, simplement, une présence charmante.

La veille du bal, un grand froid descendit sur Dublin et Henry fut contraint d'écourter sa promenade dans le parc. Le hasard le fit passer devant une des petites pièces du rez-de-chaussée qui dépendaient des appartements des Wolseley. Lady Wolseley était occupée à rassembler des perruques afin que ces dames puissent les essayer avant le dîner. Mr Webster était avec elle, et Henry s'arrêta à la porte dans l'intention de les saluer. Ils étaient très occupés par le jeu du choix des perruques ; ils les examinaient en riant et se les tendaient comme les comploteurs de quelque rêve joyeux ; Lady Wolseley obligeait Webster à en essayer une, puis elle renversait la tête en éclatant de rire pendant qu'il l'en coiffait à son tour. Ils étaient trop absorbés par leur manège pour qu'il fût décemment possible de les interrompre. Soudain, il aperçut la petite Mona, installée dans un des fauteuils. Elle ne faisait rien du tout, que ce fût pour les aider autour de la table ronde ou pour se joindre à la plaisanterie secrète qui les poussait de nouveau à se tourner l'un vers l'autre pendant que Lady Wolseley se couvrait la bouche de la main.

Mona était une image de perfection enfantine ; mais en l'observant Henry vit avec quelle concentration elle suivait la scène qui se déroulait sous ses yeux. Elle ne semblait ni surprise ni choquée, mais il eut l'impression qu'elle mettait une certaine énergie à se composer cet air de contentement paisible et suave.

Il se retira au moment où Lady Wolseley laissait à nouveau fuser un rire aigu après une remarque de Mr Webster. Dans la dernière vision fugitive qu'il eut de Mona, la petite souriait comme si la plaisanterie avait été destinée à l'amuser, elle ; toute son attitude trahissait cependant un désir de faire oublier qu'elle se trouvait dans un lieu où elle n'aurait pas dû être, à écouter des mots ou des insinuations qu'elle n'aurait pas dû entendre. Il retourna dans ses propres appartements.

Il pensait à la scène dont il venait d'être témoin, à l'intensité qu'elle revêtait pour lui, comme un spectacle qu'il aurait déjà observé et qu'il connaissait bien. Il avait pris place dans son fauteuil ; il s'autorisa intérieurement à évoquer d'autres pièces, d'autres portes entrebâillées, d'autres regards échangés en silence, et sa propre présence, à l'écart, déchiffrant dans ce qu'il voyait un sens profondément ambigu. C'était là, il s'en apercevait à présent, une situation qu'il n'avait cessé de décrire dans ses livres – silhouettes aperçues par une vitre ou par une porte entrouverte, geste infime trahissant une relation beaucoup plus importante, quelque chose de caché soudain dévoilé. Il avait décrit la scène mais, à l'instant, il l'avait vue prendre vie sous ses yeux ; pourtant, il n'était pas certain d'en comprendre le sens. Il se la remémora une fois encore : la fillette si innocente, et son innocence si cruciale pour la scène. Il n'y avait rien, aucune nuance, aucun sous-entendu, qu'elle ne parût capable de saisir.

Lorsqu'il leva la tête, Hammond le dévisageait calmement.

— J'espère que je ne dérange pas monsieur. Le feu a besoin d'être entretenu sans cesse, par ce temps. Je vais essayer de ne pas faire de bruit.

Henry savait qu'au moment où il avait levé les yeux de sa rêverie, Hammond l'observait déjà à son insu. Et maintenant il compensait cette indiscrétion par un surcroît de diligence, en feignant de ressortir avec le seau à charbon sans prononcer un mot.

— Avez-vous vu la petite fille prénommée Mona ? lui demanda Henry à brûle-pourpoint.

— Récemment, monsieur ?

— Je veux dire depuis son arrivée.

— Oui, monsieur, je la croise tout le temps dans les couloirs.

— C'est étrange pour elle d'être seule ici, sans autre enfant de son âge. A-t-elle une nurse qui s'occupe d'elle ?

— Oui, monsieur. Et elle a aussi sa mère.

— Que fait-elle alors, toute la journée ?

— Dieu seul le sait, monsieur.

Hammond l'examinait à nouveau avec une intensité presque déplacée. Henry lui rendit son regard aussi posément qu'il le put. Il y eut un silence. Lorsque Hammond se détourna enfin, il semblait pensif, presque triste.

— J'ai une sœur de l'âge de Mona, monsieur. Elle est jolie.

— À Londres ?

— Oui, monsieur, elle est de loin la plus jeune. C'est la lumière de nos vies à tous, monsieur.

— Mona vous fait-elle penser à elle, quand vous la voyez ?

— Ma sœur ne vagabonde pas comme elle veut, monsieur. C'est un vrai trésor.

— Mona est sûrement protégée, je pense, par sa nurse et par sa mère ?

— J'en suis convaincu, monsieur.

Hammond baissa les yeux d'un air préoccupé, comme s'il désirait ajouter quelque chose mais s'en trouvait empêché. Il tourna la tête vers la fenêtre et resta immobile. La lumière éclairait une moitié de son visage, l'autre moitié était dans l'ombre ; la pièce était assez silencieuse pour que Henry entende sa respiration. Ni l'un ni l'autre ne bougeait ni ne parlait. Henry avait conscience que si quelqu'un avait pu les voir en cet instant, par l'entrebâillement d'une porte comme lui-même l'avait fait un peu plus tôt, ou par la fenêtre, si cela avait été possible, cet observateur aurait pensé qu'un moment capital venait de se jouer entre eux et que leur silence n'était que la conséquence des paroles décisives qui avaient été échangées. Soudain, Hammond soupira et lui adressa un sourire bienveillant, plein de douceur, avant de prendre un plateau sur la table et de quitter la pièce.

Henry fut ce soir-là placé près de Lord Wolseley, et par là même, pensa-t-il, délivré de Webster. L'une des dames qui l'entouraient avait lu plusieurs de ses livres et se trouvait très déconcertée par leur dénouement et, de façon plus générale, par l'idée d'un Américain se mêlant de dépeindre la vie anglaise.

— Vous devez nous trouver très insipides comparés aux Américains, lui dit-elle. Les sœurs de Lord Warburton, dans votre roman, sont très insipides. Isabel, en revanche, ne l'est pas du tout, Daisy Miller non plus. Si George Eliot avait écrit sur les Américains, elle les aurait rendus très insipides aussi, je pense.

Elle appréciait de toute évidence la formule « très insipide », car elle la replaça dans plusieurs autres de ses commentaires.

Webster pendant ce temps tentait de prendre les rênes de la conversation. Lorsqu'il eut fini de taquiner toutes les femmes présentes sur ce qu'elles ne pourraient, ne voudraient ou ne sauraient en aucun cas porter le soir du bal, il reporta son attention sur le romancier.

— Mr James, allez-vous profiter de votre séjour pour rendre visite à l'un ou l'autre de vos compatriotes irlandais ?

— Non, Mr Webster, je n'ai aucun projet de quelque nature que ce soit.

Il s'était exprimé froidement et résolument.

— Vous devez pourtant savoir, Mr James, que grâce au ferme commandement des troupes par monsieur le vicomte, les routes sont désormais à l'abri des maraudeurs. Je suis sûr que madame la vicomtesse se ferait un plaisir de mettre une voiture à votre disposition.

— Mr Webster, je n'ai pas de projets.

— Quel était le nom de cet endroit, Lady Wolseley ? Bailieborough, mais oui, Bailieborough, dans le comté de Cavan. C'est là qu'on trouve le berceau de la famille James.

Henry vit Lady Wolseley rougir et tourner la tête pour éviter son regard. Il la dévisagea posément avant de s'adresser à Lord Wolseley.

— Mr Webster n'a pas l'intention de déposer les armes, dit-il doucement.

— En effet, répliqua Lord Wolseley. Un bref séjour à la caserne améliorerait peut-être son comportement général.

Webster n'entendit pas cet échange mais il le vit, et le sourire entendu des deux hommes parut accroître son irritation.

— Mr James et moi-même, reprit Lord Wolseley, d'une voix sonore qui porta cette fois jusqu'à l'autre bout de la table, étions en train de dire que vous aviez un talent considérable pour vous faire entendre, Mr Webster. Vous devriez envisager de vous en servir à des fins utiles.

Lord Wolseley jeta un regard à sa femme.

— Mr Webster, dit celle-ci précipitamment, sera un jour un grand orateur, un grand parlementaire.

— Le jour où il apprendra l'art du silence, il sera en effet un très grand orateur. Plus encore qu'il ne l'est aujourd'hui.

Lord Wolseley se tourna à nouveau vers Henry et tous deux ignorèrent dès lors complètement le reste de la tablée. Henry avait la sensation qu'on venait de le frapper, et le coup le paralysait au point qu'il ne suivait les propos de Lord Wolseley qu'en apparence ; toute son énergie secrète était concentrée sur ce qui venait d'être dit.

La claire malveillance de Webster lui était indifférente ; il espérait n'avoir jamais à le revoir, et les paroles prononcées par Lord Wolseley signifiaient que le jeune député n'aurait plus jamais la possibilité d'élever la voix à cette table. Il avait en revanche douloureusement en mémoire le rictus méprisant de Lady Wolseley quand Webster avait mentionné le nom de Bailieborough. Cela n'avait duré qu'un instant, mais Henry l'avait vu, et elle savait qu'il l'avait vu. Il était encore trop ébranlé pour deviner si ce rictus était intentionnel ou non. Il savait seulement que lui-même n'avait rien fait pour le provoquer. Il savait aussi que Webster et Lady Wolseley avaient parlé de lui et de ses origines familiales dans le comté de Cavan. Il ignorait cependant où ils s'étaient procuré cette information.

Il aurait aimé pouvoir quitter la salle à manger sur-le-champ. En jetant un regard discret à l'autre bout de la table, il vit Lady Wolseley plongée dans une conversation avec son voisin. Elle semblait contrite, mais ce n'était peut-être qu'une vue de l'esprit. Il se dépêcha de hocher la tête en constatant que Lord Wolseley était parvenu au bout du récit d'une de ses campagnes, et sourit de son mieux.

Lorsque Webster se leva, Henry constata à son expression qu'il était vexé ; il avait pris à cœur le commentaire de Lord Wolseley sur le silence. Henry savait – Webster devait le savoir aussi – que Lord Wolseley avait fait usage de la voix la plus féroce qu'il pût se permettre hors de l'enceinte d'un tribunal militaire. En outre, Lady Wolseley avait volé trop rapidement au secours de Webster. Il aurait mieux valu qu'elle se taise. Henry savait qu'il devait maintenant s'éclipser sans croiser le chemin de Webster et de Lady Wolseley, qui se tenaient encore dans la salle à manger, à bonne distance l'un de l'autre, sans s'immiscer directement dans la conversation.

Les lampes à gaz étaient allumées et un feu flambait dans la cheminée, comme si Hammond avait prévu qu'il reviendrait de bonne heure. Le salon était beau ainsi, avec ses boiseries anciennes, ses ombres vacillantes et ses longs rideaux de velours sombre. Henry était surpris de constater combien ces pièces lui étaient devenues familières, et combien il avait besoin de la paix qu'elles lui procuraient.

Peu après qu'il se fut assis dans le fauteuil près de la cheminée, Hammond se présenta avec un plateau et une théière.

— J'ai aperçu monsieur dans le couloir. Monsieur n'avait pas l'air d'aller bien.

Lui n'avait pas aperçu Hammond, et il se sentit malheureux d'avoir été vu pendant qu'il revenait tant bien que mal de la salle à manger.

— On aurait cru que monsieur avait vu un fantôme.

— Ce sont les vivants que j'ai observés.

— J'ai apporté du thé, et je vais m'assurer que le feu brûle bien dans la chambre. Monsieur a besoin d'une longue nuit de repos.

Henry ne répondit pas. Hammond approcha un guéridon, posa le plateau et commença à verser le thé.

— Monsieur désire-t-il son livre ?

— Non, merci, je crois que je vais boire mon thé et me coucher comme vous le suggériez à l'instant.

— Monsieur a l'air secoué. Est-ce que ça va aller ?

— Oui, merci beaucoup.

— Je peux repasser dans la nuit si monsieur le souhaite.

Hammond était sur le seuil de la chambre à coucher. Le regard qu'il lui jeta par-dessus l'épaule en prononçant ces derniers mots était insouciant, comme s'il n'avait rien dit là d'inhabituel. Henry n'était pas certain d'avoir bien compris, ni si la proposition avait été innocente ou non. La seule chose dont il fût certain était sa propre sensibilité exacerbée ; il s'aperçut qu'il retenait son souffle.

Comme il ne répondait toujours pas, Hammond se retourna tout à fait et croisa son regard. Son expression était pleine de sollicitude, mais Henry n'aurait pu dire ce qu'elle recelait.

— Non, répliqua-t-il, je vous remercie. Je suis fatigué et je crois que je dormirai bien.

— C'est parfait, monsieur. Je vais vérifier que tout est en ordre dans la chambre et ensuite je laisserai monsieur tranquille.

Une fois au lit, Henry pensa à la maison où ils se trouvaient, une maison pleine de portes et de couloirs, de craquements bizarres et de bruits nocturnes. Il pensa à son hôtesse et à Mr Webster avec son ton moqueur. Il aurait aimé pouvoir partir tout de suite, faire préparer ses bagages et descendre dans un hôtel en ville. Mais ce n'était pas possible ; le bal était prévu pour le lendemain et partir avant le bal serait une offense. Il s'en irait après le bal, au matin.

Cela le blessait de savoir qu'elle avait conspiré contre lui. Il repensa aux propos de Webster. Il était certain de n'avoir jamais évoqué le comté de Cavan devant quiconque dans le cercle de Lady Wolseley. Ce n'était ni un secret ni un sujet de honte, bien que Webster, par son ton railleur, eût laissé entendre le contraire. C'était simplement l'endroit où était né son grand-père et où son père était retourné en visite près de soixante ans plus tôt. Que pouvait signifier ce lieu pour lui ? Son grand-père était venu en Amérique en quête de liberté, et il avait trouvé bien plus que cela. Il avait trouvé la fortune, et cela avait tout changé. Le comté de Cavan n'avait jamais été un sujet de préoccupation pour Henry.

Il glissa les mains sous sa nuque dans l'obscurité de la chambre. Le feu était presque éteint. Il était troublé par le désir, en cet instant plus que jamais auparavant, dans cette maison étrangère, dans ce pays étranger, que quelqu'un vienne et le tienne, sans parler, sans bouger même, mais l'enlace et reste avec lui. Il en avait besoin maintenant et, en se forçant à l'exprimer, il rendait le besoin plus proche, à la fois plus urgent et plus impossible.

Le lendemain en fin de matinée, assis à la fenêtre de sa chambre, il observait le ciel d'un bleu délicat par-dessus la Liffey. C'était une nouvelle journée de grand froid et il fut donc surpris d'apercevoir soudain la petite Mona sur la pelouse, seule et sans chapeau. Pour sa part, il était sorti se promener de bonne heure et il avait été heureux de retrouver la chaleur de ses appartements. La fillette écartait les bras, il vit qu'elle décrivait des cercles ; la pelouse était immense et il chercha du regard sa nurse ou sa mère, mais il n'y avait personne.

N'importe qui, pensa-t-il, en voyant la petite aurait éprouvé le même sentiment que lui. Il fallait la sauver, il y avait trop de gazon, trop d'espace non surveillé autour d'elle. C'était choquant de la voir là, sans protection, dans le froid matin de mars. Elle tournoyait au centre de la pelouse, courait presque, puis s'immobilisait, selon un itinéraire de sa propre invention. Son manteau, remarqua-t-il, était ouvert. Comme le temps passait et qu'aucune présence protectrice ne se manifestait pour l'emmener à l'intérieur, il imagina un personnage en train de l'observer dans l'ombre, ou alors un personnage prêt à surgir. Tout à coup, la petite s'interrompit en plein mouvement et s'immobilisa face à lui. Il vit qu'elle tremblait de froid. Elle fit un geste et secoua la tête. Il comprit alors qu'elle était en communication silencieuse avec une personne postée à une autre fenêtre, sans doute sa mère ou sa nurse. Au lieu de se remettre à courir elle resta plantée ainsi au milieu de la pelouse, seule.

Le silence mort, inerte, de son long regard retint l'attention de Henry. Dans son immobilité, elle semblait à la fois effrayée et consentante, et il n'osait pas même imaginer ce que lui suggérait son partenaire invisible.

Il décrocha son manteau du perroquet près de la porte. Il ne pouvait résister au désir d'inspecter la scène par lui-même ; son intention était de passer comme par hasard le coin de la bâtisse et, sans perdre une seconde, de jeter un regard vers la façade. Il pensait que la personne, quelle qu'elle soit, reculerait à son approche. N'importe qui, pensait-il, aurait été mortifié d'être surpris à surveiller du haut d'une fenêtre située dans les étages une petite fille qui, en tout état de cause, n'aurait pas dû se trouver dehors. Il parvint à se rendre jusqu'à la porte latérale sans croiser quiconque.

La température avait encore baissé et il frissonna en se dirigeant vers le pignon voisin de la pelouse. Il s'attarda une seconde ; puis il s'élança, en levant aussitôt la tête vers les fenêtres de son étage, sans même s'assurer au préalable de la présence de Mona. Il n'y avait personne ; personne ne recula vivement, comme il l'avait prévu, dans l'ombre d'une embrasure. Au lieu de cela Mona, vêtue d'un manteau bien boutonné et coiffée d'un chapeau bleu, approchait en compagnie de sa nurse. L'enfant était tenue par la main ; on la conduisait dans sa direction. Il la salua, ainsi que la nurse, et passa rapidement son chemin. Lorsqu'il se retourna pour les observer, il vit que la nurse s'adressait à la petite d'une voix douce et que Mona levait la tête vers elle en souriant, contente et ne manquant de rien. Il scruta encore une fois la rangée de fenêtres, mais il n'y avait personne.

En passant devant la grande salle il vit que les serviteurs étaient déjà au travail pour dresser les tables, disposer les bougies et parachever la décoration. Hammond n'était pas parmi eux.

Il avait répété une fois encore à Lady Wolseley le matin même qu'il ne porterait aucune forme de costume, qu'il n'était ni un lord ni un dandy, mais un pauvre plumitif. Elle avait répliqué qu'il serait bien le seul dans ce cas, que les dames étaient fin prêtes et qu'aucun gentleman ne viendrait au bal sous sa propre identité.

— Vous êtes entouré d'amis, Mr James.

Ayant prononcé ces mots, elle marqua une pause et parut hésiter, comme si elle renonçait à formuler la phrase qui lui venait à l'esprit. Il la dévisagea d'un air attentif, direct, jusqu'à ce qu'elle parût gênée, et ensuite seulement il l'informa qu'il partirait tôt le lendemain.

— Et Hammond ? s'enquit-elle, essayant de rendre à leur conversation un ton enjoué. Ne va-t-il pas vous manquer ?

— Hammond ? – Il prit un air surpris. – Ah oui, le valet. Je vous remercie, il a été parfait.

— D'habitude il est terriblement sérieux mais, là, il n'a pas cessé de sourire de la semaine.

— Savez-vous que votre hospitalité va beaucoup me manquer, dit Henry.

Il prit la décision non seulement de ne pas adresser la parole à Webster ce soir-là, mais de l'éviter à toute heure. Pourtant, dès l'instant où il se présenta en haut de l'escalier pour se rendre au bal, Webster fondit sur lui. Il avait revêtu un costume de chasseur tout à fait absurde, de l'avis de Henry, et il brandissait une enveloppe avec une expression de joie abominable.

— J'ignorais que nous avions des amis communs, commença-t-il.

Henry s'inclina.

— Je vous ai cherché ce matin, poursuivit Webster, pour vous annoncer que j'avais une missive de Mr Wilde, Mr Oscar Wilde, qui vous transmet ses amitiés. Du moins est-ce ce qu'il prétend, on ne peut être sûr de rien avec lui. Il ajoute qu'il aurait aimé être parmi nous ce soir, et sa présence aurait évidemment été un atout pour la fête, d'ailleurs madame la vicomtesse l'aime beaucoup. Monsieur le vicomte, d'après ce que j'ai cru comprendre, l'apprécie nettement moins. Je ne pense pas qu'il aurait voulu de Mr Wilde dans son régiment.

Webster l'invita d'un geste à le précéder dans l'escalier. Henry ne bougea pas.

— Bien entendu, Mr Wilde est très pris par le théâtre. Il me dit qu'on a déprogrammé une pièce de vous pour faire place à son deuxième succès de la saison, et il semble plutôt ravi de cette association. Votre pièce, m'écrit-il dans sa lettre, avait pour sujet un moine. Tous les Irlandais sont des écrivains-nés, d'après ma femme, cela leur vient naturellement. Elle adore Mr Wilde.

Henry ne répondit pas. Quand Webster laissa le silence se prolonger pour l'inciter à réagir, il s'inclina une nouvelle fois et lui fit signe de commencer à descendre les marches, mais Webster resta où il était.

— Mr Wilde dit qu'il se languit de vous voir à Londres. Il a beaucoup d'amis. Connaissez-vous ses amis ?

— Non, Mr Webster, je ne crois pas avoir eu la chance de rencontrer les amis de Mr Wilde.

— Eh bien, peut-être les connaissez-vous sans savoir qu'ils sont ses amis. Lady Wolseley est venue avec nous voir la pièce sur Constant. Vous devrez absolument être des nôtres la prochaine fois. Je vais lui en parler.

Webster faisait plus d'efforts que d'habitude pour être drôle. Il s'arrangeait aussi pour meubler la conversation de manière à empêcher Henry de prendre congé. Manifestement, il avait encore des choses à ajouter.

— À mon sens, reprit-il, les artistes et les hommes politiques ont au moins une chose en commun. Nous payons tous le prix fort, je pense, à moins d'avoir de la chance et de nous battre avec la plus grande détermination. Mr Wilde a des soucis avec sa femme. C'est une passe difficile pour lui, comme vous le comprenez sans doute. Lady Wolseley me dit que vous n'êtes pas marié. Peut-être est-ce une solution. Aussi longtemps que cela ne devient pas une mode, évidemment.

Il se détourna et, d'un geste, fit comprendre à Henry qu'ils pouvaient maintenant descendre l'escalier ensemble.

— D'un autre côté, le fait de rester célibataire doit vous laisser ouvert à toutes sortes – comment dire ? – à toutes sortes de sympathies.

La grande salle du Royal Hospital resplendissait de l'éclat d'un millier de bougies. Un petit orchestre jouait et des serviteurs se déplaçaient parmi les invités en leur proposant du champagne. L'argenterie qui ornait les tables, lui avait raconté Lady Wolseley, provenait d'un héritage récent de Lord Wolseley ; on l'avait convoyée par bateau depuis Londres exprès pour l'occasion. Pour l'heure, seuls les hommes étaient présents. Aucune dame ne souhaitant arriver la première, expliqua-t-on à Henry, elles étaient toutes dans leurs appartements à attendre le rapport de leurs femmes de chambre qui venaient régulièrement espionner la salle du haut de l'escalier. Lord Houghton, revêtu de sa panoplie complète de représentant de la reine en Irlande, émit l'opinion que Lord Wolseley allait devoir organiser une charge de cavalerie pour forcer ces dames à se montrer. Lady Wolseley était, prétendait-on, la plus récalcitrante, et elle avait juré qu'elle serait la dernière à descendre.

Henry gardait en permanence un œil sur Webster ; aucun de ses déplacements ne lui échappait. Il en avait assez de lui. Si jamais Webster s'avisait de bondir dans sa direction, il n'hésiterait pas à se détourner brutalement. Cela signifiait qu'il ne pouvait, en aucun cas, se laisser entraîner dans une conversation approfondie.

Pendant que Webster allait d'un groupe à l'autre sans cesser un seul instant de rire, Henry le suivait du regard, et ce fut ainsi qu'il s'avisa de la présence de Hammond. Celui-ci portait un costume noir, une chemise blanche et un nœud papillon noir. Ses cheveux sombres semblaient plus brillants et plus longs qu'à l'ordinaire. Il était rasé de près et cela conférait à son visage une beauté pure et émaciée. En croisant son regard, Henry comprit qu'il l'avait dévisagé trop intensément, qu'il avait révélé en une fraction de seconde plus de choses qu'en une semaine entière. Hammond cependant ne parut guère embarrassé et ne détourna pas les yeux. Il tenait un plateau, mais ne faisait pas mine de bouger ; il soutenait sans la moindre émotion visible le regard de Henry qui, debout au milieu d'un groupe, écoutait distraitement une anecdote. Henry recentra son attention sur ses compagnons. S'étant ainsi détourné le premier, il veilla à ne plus laisser errer son regard.

Lord Wolseley tint conciliabule avec l'orchestre et négocia ensuite avec les femmes de chambre : lorsque la fanfare retentirait, chaque dame, y compris la sienne, serait tenue de quitter sa chambre et de se présenter dans la salle afin d'y être convenablement complimentée et admirée. Aucune ne serait autorisée à demeurer en retrait. Dès les premières mesures de l'orchestre, les messieurs reculèrent et les grandes portes furent ouvertes avec cérémonie. Deux

douzaines de dames descendirent sur la salle, toutes dis-
simulées sous des perruques extravagantes, des couches
de maquillage et des robes droit sorties des plus célèbres
toiles de Gainsborough, Reynolds et Romney. Les messieurs applaudirent pendant que l'orchestre jouait l'ouverture d'une valse.

Lady Wolseley avait eu raison de prédire que son costume triompherait. Sa robe de soie, mélange de bleu paon
et de rouge profond, arborait une énorme ceinture à nœud
et une multitude de ruches, de bouillonnés et de falbalas.
Elle était décolletée à un point qu'aucune des autres dames
n'avait osé imiter. Lady Wolseley ne portait pas de perruque, seulement quelques anglaises postiches mêlées à
ses cheveux naturels, sans qu'il soit possible de repérer
l'artifice. Son visage et ses yeux étaient fardés de façon si
experte qu'elle ne paraissait pas maquillée du tout. Après
avoir demandé à l'orchestre de s'arrêter de jouer, elle fit
signe aux invités de reculer une fois de plus. Son mari ne
semblait pas informé de ses intentions. Les portes furent
refermées et ensuite, lentement, elles se rouvrirent.

Apparut alors la petite Mona en infante de Vélasquez,
perdue dans une robe cinq fois plus large qu'elle. Elle fit
quelques pas et s'immobilisa sur le seuil, le regard fixé au
loin ; elle incarnait à la perfection la jeune princesse trop
noble pour passer en revue ses sujets, tout absorbée qu'elle
était par la grandeur de son rôle et de sa destinée, un sourire ineffable sur les lèvres pendant que les invités
l'applaudissaient et la proclamaient reine de la soirée.

Henry fut tout de suite désagréablement troublé par cet
étalage de son être féminin, et par la conscience tranquille
qu'elle paraissait avoir de son allure. Il observa attentivement les autres invités pour voir si quelqu'un partageait
son sentiment quant à l'étrange précocité de cette enfant
et la nature déplacée de l'attention dont elle faisait l'objet.
Mais les autres prenaient leur place à table dans un esprit
d'innocence hilare.

Lorsque Henry se tourna vers sa voisine de gauche, il ne la reconnut pas. Elle portait une perruque rouge d'une hauteur invraisemblable et une quantité de peinture sur le visage. Mais quand elle s'adressa à lui, dès l'instant où il entendit sa voix il identifia la dame de Dublin Castle qui avait été ignorée par les Wolseley.

— Mr James, murmura-t-elle, ne me demandez pas si je suis invitée parce que je serais contrainte de vous avouer que non. Mon mari ne m'adresse plus la parole, il boude au château. Mais Lord Houghton, qui n'apprécie guère la grossièreté, a insisté pour que je vienne, et il a demandé aux autres dames de superviser mon costume et de me rendre méconnaissable.

Elle jeta un coup d'œil furtif à droite et à gauche pour s'assurer qu'on ne l'écoutait pas.

— Mon mari prétend qu'on doit aller là où l'on est invité, mais le principe même d'un bal costumé est que ces règles ne s'y appliquent pas.

Inquiet à l'idée qu'elle puisse être entendue par ses voisins, Henry lui fit signe de baisser la voix.

Mona était le centre de l'attention générale, l'invitée d'honneur. Mr Webster, de sa place non loin d'elle, ne cessait de lui jeter des remarques flatteuses et des compliments ambigus ; Lady Wolseley, assise aux côtés de son mari, était tout excitée.

Hammond se déplaçait autour de la table, une bouteille à la main, et remplissait les verres des convives. Bien que très occupé, il dégageait un calme serein. De toutes les personnes présentes ce soir-là, pensa Henry, il avait le plus beau tempérament.

Henry n'était pas danseur, mais dans le cas contraire il aurait sans doute été contraint de danser avec Mona, car aucun des messieurs ne manqua de le faire. À la fin de chaque danse, un nouveau cavalier l'attendait. En flirtant avec elle et en la traitant comme une adulte ils ne parvenaient, aux yeux de Henry, qu'à la tourner en dérision. Ils ne prêtaient aucune attention au fait qu'elle était une petite fille déguisée qui aurait dû être au lit depuis longtemps. En voyant le regard de Hammond tourné lui aussi vers la petite, Henry eut le sentiment qu'il était peut-être le seul à considérer, comme lui, le manège de Mona avec un peu moins que de la complaisance.

Henry passa le reste de la soirée seul ou en compagnie d'un gentleman ou deux à observer le bal, les chandelles qui se consumaient lentement, les robes et les perruques plus échevelées d'heure en heure, les joues en feu des danseurs et la fatigue de l'orchestre. Il songea soudain qu'il aurait aimé plus que tout en cet instant avoir près de lui un Américain, quelqu'un de Boston de préférence, un compatriote capable de sentir, ou tout du moins de mesurer comme aucune personne présente ne paraissait le faire, l'étrangeté du spectacle offert.

Ces gens étaient les Anglais en Irlande. Cette bâtisse était une oasis plantée en plein chaos, en pleine misère. Les Wolseley avaient importé leur argenterie de la même façon qu'ils avaient importé leurs manières et leurs invités. Il aimait bien Lord Wolseley et ne souhaitait pas le juger durement. Néanmoins, il aurait voulu entendre la voix d'un Américain élevé selon les idéaux de liberté, d'égalité et de démocratie. Pour la première fois depuis des années, il éprouva la profonde tristesse de l'exil, de se savoir seul, étranger, extérieur à ce monde, trop sensible à ses ironies, à ses raffinements, à ses équivoques, sans même parler de son code moral, pour pouvoir en être jamais partie prenante.

Au sortir de sa rêverie, il trouva Hammond devant lui, toujours dans cette attitude de profonde sympathie qu'il dégageait depuis le début de la soirée. Il lui parut extraordinairement beau. Henry prit un verre d'eau sur le plateau et lui sourit ; ni l'un ni l'autre ne parla. Selon toute vraisemblance, pensa soudain Henry, ils ne se reverraient pas.

À l'autre extrémité de la salle, Mona était assise sur les genoux de Webster. Il lui tenait les mains et la faisait sauter sans ménagement. Henry sourit à la pensée de son ami américain imaginaire arrivant dans la salle en cet instant et découvrant cette scène peu édifiante. Pendant qu'il les observait, Webster croisa son regard et haussa les épaules avec nonchalance.

Il était tard à présent ; il vit Hammond qui aidait les serviteurs à débarrasser les verres, à ôter la cire fondue tombée sur les tables et sur le sol. L'intense plaisir que lui avait procuré le visage calme de Hammond lui manquait déjà. Il en serait bientôt privé, et à cette idée il sentit d'autant plus qu'il était ici en étranger, sans rien qui réponde à ses désirs, un homme loin de son pays, observant le monde comme un spectateur à une fenêtre. De façon abrupte, il quitta la salle et regagna ses appartements.

3

Mars 1895

Au fil des ans, il avait découvert quelque chose chez les Anglais qu'il avait discrètement et fermement adapté à son propre usage. Il avait observé de quelle manière les hommes, en Angleterre, respectaient en général leurs propres habitudes au point d'y plier tout leur entourage. Il en connaissait qui ne se levaient pas avant midi, ou qui dormaient chaque après-midi dans un fauteuil, ou qui mangeaient du bœuf au petit déjeuner, et il constatait que ces préférences avaient fini par entrer dans le rituel domestique et n'étaient pour ainsi dire jamais commentées. Ses habitudes à lui étaient, pour l'essentiel, faciles à satisfaire ; ses penchants restaient urbains et ses manies modérées. Il lui était ainsi devenu commode de décliner toutes les invitations, en s'avouant occupé, surmené, requis nuit et jour par son art. Son époque de dîneur invétéré dans les grandes maisons londoniennes appartenait, du moins l'espérait-il, au passé.

Il aimait le silence glorieux du matin quand il savait n'avoir aucun rendez-vous dans l'après-midi ni aucun programme pour la soirée. Il avait pris ses aises dans la solitude, au point qu'il n'attendait désormais au mieux de la journée qui s'annonçait qu'un contentement assourdi. Parfois, le côté assourdi prenait le dessus, et il s'accompagnait alors d'un chagrin étrange et insistant que Henry acceptait d'entretenir pendant un temps assez court, et qu'il essayait pour le reste de tenir en respect. Mais en général le contentement avait la prééminence ; le rythme lent, le bien-être, le silence le remplissaient parfois, après la tombée de la nuit, d'un bonheur que rien, ni société, ni compagnie individuelle, ni honneurs ni paillettes, ne pouvait égaler.

À cette époque, après la première de *Guy Domville* et son retour d'Irlande, il s'aperçut qu'il était capable de contrôler la tristesse que lui apportaient certains souvenirs. Quand lui venaient, en fin de soirée ou en pleine nuit, des terreurs, des chagrins, ceux-ci étaient comme des serviteurs venus allumer une lampe ou emporter un plateau. Soigneusement dressés au fil des ans, ils disparaissaient de leur propre chef, car ils savaient où était leur place et n'auraient pas osé insister.

Le choc et la honte de la première de *Guy Domville* restaient pourtant présents en lui. Il se disait que le souvenir finirait bien par s'estomper et, sur cette admonition, il chassait tant bien que mal toutes les pensées tournant autour de son échec.

À la place, il pensait à l'argent, passant en revue sommes reçues et sommes dues. Il pensait aux voyages, à quels endroits il se rendrait, et quand. Il pensait au travail, à des idées, des personnages, des instants de clairvoyance. Toutes ces pensées-là, il les contrôlait. Elles étaient comme des flammes le guidant dans l'obscurité. Mais elles pouvaient s'éteindre très facilement s'il ne se concentrait pas, et il se retrouvait alors à ruminer une fois de plus défaites et déceptions qui, s'il n'y prenait garde, conduisaient à leur tour à d'autres pensées qui le laissaient, elles, désespéré, en proie à la peur.

Parfois il se réveillait tôt, et, quand de telles pensées l'assaillaient, il savait qu'il n'avait pas d'autre choix que de se lever. En se comportant de façon résolue, comme s'il était pressé de se rendre quelque part, comme si le train était à l'heure et lui en retard, il croyait pouvoir les bannir.

Pour autant, il savait devoir autoriser certaines libertés à cet esprit dont les mécanismes hasardeux constituaient son gagne-pain et, en ce début de journée, il s'absorba dans une nouvelle série d'imaginations et de rêveries. La manière dont une idée pouvait changer si facilement de forme et paraître comme neuve sous un nouvel habillage l'étonnait ; il découvrait soudain combien cette histoire particulière avait rôdé près de la surface à son insu. C'était une histoire simple, rendue plus simple encore par le père de son ami Benson, l'archevêque de Canterbury, qui avait tenté de lui changer les idées un soir, peu de temps après l'échec de sa pièce. L'archevêque avait multiplié les hésitations et les interruptions en essayant de se remémorer ce conte fantastique dont il ne connaissait ni le milieu ni la fin et dont le début semblait semé d'incertitudes. Sitôt rentré chez lui, Henry l'avait consigné dans son carnet.

Noter ici l'histoire de fantômes qui m'a été contée à Addington (soirée du jeudi 10) par l'archevêque de Canterbury ; sa simple esquisse vague, à peine ébauchée, sans détails : l'histoire des jeunes enfants (nombre et âge indéterminés), laissés aux bons soins de quelques domestiques dans une vieille maison à la campagne, suite à la mort probable des parents. Les domestiques, perfides et dépravés, corrompent et dépravent les enfants : les enfants sont mauvais, sournois à un point sinistre. Les domestiques meurent (on ne précise pas comment) et leurs spectres reviennent hanter la maison et les enfants.

Il n'avait pas besoin de consulter ses notes pour s'en souvenir ; les péripéties de l'histoire lui étaient restées. Il pensa d'abord la situer à Newport, dans une maison isolée près des rochers, ou dans un manoir plus récent de New York, mais ni l'un ni l'autre décor ne le captivait et, peu à peu, il abandonna l'idée d'une famille américaine. Le récit se transforma en une histoire anglaise située dans le passé ; et dans sa première et lente élaboration, il choisit de réduire le nombre des enfants à deux – un garçon et sa petite sœur.

Il pensait souvent à la mort de sa sœur Alice, trois ans plus tôt. Il avait lu pour la première fois ses journaux intimes pleins de révélations indiscrètes. À présent il était seul, comme sa sœur l'avait été tout au long de sa vie, et il se sentait proche d'elle bien qu'il n'eût jamais souffert de ses symptômes ni de ses maladies et bien qu'il ne possédât ni son stoïcisme ni sa faculté d'acceptation.

Dans ses heures les plus sombres, il avait le sentiment qu'ils avaient été en quelque manière abandonnés l'un et l'autre pendant que leur famille voyageait en Europe ou retournait, souvent sans raison, en Amérique. Ils n'avaient jamais été réellement inclus dans cette passion pour les lieux et les événements ; ils étaient devenus des observateurs et des non-participants. William, l'aîné de la fratrie, et Wilky et Bob, qui venaient entre Henry et Alice, avaient été préparés au monde, moulés de façon experte, tandis que Henry et Alice avaient été laissés sans protection ni formation. Lui était devenu écrivain et elle était tombée malade.

Il se souvenait clairement du jour où il avait ressenti pour la première fois la panique d'Alice. C'était à Newport ; trop occupés à bavarder et à rire pour prêter attention à l'obscurcissement du ciel, ils avaient été surpris par une averse. Alice avait quatorze ou quinze ans, mais il n'y avait nulle trace chez elle de la curieuse assurance farouche qu'affichaient ses cousines au même âge ; leur façon posée, réfléchie, d'entrer dans une pièce ou de s'adresser à un inconnu, leur attitude détendue, spontanée, en présence des amis et de la famille – cette confiance-là faisait défaut à Alice.

Il se mit à pleuvoir fort, en ce jour d'été brûlant, et le ciel par-dessus la mer n'était plus qu'une masse de nuages violacés. Lui avait emporté une veste légère, mais Alice ne portait qu'une robe d'été et un mince chapeau de paille. Il n'y avait aucun refuge à proximité. Ils tentèrent de s'abriter sous des arbustes mais la pluie, chassée par le vent, restait insistante. Alors il ôta sa veste et la tint au-dessus de leurs têtes ; ils se mirent en marche, lentement, en silence, serrés l'un contre l'autre. Il percevait le bonheur d'Alice, intense, presque strident. Il n'avait jamais auparavant saisi l'ampleur de ce besoin chez elle de jouir de leur attention, de leur pitié, de leur pleine protection – celle de William, la sienne, celle de leurs parents. Pendant ces quelques minutes où ils quittèrent la promenade de bord de mer et empruntèrent le chemin de sable détrempé pour regagner le village, il sentit sa sœur littéralement embrasée de satisfaction d'être là, si près de lui. Et devant son ravissement, son air radieux tandis qu'ils approchaient de la maison, il pressentit pour la première fois combien tout allait être difficile pour elle.

Il se mit à l'observer. Jusque-là, il avait toujours considéré la plaisanterie selon laquelle Alice épouserait William comme une taquinerie légère destinée à faire sourire Alice, à provoquer le rire de William et à amuser toute la famille. Il s'agissait aussi d'un spectacle destiné aux visiteurs. William, l'aîné, avait six ans de plus qu'Alice. Dès que celle-ci fut en âge de se présenter devant les invités, de porter des robes colorées et de prendre conscience de l'effet qu'elle pouvait produire sur une assemblée d'adultes, la blague devint une sorte de rituel.

— Oh, elle va épouser William, lançait leur tante Kate d'un air innocent.

Si William était présent, il s'approchait alors d'Alice, la prenait par le bras, l'embrassait sur la joue. Alice ne disait rien, se contentait d'observer les sourires et les rires avec un regard presque hostile. Alors son père la soulevait et la serrait dans ses bras.

— Oh, ma chérie, il n'y a plus longtemps à attendre maintenant.

Henry était persuadé qu'Alice n'avait jamais réellement cru qu'elle épouserait William. Elle était rationnelle et, dès l'adolescence, son intelligence avait abrité comme un noyau de colère ombrageuse. Mais dans la mesure où ce mariage avec William avait été évoqué maintes et maintes fois, et dans la mesure aussi où un candidat extérieur même vaguement plausible ne s'était jamais présenté, l'idée s'était subrepticement insinuée dans les recoins silencieux de son âme, et elle y avait pris racine.

Tout en méditant l'histoire des deux enfants abandonnés contée par l'archevêque pour essayer de lui donner une forme, il se surprenait sans cesse à repenser à sa sœur et à sa présence déconcertante dans le monde. Il revoyait une à une les scènes où Alice leur avait donné la mesure de sa considérable intelligence et de sa vulnérabilité d'écorchée vive. Elle était la seule petite fille qu'il eût jamais connue, et maintenant qu'il avait entrepris d'imaginer le personnage d'une petite fille, le fantôme inquiet de sa sœur se présentait à lui.

Il se rappela une scène dans laquelle Alice devait avoir seize ans. C'était, dans son souvenir, un de ces longs dîners où leurs parents recevaient un invité ou deux, rarement plus, et quelqu'un venait d'évoquer la vie après la mort, son assurance de retrouver des membres de sa famille, ou son espoir de le faire, ou sa foi en une telle possibilité. Un des invités, à moins que ce ne fût leur tante Kate, avait ensuite proposé une prière pour les retrouvailles dans l'au-delà avec les êtres chers. La voix d'Alice s'était alors élevée, provoquant un silence général pendant que tous les regards convergeaient dans sa direction.

— Pas besoin de prier, avait-elle dit. Cette manière de parler de ceux que nous pourrions retrouver dans l'au-delà me donne des frissons. C'est une violation de leur sainteté.

71

C'est le genre même de revendication personnelle à laquelle je m'oppose avec la dernière énergie.

On aurait cru entendre la tante d'Emerson : un personnage pétri de philosophie de la vie et de la mort, et qui tirait orgueil de sa liberté de pensée. Pour la famille, il était clair qu'Alice possédait une vive intelligence et beaucoup d'esprit, et qu'elle allait devoir veiller à dissimuler tout cela si elle voulait ressembler aux autres jeunes femmes de son âge. Alice elle-même le savait mieux que personne.

Elle avait des amis et des visites, il lui arrivait de sortir. Elle avait appris à se rendre acceptable aux yeux des sœurs des jeunes gens que fréquentaient ses frères. Mais Henry, qui l'observait, notait son changement d'attitude dès qu'un garçon entrait dans la pièce. Incapable de se détendre, elle tombait dans des silences belliqueux, ou se lançait dans un flot volubile d'absurdités et de paradoxes. Elle dégageait alors une outrance, un malaise terribles. Il voyait bien ce que ces moments de sociabilité devaient avoir d'épuisant pour elle.

Même les repas de famille pouvaient se transformer en épreuve pour Alice, dans la mesure ou Bob et Wilky prenaient grand plaisir à la taquiner et à la laisser sans défense. Ce souvenir-là correspondait aux années de très grande agitation de leur père, où ils avaient traversé l'Atlantique en quête de quelque chose que nul d'entre eux ne comprenait, une diversion à l'ardente et infatigable confusion paternelle. Les enfants James étaient traînés de ville en ville, d'hôtel en appartement, de tuteur en école. Ils parlaient couramment le français et ils avaient une conscience aiguë de leur propre étrangeté. Ils se tenaient, tous les cinq, en marge de leur génération ; ils en savaient à la fois davantage et moins que les autres. Davantage sur la richesse, l'histoire et les villes européennes, davantage sur la solitude et l'incertitude, davantage sur l'autonomie et l'indépendance. Moins sur l'Amérique et sur le réseau de relations et d'amitiés que tissaient pendant ce temps leurs contemporains sur l'autre rive de l'Atlantique. Au cours de ces années-là, ils apprirent à compter les uns sur les autres, à s'inventer un langage secret, une résistance, une cohérence. Ils étaient comme une vieille citadelle fortifiée. Personne, quelle que fût la violence du siège, ne pouvait espérer briser leurs défenses. Alice, en grandissant, resta piégée à l'intérieur.

Henry n'avait pas de réel souvenir du fameux dîner avec Thackeray à Paris, bien qu'il eût gardé d'autres images de l'écrivain à la table familiale. L'histoire était répétée inlassablement car tout le monde – y compris leur mère, pourtant prudente et réservée en temps normal – estimait qu'elle méritait d'être racontée aux visiteurs.

Alice avait huit ou neuf ans. Elle avait été placée à côté du romancier et, pensa Henry, cela ne devait pas être facile pour elle. Il ne l'imaginait que trop bien, nerveuse, consciente de chacun de ses gestes, de la moindre bouchée de nourriture touchée par son couteau et sa fourchette. Elle avait dû passer le repas à se demander ce que le grand homme penserait d'elle. Henry savait qu'en pareille occasion le pouls de sa sœur s'accélérait et que ses efforts pour briller prenaient un tour complexe, laborieux et tourmenté.

Il n'avait aucun souvenir qu'Alice eût jamais porté une crinoline, mais l'histoire tournait autour de ce détail. Thackeray, se penchant vers elle pour examiner ses atours, se serait en effet exclamé :

— Crinoline ! Je ne m'en serais jamais douté. Si jeune et si dépravée !

La remarque, qui se voulait peut-être gentille, avait dû faire à sa sœur l'effet d'une gifle. L'instant suivant, elle n'avait dû ressentir que de la honte, comme si une part secrète et obscure d'elle-même avait été brutalement exposée. Il imaginait la soudaineté de la réplique, l'incompréhension de sa sœur, son effort pour sourire. Seul Henry mesurait pleinement la cruauté de la scène, mais il n'avait

jamais rien fait pour réduire au silence les autres, qui bran-
dissaient cette histoire dès qu'un auditeur potentiel se présentait chez eux, surtout quand Alice était présente pour
entendre une fois de plus le récit de son humiliation aux
mains d'un romancier parmi les plus insignes de son
temps.

William était l'aîné et le moins vulnérable. Peu importe
la quantité de voyages et de chamboulements, il demeurait
égal à lui-même. Il était solide, populaire auprès de ses
camarades, sûr de son droit à participer à tous les jeux. Il
adorait les cris et le bruit ; il adorait les camarades turbu-
lents. Il adorait claquer les portes et faire du sport. Personne ne s'était aperçu de ses penchants livresques,
lui-même peut-être moins que quiconque, jusqu'au jour où
il se lança pour la première fois dans une discussion
enflammée avec son père. Il s'y adonna ensuite avec une
délectation et une exubérance telles qu'à l'âge de quatorze
ans il faisait subir aux mots, aux phrases et aux opinions
le sort qu'il avait auparavant réservé aux clôtures et aux
pelouses impeccables.

Alice essayait de se transformer pour William en une
femme du monde, une femme de lettres française du dix-
huitième siècle. Leur mère leur ayant un jour raconté combien Ned Lowell avait été affecté par la description de
Boston que faisait Howells dans son dernier roman, Alice
manifesta le désir de répondre, et tous les regards se tour-
nèrent une fois de plus vers elle. Mais elle n'arrivait pas
à se lancer. Elle était toute rouge.

— Oh, le pauvre homme ! balbutia-t-elle enfin. Si un
simple roman l'affecte à ce point, on peut se demander ce
que lui inspire le Sac de Rome, pour ne rien dire des vaga-
bondages de sa femme.

Une fois encore, la tablée se figea. Leur mère fit mine
de se lever en reculant sa chaise. Les autres fixaient Alice
d'un air éberlué. William ne souriait pas. Alice elle-même
gardait les yeux baissés. Elle avait mal jaugé son moment,

et ils venaient de comprendre d'un coup l'étrange impression que risquait de produire Alice si elle devait un jour être lâchée dans le monde.

Cette image d'elle lui était restée ; il demeurait fasciné par ce fossé entre la vie intérieure d'Alice, dans toute son intimité confuse, et l'existence sociale programmée pour elle. À mesure que le long hiver londonien commençait lentement à s'adoucir et les jours à rallonger, il ne s'attela à aucun roman, mais continua à prendre des notes pour des histoires et s'essaya à quelques débuts hésitants. La mort prématurée de sa sœur le hantait ; les détails de sa vie singulière lui revenaient aux moments où il s'y attendait le moins et ajoutaient à son sentiment d'un passé irrécupérable.

Il se rappelait un autre soir, sa sœur devait avoir dix-huit ou dix-neuf ans. Lui-même revenait à la maison, joyeux et impatient de raconter quelque chose – une conférence à laquelle il avait assisté et qui pouvait intéresser son père, ou un texte signé par lui qui venait d'être publié dans une revue. À peine arrivé il avait été intercepté par sa tante Kate, qui l'avait immédiatement alerté sur la gravité de l'état de sa sœur.

Du rez-de-chaussée où il s'était assis pour attendre, il entendait les cris d'Alice. Ses parents s'occupaient d'elle, ensemble, et sa tante Kate montait fréquemment à l'étage pour guetter à la porte ou entrer un instant dans la chambre, avant de redescendre faire son rapport à Henry. Elle lui parlait dans un murmure, et il ne se souvenait pas du terme exact qu'elle avait choisi pour décrire le mal dont souffrait sa sœur. Alice était victime d'une attaque, peut-être, ou Alice souffrait des nerfs ; mais il se rappelait distinctement qu'au cours de cette nuit son père et sa mère étaient descendus à tour de rôle pour lui parler, et il avait pris note de leur excitation face au dilemme inédit qui s'offrait à eux. Leur fille trop nerveuse et sa maladie étrange méritaient toute leur sympathie et toute leur attention.

Cette nuit-là, alors que les sanglots d'Alice refusaient de s'apaiser dans la chambre du premier étage, où elle était réconfortée et embrassée par ses parents, Henry constata aussi que sa mère, si souvent traitée de haut par Alice en raison de ses banales préoccupations domestiques, faisait maintenant l'objet d'une demande désespérée de la part de sa fille, et, dans la pénombre du vieux salon où elle venait passer un moment avec lui, elle paraissait satisfaite d'être redevenue indispensable.

La réalité n'était jamais conforme aux apparences. Il avait, pour son histoire dérivée de celle de l'archevêque, l'image d'un personnage de gouvernante, une femme douce, intelligente, compétente, stimulée par le défi consistant à s'occuper de ce petit garçon et de cette petite fille. Il avait aussi une image de sa mère et de sa tante Kate entrant dans le salon, inquiètes et épuisées – l'une des deux tenait une lampe, et sa mère avait les lèvres serrées, mais les yeux brillants et les joues roses –, s'asseyant près de lui pendant que les cris étouffés d'Alice leur parvenaient du premier étage et qu'il les regardait, ces deux femmes résolues et consciencieuses dans leurs fauteuils, plus vivantes, plus intensément présentes qu'il ne les avait vues depuis des années.

Il avait aussi une image de lui-même à Genève avec Alice et sa tante Kate quelques années plus tard, à une époque où aucun d'entre eux n'aurait osé dire à Alice, ou se dire en son absence, que sa souffrance semblait presque délibérée. Ils s'efforçaient de donner un nom à la maladie, et la formule la plus judicieuse trouvée par leur mère était qu'Alice souffrait d'hystérie véritable. Ce mal était incurable, comprit Henry, parce que Alice le cajolait, s'en occupait, s'y accrochait comme à un visiteur dont elle serait tombée éperdument amoureuse. À Genève, pendant leur tour de l'Europe, ils devaient paraître aux observateurs, et parfois à leurs propres yeux, l'image même des Américains distingués et consciencieux visitant tout ce qui méritait d'être visité, portant sur le Vieux Monde un regard intelligent et sensuel, le frère et la sœur voyageant en compagnie de leur tante avant de rentrer à la maison et de s'installer dans la vie. Sa sœur ne lui avait jamais paru plus heureuse, plus spirituelle et plus confiante en l'avenir que pendant ce voyage.

Il se souvenait de leurs promenades quotidiennes au bord du lac, tante Kate s'étant au préalable assurée qu'Alice s'était suffisamment reposée le matin.

— Les livres de géographie, fit remarquer Alice pendant une de ces sorties, ne précisent pas que les lacs ont des vagues. Il va falloir réécrire toute la poésie.

— Par où allons-nous commencer ?

— Je vais poser la question à William.

— Tu dois te reposer, ma chérie, et ne pas écrire trop de lettres, intervint tante Kate.

— Comment puis-je lui poser la question si je ne lui écris pas ? Marcher est plus fatigant que s'occuper de sa correspondance, et d'ailleurs, je crois bien que tout ce grand air finira par me tuer.

Elle sourit avec condescendance à sa tante qui ne semblait guère réjouie, nota Henry, par cette allusion à la mort.

— Les poumons adorent les hôtels, enchaîna Alice. Ils les adorent absolument, surtout le hall d'accueil et les escaliers, mais aussi la salle à manger et la chambre, si elle a une jolie vue et une fenêtre fermée.

— Ne marche pas trop vite, ma chérie.

Henry observa la manière dont Alice cherchait fébrilement une autre remarque susceptible de l'amuser, lui, et de froisser leur tante Kate, mais ensuite elle parut satisfaite de garder le silence et de marcher simplement en leur compagnie.

— Le cœur, reprit-elle au bout d'un moment, préfère un train confortable et bien chauffé ; quant au cerveau, bien sûr, il réclame à cor et à cri un paquebot transatlantique. Je vais rapporter toutes ces observations à William dès que je serai de retour à l'hôtel et, en attendant, nous ferions mieux d'accélérer le pas, ma chère tante, car marcher lentement est un anathème pour la mémoire.

— Si Dorothy Wordsworth avait imparti ce genre d'informations à son frère, dit Henry, je crois que sa poésie en aurait été grandement améliorée.

— Dorothy Wordsworth n'était-elle pas la femme du poète ? s'enquit tante Kate.

— Non, ça, c'était Fanny Brawne, dit Alice avec un sourire espiègle à Henry.

— Ne marche pas trop vite, ma chérie, répéta tante Kate.

Ce soir-là, quand Alice descendit pour le dîner, Henry vit qu'elle s'était habillée et coiffée avec le plus grand soin, et il comprit que tout aurait pu être différent si elle avait possédé une beauté remarquable, ou si elle n'avait pas été la seule fille de la fratrie, ou si son intelligence avait été moins aiguë, ou son enfance plus conventionnelle.

— Serait-il possible, demanda Alice quand elle fut en bas, de faire le tour du monde, rien que nous trois, en descendant uniquement dans les beaux hôtels et en écrivant à la famille chaque fois qu'une remarque très amusante nous vient à l'esprit ? Pourrions-nous continuer ainsi pour toujours ?

— Non, répliqua sa tante Kate. Nous ne le pourrions pas.

Tante Kate, dans le souvenir de Henry, endossait le rôle d'une gouvernante sévère mais bienveillante chargée de deux orphelins, l'un docile, poli et fiable, l'autre plus évaporée mais prête aussi à faire ce qu'on lui demandait. Tous trois furent heureux au cours de ces quelques mois, tant qu'ils évitaient de penser à ce qu'il adviendrait d'Alice après son retour à la maison.

Personne, en les observant, n'aurait pu deviner que sa sœur était déjà à ce moment-là une étrange et spirituelle invalide. En leur compagnie, elle fut pendant quelque temps tout près de guérir, mais Henry savait déjà qu'ils ne pourraient pas voyager indéfiniment avec elle de ville en ville. Derrière le visage souriant et la silhouette qui descendait gaiement l'escalier tous les matins pour les retrouver dans le hall de l'hôtel, une ombre se tenait prête à surgir. Le sort d'Alice était déjà inscrit dans chaque aspect de son être et, en dépit de ces jours de trêve et de bonheur à Genève, ce qui l'attendait avait la forme d'une histoire qui, avec le recul, surprenait et fascinait Henry : celle d'une jeune femme en apparence légère, ambitieuse et bien élevée, qui se mettrait bientôt à entendre des bruits dans la nuit, à apercevoir des visages effrayants à la fenêtre, et qui autoriserait ses rêveries à se transformer en cauchemars.

La pire période pour Alice fut celle qui précéda et suivit immédiatement le mariage de William, où elle connut sa dépression la plus sévère, une récidive aggravée de ses vieux ennuis. En Angleterre, bien des années plus tard, elle lui confia que l'essentiel d'elle-même était mort à ce moment-là ; au cours de l'été atroce où William avait épousé une jeune femme jolie, pragmatique, d'une santé à toute épreuve et qui, pour comble de cruauté, s'appelait également Alice, Alice James avait marché vers la haute mer et laissé les eaux obscures se refermer au-dessus de sa tête.

Pourtant, malgré les maux affreux et débilitants qui la rongeaient, elle conservait une étrange énergie psychique ; aucune de ses actions n'était prévisible, aucune n'était dénuée d'ironie ou de contradiction délibérée. À la mort de sa mère, la famille commença à l'observer avec une attention extrême, convaincue que cet événement causerait sa désintégration totale et définitive. Henry s'attarda à Boston et imagina différentes façons d'aider sa sœur, et aussi son père. Mais Alice n'avait plus d'attaques ; elle devint, de la manière la plus plausible dont elle était capable, l'incarnation de la fille compétente, consciencieuse et pleine d'amour, supervisant la vie domestique d'une main légère et communiquant avec le reste de la famille comme si c'était elle qui assurait désormais la bonne marche de la maisonnée. Un jour, peu de temps avant de repartir pour Londres, il la vit dans le vestibule qui prenait congé d'un visiteur, les bras croisés, les yeux brillants, priant la personne de revenir bientôt. Il la vit sourire, d'abord avec chaleur, puis avec une ombre de tristesse pendant qu'elle refermait la porte et s'éloignait vers le couloir. Tout en elle, du maintien jusqu'aux expressions et aux gestes, était emprunté à leur mère. Elle faisait un effort, comprit Henry, pour devenir la femme de la maison.

Leur père mourut moins d'un an plus tard ; une fois leur père enterré, le numéro d'Alice s'écroula. Elle avait noué une amitié très proche avec Katherine Loring, dont l'intelligence était à la hauteur de la sienne et dont la force égalait en intensité sa propre faiblesse. Miss Loring accompagna Alice lorsque celle-ci décida d'aller vivre en Angleterre afin d'éviter d'être prise en charge par sa tante Kate, ce qui constituait un geste de défi et d'indépendance et aussi, bien sûr, un appel à l'aide adressé à Henry. Elle avait encore huit années à vivre, mais celles-ci se passeraient, pour l'essentiel, dans un lit. Selon sa propre formule souvent répétée, le flétrissement de la cosse vide n'était pas encore parachevé.

Il se souvint de cette phrase pendant qu'il attendait l'arrivée de sa sœur par bateau à Liverpool, et il pensa que son obstination farouche et la fortune paternelle considérable dont elle venait d'hériter auraient, avec l'aide de Miss Loring, la faculté de retarder quelque temps encore l'accomplissement de ce programme. Il résolut de ne pas entretenir exagérément l'idée que l'arrivée d'Alice dérangeait sa solitude et son fructueux exil. Néanmoins, il fut effrayé de l'apercevoir à sa descente du bateau. On dut la porter jusqu'à terre, impuissante, malade. Elle n'était pas en état de lui parler. Il s'approcha ; elle dut croire qu'il allait la toucher, car elle ferma les yeux et détourna la tête avec une expression de détresse. Il était évident qu'elle n'aurait pas dû entreprendre ce voyage. Miss Loring supervisa le transfert d'Alice vers un appartement convenable ainsi que la recherche d'une infirmière. Henry en vint à penser que le statut d'invalide de sa sœur était nécessaire à Miss Loring autant que Miss Loring était nécessaire à Alice.

Alice souhaitait avoir son amie à portée de regard en permanence. Elle avait perdu ses parents et elle avait perdu sa santé, mais sa volonté tendait vers un seul but, satisfaire son intense besoin de garder Katherine Loring pour elle seule. Henry remarquait la brusque détérioration de son état, frôlant l'hystérie, chaque fois que Miss Loring s'absentait, et la manière dont elle retournait dans son lit docilement, presque avec bonheur, dès lors que Miss Loring promettait de rester auprès d'elle et de lui prodiguer ses soins. Il écrivit à sa tante Kate et à William au sujet de ce couple étrange. Il essayait bien sûr de témoigner sa gratitude vis-à-vis de Miss Loring pour son dévouement si généreux et si parfait, mais il savait en même temps que ce dévouement avait pour condition qu'Alice demeure une invalide. Ce lien qui existait entre elles, avec toute sa complaisance morbide, le rendait malheureux. Il n'aimait pas la dépendance abjecte d'Alice vis-à-vis de sa solide amie. Parfois, il en venait même à croire que Miss Loring faisait du mal à sa sœur, mais il ne voyait pas qui, à sa place, aurait pu lui faire du bien, et pour finir il se résigna à sa présence.

Miss Loring passait l'essentiel de son temps auprès d'Alice, à s'occuper d'elle, à la tolérer et à l'admirer comme personne avant elle. Alice s'était depuis longtemps spécialisée dans les opinions tranchées et les répliques macabres ; Miss Loring semblait prendre plaisir à écouter ses digressions sur la mort et les joies y attenant, ou bien sur la question irlandaise et l'iniquité du gouvernement, ou encore sur le caractère insupportable de la vie anglaise. Quand Miss Loring s'absentait, même pour un temps très court, Alice s'indignait de ce que quelqu'un comme elle, qui avait eu le privilège de s'asseoir à la table des plus grands esprits du siècle en la personne de ses frères et de son père, puisse être ainsi abandonnée au bon vouloir indigent d'une infirmière anglaise employée par son amie.

Henry lui rendait visite le plus souvent possible, même après que Miss Loring et elle eurent pris la décision de s'installer en dehors de Londres. Parfois il l'écoutait avec une fascination émerveillée. Alice adorait les plaisanteries complexes, par exemple une minuscule bizarrerie qu'elle parvenait, par la pure force de sa personnalité, à rendre follement drôle. Le dévouement de Mrs Charles Kingsley pour son défunt mari était une de ses histoires préférées ; elle était capable de la raconter encore et encore sur un ton de moquerie indignée, en priant ses visiteurs d'admettre, avant même la fin, qu'elle méritait d'être racontée une fois de plus.

— Saviez-vous, commençait-elle, que Mrs Charles Kingsley était très dévouée au souvenir de son mari ?

Elle s'interrompait un instant, comme s'il n'y avait rien de plus à en dire. Puis, d'un mouvement de tête, elle signalait qu'elle était prête à continuer.

— Saviez-vous qu'elle gardait toujours près d'elle le buste du défunt ? Lorsqu'on rendait visite à Mrs Charles Kingsley, il fallait aussi rendre visite au mari. Tous les deux vous jetaient des regards noirs.

Alice elle-même adoptait alors un regard noir, comme si elle venait de décrire le mal personnifié.

— Et non seulement cela, reprenait-elle, mais Mrs Charles Kingsley avait épinglé sa photographie sur l'autre oreiller !

Elle fermait les yeux et riait longuement, d'un rire sec.

— Oh, quelle bonne nuit de sommeil pour Mrs Charles Kingsley ! Peut-on imaginer quelque chose de plus atrocement grotesque ?

Ensuite il y avait les médecins. Leurs visites et leurs diagnostics la remplissaient d'un dédain mêlé de jubilation, y compris le jour où elle apprit qu'elle avait un cancer. Une seule remarque idiote de la part d'un médecin devenait matière à conversation pour une semaine entière. Un jour, elle déclara qu'elle avait reçu la visite de Sir Andrew Clarke et de son horrible sourire, comme si celui-ci avait été un appendice célèbre du docteur en question. Puis, sur un ton incrédule, elle conta à Henry la mésaventure d'un ami qui, bien des années plus tôt, avait longuement attendu ce même Sir Andrew. À son arrivée, alors qu'on ne l'espérait plus, celui-ci s'était annoncé comme « le regretté Sir Andrew Clarke ».

— Alors j'ai dit à Miss Loring, pendant que nous attendions Sir Andrew, que j'étais prête à parier qu'il répéterait la blague, après tant d'années, en arrivant chez nous. Attention ! ai-je dit en entendant son pas dans l'escalier. La porte s'est ouverte, nous avons vu entrer le monsieur rubicond et son horrible sourire, et la réplique « le regretté Sir Andrew Clarke » est tombée de ses lèvres comme s'il la prononçait pour la première fois, suivie par une explosion d'hilarité, un peu trop sonore à notre goût.

Elle s'observait elle-même avec intérêt, guettant les premiers signes d'agonie, aussi intrépide face à la mort qu'elle était craintive face à tout le reste. Elle n'appréciait guère le clergyman qui occupait l'appartement en dessous du sien, et exprimait souvent une angoisse à l'idée que, si son état venait brusquement à s'aggraver en pleine nuit, il pourrait s'aviser de lui administrer les derniers sacrements avant que quiconque ait pu l'en empêcher.

— Imaginez cela, ouvrir les yeux pour la dernière fois et découvrir en face de soi ce clergyman aux airs de chauve-souris.

Elle portait au loin un regard altier.

— Il y aurait de quoi gâcher mon expression *post mortem*, que je travaille pourtant depuis des années.

Puis, avec un rire amer :

— C'est terrible d'être une personne sans défense.

À mesure que le temps passait, il comprit que sa sœur ne quitterait plus son lit, et il découvrit que Miss Loring partageait cette opinion. Elle jurait de rester avec Alice jusqu'à la fin. Cette évocation constante de « la fin » le dérangeait, et, parfois, en les observant toutes deux ensemble, l'éternelle malade et sa compagne toujours gaie, affairée et vigoureuse, il éprouvait un besoin urgent de s'éloigner d'elles, d'abréger sa visite, de retourner à sa propre solitude durement gagnée.

Pendant le séjour d'Alice en Angleterre, il écrivit deux romans très imprégnés de l'atmosphère particulière au monde de sa sœur. Il comprenait le dilemme d'une femme dans un temps de réformes, tiraillée entre les règles de son éducation et la nécessité de changer ces mêmes règles, mais aussi, de façon plus cruciale pensait-il, le dilemme d'une femme élevée dans une famille de libres-penseurs qui confinaient leur liberté de pensée à la conversation et demeuraient respectables et conformistes dans tous les autres domaines. En écrivant *Les Bostoniennes* il n'eut aucune difficulté à imaginer le conflit entre deux personnes qui prétendent en dominer une troisième. Un tel conflit l'avait brièvement opposé à Miss Loring, jusqu'au moment où il avait capitulé en lui abandonnant le terrain. Dans *La Princesse Casamassima*, son autre roman écrit après l'arrivée d'Alice en Angleterre, il dressa sans même s'en apercevoir un double portrait de sa sœur. Pour une moitié elle était la princesse elle-même, subtile, brillante et douée d'un sombre pouvoir, récemment installée à Londres. Quant à l'autre moitié, Alice avait dû la reconnaître sans peine : elle était Rosy Munniment, confinée dans son lit, une « étrange et tapageuse petite invalide », une « vieille petite sœur infirme, entêtée, bavarde », une « créature brillante et dure, comme polie par la douleur ».

Alice, qui lisait tous ses livres, professa une grande admiration pour celui-ci et ne fit aucune allusion à cette sœur clouée au lit que les deux protagonistes n'appréciaient guère. Dans son journal, elle évoquait le zèle de Henry et les succès de William. Pas mal pour une seule famille – surtout, ajoutait-elle, si j'arrive à me faire mourir, ce qui est encore le travail le plus ardu.

Et ce fut ainsi qu'après son arrivée à Londres Alice commença à mourir pour de bon, elle qui avait pendant si longtemps joué à mourir. Elle se languissait, confia-t-elle à Henry, d'une maladie tangible, et elle accueillit l'annonce de son cancer avec un soulagement immense. Elle avait quarante-trois ans. Elle rêva d'un bateau qui tanguait sur la mer et, sous un grand nuage noir, de sa défunte amie Annie Dixwell qui l'avait regardée en passant. Elle était prête à la rejoindre.

Henry et Miss Loring veillèrent sur elle tout au long de son déclin ; la souffrance était tenue en échec grâce à la morphine. Alice restait absolument fidèle à elle-même ; il se demanda si elle pourrait s'éclipser ainsi, mourir en quelque sorte sans s'en apercevoir. Mais sa fin ne fut pas facile.

Un jour en entrant dans sa chambre, il fut stupéfait de voir le changement intervenu. Alice était en détresse, elle respirait avec difficulté et son pouls, lui dit Miss Loring, était faible et irrégulier. Un accès de fièvre lui accorda un temps de répit, mais par intermittence elle était prise d'une toux sèche qui n'en finissait pas, qui la secouait de spasmes et la laissait épuisée. Dès qu'elle essayait de parler, une nouvelle quinte la déchiquetait ; elle finit par rester silencieuse. Il n'y avait aucune raison, avait prévenu le médecin, que cela ne dure pas des jours encore.

Henry observait sa sœur avec le désir désespéré de lui offrir un réconfort. Il avait peur pour elle et il pensait que, malgré tous ses discours, elle avait peur aussi. À chaque instant, il se préparait à la voir partir et il attendait, sachant qu'elle éprouverait avant de sombrer le besoin de parler une dernière fois.

Puis un autre changement intervint. En quelques heures, toute la douleur et l'inconfort parurent cesser, la toux disparut, la fièvre elle-même retomba, et l'expression cadavérique de son visage prit une intensité nouvelle. Elle ne dormait pas. Assis près d'elle, il regretta que sa mère ne fût pas là pour parler à sa fille, trouvant les mots qui l'aideraient à lâcher prise, à glisser hors du monde. Il essaya d'imaginer sa mère dans la chambre, l'implora presque dans un murmure d'entrer et de rester un moment, mère, viens au secours d'Alice, donne-lui ta tendresse. Il aurait voulu demander à sa sœur si elle sentait la présence de leur mère dans la chambre.

Il était clair qu'elle n'en avait plus pour longtemps, pourtant Katherine Loring le pria avec une certaine insistance de ne pas rester jusqu'au matin. Il lui accorda qu'il ne pouvait rien faire. Mais, au moment de partir, il vit qu'Alice s'agitait de nouveau, incapable de se tourner dans le lit, et qu'elle luttait pour respirer. Puis elle murmura quelque chose ; Miss Loring et Henry échangèrent un regard. Lentement, avec effort, Alice éleva la voix pour qu'ils puissent l'entendre.

— Je ne supporterai pas un jour de plus. Je ne peux pas. Je supplie que cela me soit épargné.

Ces paroles l'aidèrent, tandis qu'il traversait Kensington à pied pour rentrer chez lui. Il avait toujours craint qu'Alice ne découvre tout à la fin qu'elle redoutait la mort plus que tout, et que son désir de mourir si souvent affirmé se révèle in extremis n'avoir été qu'une simple bravade. Il était soulagé de savoir que sa sœur tenait bon. Il l'avait observée à la dérobée ; à sa place, il le savait, il aurait été terrifié, mais elle était différente. Elle ne flanchait pas.

Au creux de la nuit, lui raconta Katherine Loring le lendemain matin, Alice avait sombré dans un sommeil paisible. En entamant une nouvelle journée à son chevet, il s'interrogea sur les rêves d'Alice ; il espérait que la morphine les rendait éblouissants et en ôtait toute la noirceur et la peur qui avaient obscurci sa vie. Il désirait ardemment qu'elle soit heureuse. Mais il ne pouvait s'empêcher de vouloir qu'elle continue malgré tout de respirer, qu'elle résiste encore. Il ne pouvait l'imaginer morte, après l'avoir vue si longtemps mourante. Le médecin, en arrivant, demanda la permission de ne pas lui imposer de traitement, puisque nulle assistance médicale n'était plus nécessaire.

Henry approchait de la cinquantaine ; c'était sa première mort. Il n'avait pas été présent à celle de sa mère, pas davantage à la mort de son père. Il avait veillé le corps de sa mère, mais il n'avait pas été témoin de son dernier souffle. Il avait décrit l'agonie dans ses livres, mais il en ignorait tout. Il ne savait rien, en abordant cette longue journée d'attente tandis que le souffle de sa sœur s'amenuisait, s'effaçait presque, avant de reprendre une fois encore. Il essaya d'imaginer ce que devenait en ce moment l'esprit d'Alice, sa magnifique intelligence hérissée, et il eut l'impression qu'il ne restait d'elle, en réalité, que son souffle erratique et son pouls affaibli. Il n'y avait pas de volonté, pas de conscience, seulement le corps qui avançait lentement vers sa fin. Et cela la lui rendit encore plus pitoyable.

Toujours, il avait imaginé la demeure de la mort comme un lieu de silence, immobile et attentif, mais à présent il découvrait qu'il n'y avait pas de silence ; le bruit de la respiration de sa sœur, avec ses différents niveaux d'intensité, remplissait tout l'espace. Son pouls faiblit encore, s'interrompit un instant, mais elle ne mourait toujours pas.

Il se demanda si la mort de sa mère avait été ainsi. Alice était la seule à le savoir, la seule qu'il aurait pu interroger. Il se leva et effleura sa sœur du bout des doigts alors que son souffle devenait égal et léger, son sommeil paisible. Cela dura une heure. Elle n'était pas encore prête à s'en aller. Il se demanda qui elle était à présent, quelle part d'Alice existait encore en ces dernières heures. Quand sa respiration s'interrompit, il la regarda avec alarme. Il n'était pas prêt, malgré ces jours et ces nuits d'attente. Elle inspira à nouveau, faiblement, avec effort. De nouveau, il aurait voulu que sa mère soit là, près de lui, pour lui tenir la main au moment où Alice enfin s'échapperait. Miss Loring commença à chronométrer son souffle ; une respiration par minute à présent, dit-elle. Quand la fin arriva, le visage d'Alice parut s'éclaircir d'une manière étrange et curieusement émouvante. Henry se leva, alla à la fenêtre pour laisser entrer un peu de lumière ; quand il revint près du lit, elle ne respirait plus. La chambre était enfin silencieuse.

Il resta assis près de son corps, en sachant que son plus grand désir avait été d'être ainsi paisiblement étendue dans la mort. Elle paraissait belle et noble, et il eut soudain la conviction, après en avoir tant douté, que si sa sœur avait pu se regarder en ce moment, elle aurait pris un intense plaisir macabre à voir ce qu'elle était devenue. Cela le réconfortait de savoir que les cendres d'Alice seraient rapatriées en Amérique pour reposer auprès de ses parents dans le caveau de Cambridge. Cela le consolait de penser qu'ils n'allaient pas l'enterrer en Angleterre, l'abandonner loin de chez elle dans la terre hivernale.

Son visage de morte changeait comme changeait la lumière dans la chambre. Elle semblait tour à tour jeune et vieille, épuisée et d'une beauté extrême. Il lui sourit ; son visage était très pâle, les traits tirés, mais aussi d'une délicatesse exquise. Il se rappela soudain la colère d'Alice après qu'elle avait eu en héritage de sa tante Kate l'usufruit d'un châle et de quelques autres biens terrestres. Tout comme Alice, il mourrait sans enfant ; ce qu'ils possédaient, l'un et l'autre, leur appartenait uniquement tant qu'ils étaient en vie. Il n'y aurait aucun héritier direct. Ils avaient tous deux reculé devant les engagements, le compagnonnage profond, la chaleur de l'amour. Ils n'en avaient jamais voulu. Son sentiment était qu'Alice et lui avaient été bannis, exilés, laissés seuls, alors que les autres membres de la fratrie s'étaient mariés, et que leurs parents s'étaient suivis dans la mort. Avec tristesse, tendrement, il toucha ses mains froides croisées sur le drap.

4

Avril 1895

Un soir, alors qu'il se rendait à un dîner à bord d'un fiacre bruyant, il lui vint une idée pour une histoire dont l'intrigue reposerait sur une affection singulière entre deux orphelins, un frère et une sœur. Il n'eut pas d'emblée une image précise des personnages, ni de leur situation sociale. Son intuition était à peine assez élaborée pour pouvoir être notée dans son carnet. Le frère et la sœur étaient liés par une sympathie et une tendresse telles que chacun pouvait déchiffrer les sentiments et les impulsions de l'autre. Leur relation n'était pas de contrôle mutuel ; c'était plutôt qu'ils se comprenaient un peu trop bien. Fatalement bien, pensa-t-il, et ce fut ce qu'il nota dans son carnet, sans aucune idée d'intrigue ou de péripétie susceptible de l'illustrer. Peut-être était-ce excessif, mais cette idée d'une fusion de deux êtres s'attarda en lui. Deux êtres doués d'une seule sensibilité, d'une seule imagination, vibrant avec les mêmes nerfs, la même souffrance. Deux vies, mais centrées autour d'une expérience identique. Par exemple, ils avaient la même conscience aiguë de la mort de leurs parents et du caractère irrévocable de ce deuil qui les tourmentait l'un et l'autre avec une intensité presque paralysante.

Souvent, les idées lui venaient ainsi, de manière fortuite, alors qu'il était préoccupé par autre chose. Cependant cette nouvelle idée d'histoire au sujet d'un frère et d'une sœur se développa d'emblée avec une sorte d'urgence ; il n'avait pas besoin de la noter par écrit. Elle restait fraîche et nette dans son imagination, il savait qu'il ne l'oublierait pas. Lentement, mystérieusement, elle commença à fusionner avec le conte fantastique de l'archevêque de Canterbury et, peu à peu, il vit émerger une image fixe, comme si le processus de l'imagination était lui-même un spectre, acquérant petit à petit une densité corporelle. Il voyait le frère et la sœur, seuls et abandonnés quelque part, deux enfants exilés dans une vieille maison sans amour, opérant avec un seul cerveau, une seule âme, égaux dans leur souffrance et leur impréparation à la grande épreuve qui les attendait.

En devenant plus solide, cette histoire naissante avec ses ramifications et ses possibilités multiples le tira de l'abattement où l'avait plongé son échec. Il était décidé à travailler dur. Il reprit sa plume – la plume de tous ses efforts inoubliables et de tous ses combats sacrés. C'était maintenant, pensa-t-il, qu'il accomplirait l'œuvre de sa vie. Il était prêt à recommencer, à revenir une fois encore au vieil art noble de la fiction avec des ambitions qui étaient à présent trop profondes et trop pures pour pouvoir être exprimées.

Dans le désœuvrement de l'après-midi, il s'autorisait parfois à parcourir ses carnets. Un jour, il sourit à demi en reconnaissant quelques lignes qui avaient semblé si prometteuses, trois ans plus tôt, qu'elles avaient fini par remplir ses journées de travail et ses rêves, avant de donner lieu aux mois de léthargie, de déception et de douleur dont il émergeait à peine. Il s'obligea à les lire jusqu'au bout :

Situation de ce descendant d'une vieille famille vénitienne (laquelle ? j'ai oublié) qui, après être devenu moine, est retiré du monastère presque de force et ramené dans le monde pour empêcher la lignée de s'éteindre.

Il était le *dernier* – d'où la nécessité absolue d'un mariage. Adapter ça d'une manière ou d'une autre à l'époque contemporaine.

Son regard parcourut rapidement la liste de noms – noms fantomatiques prélevés dans les nécrologies et les avis de décès, noms de personnages et de lieux, noms capables de continuer à dormir dans ses carnets ou de servir encore ; il aurait pu passer le reste de ses jours à leur donner vie. *Beague – Vena* (nom chrétien) *– Doreen* (idem) *– Passmore – Trafford – Norval – Lancelot – Vyner – Bygrave – Husson – Domville.* Ces huit dernières lettres avaient été tracées sur la page en toute innocence. Il n'avait aucun souvenir de la provenance du nom, pas plus que de ceux qui le précédaient. Il n'avait pas davantage idée de la raison pour laquelle il l'avait choisi de préférence aux autres. La note et le nom lui semblaient à présent très lointains, et il lui paraissait extraordinaire de penser que sa pièce ait pu surgir de prémices aussi peu encourageantes et souffrir, après son remplacement par une nouvelle comédie d'Oscar Wilde, une fin tout aussi peu encourageante.

La mort de ses parents, pensa-t-il, avait entraîné dans son sillage un étrange soulagement – dû à la certitude que l'événement ne se reproduirait pas, que le corps de sa mère serait exposé une seule fois et rendu à la terre en une occasion unique. Et cette occasion, dans toute sa douleur noire, brutale, était passée. Après la mort de ses parents et la disparition d'Alice, il avait cru que rien ne pourrait plus le toucher. Ainsi son échec au théâtre demeurait-il pour lui un choc, une émotion dont il n'avait pas cru pouvoir éprouver à nouveau la violence, le tranchant, l'acuité. C'était, il devait bien l'admettre, une douleur proche de celle du deuil, bien que cet aveu fût une sorte de blasphème.

Il savait qu'il ne subirait pas de nouvel outrage aux mains d'un public de théâtre ; il se consacrerait, ainsi qu'il en avait formé le vœu, à l'art silencieux de la fiction. Si seulement il redevenait capable de travailler, ses jours pourraient être parfaits, entre les délices de la solitude et le plaisir extrait des pages achevées.

Peu de temps après son retour d'Irlande, alors qu'il s'installait dans un rythme de lecture, de correspondance et d'ordre domestique reconstitué, son jeune ami Jonathan Sturges lui apporta des nouvelles étonnantes, rapidement relayées et confirmées par Edmund Gosse. Elles concernaient Oscar Wilde.

Wilde avait beaucoup occupé l'esprit de Henry au cours des mois précédents. Ses deux pièces se jouaient encore au Haymarket et au théâtre St James. Henry n'avait eu aucune difficulté à calculer les sommes empochées par l'auteur, et il y avait fait allusion dans une lettre à William, où il parlait du dernier phénomène londonien en date, l'inévitable Oscar Wilde, devenu soudain riche, célèbre, sérieux et travailleur, au lieu du personnage grotesque qu'on connaissait, toujours occupé à perdre son temps et celui des autres.

Mais les informations que lui rapportaient à présent Sturges et Gosse ne furent pas transmises à William, ni à quiconque d'ailleurs. Ses deux amis adoraient colporter les ragots, et il laissa chacun dans l'illusion qu'il était son unique informateur, en partie parce qu'il n'avait pas envie qu'ils apprennent que les bouffonneries d'Oscar Wilde étaient beaucoup débattues sous son toit.

Avant son départ pour l'Irlande, déjà, Henry avait entendu dire que Wilde avait abandonné toute discrétion. Il faisait ce qu'il voulait à Londres, et il en parlait à qui bon lui semblait. Il était partout à la fois, exhibant son argent, son succès et sa célébrité toute neuve, et exhibant par la même occasion le fils du marquis de Queensberry, un garçon qui était, selon Gosse, aussi profondément antipathique que son père, mais, de l'avis de Sturges, plutôt mieux loti physiquement.

La liaison de Wilde avec le fils de Queensberry était de notoriété publique, tout comme, présumait Henry, les autres faits rapportés par ses informateurs ; mais Sturges et Gosse paraissaient croire qu'ils étaient seuls, avec quelques initiés, à en connaître les détails ; et ces détails, juraient-ils, étaient si atterrants qu'on osait à peine les évoquer dans un murmure. Henry les observait calmement, leur faisait servir du thé et les écoutait avec la plus grande attention formuler avec délicatesse des choses qui n'étaient pas, c'est le moins qu'on puisse dire, très délicates. « Des garçons de la rue », avait dit Gosse, mais Sturges l'amusa davantage en mentionnant à voix basse des jeunes gens dont le domicile n'était pas très stable.

— Il se les réserve comme on réserve un fiacre, finit par expliquer Gosse.

— Pour de l'argent ? demanda innocemment Henry.

Et devant le grave hochement de tête de Gosse, il fut tenté de sourire, mais se retint et garda lui aussi un air grave.

Cela ne lui semblait ni curieux, ni choquant ; tout chez Wilde, dès le premier instant où il l'avait vu, et même quand il l'avait croisé à Washington dans la maison de Clover Adams, suggérait d'innombrables strates de dissimulation. Gosse ou Sturges lui auraient-ils annoncé que Wilde sortait tous les soirs de chez lui déguisé en épouse de clergyman pour distribuer des aumônes aux pauvres qu'il n'en aurait pas été surpris. Il se rappelait certains propos sur les parents de Wilde, sur la folie de sa mère, ou son esprit révolutionnaire, ou les deux, et sur les frasques de son père ou peut-être sur son esprit révolutionnaire à lui. L'Irlande était trop petite pour quelqu'un comme Wilde, pourtant il véhiculait une sorte de menace irlandaise partout où il allait. Même Londres ne suffisait pas à le contenir, malgré les deux pièces de théâtre et les innombrables rumeurs qui tenaient l'affiche en même temps.

— Où est sa femme ? demanda-t-il à Gosse.

— À la maison en train de l'attendre, avec une pile de factures impayées et deux jeunes fils.

Henry ignorait à quoi ressemblait Mrs Wilde, et il ne pensait pas l'avoir jamais rencontrée. Il ne savait même pas, et Gosse non plus, si elle était irlandaise. Mais l'idée des petits garçons qui, à en croire Gosse, avaient l'air de deux anges, le frappait très vivement. Il les imaginait, attendant à la maison le retour de leur monstre de père, ignorant probablement tout de sa réputation, mais commençant peu à peu à se faire une idée de lui, et ressentant son absence avec beaucoup de dureté. Henry était content de ne pas connaître leurs prénoms.

Malgré sa conviction de savoir par avance ce qu'on était en droit d'attendre de Wilde, il eut le souffle coupé quand Gosse lui annonça l'intention de Wilde d'intenter un procès public au marquis de Queensberry pour l'avoir traité de sodomite.

— Apparemment, il ne sait même pas épeler le mot, ajouta Gosse.

— L'orthographe, j'imagine, n'a jamais été son point fort.

Henry, qui s'était mis à arpenter la pièce, se posta à la fenêtre comme s'il s'attendait à voir apparaître en bas Wilde ou le marquis lui-même.

Gosse avait une façon de laisser entendre en toute circonstance que ses informations provenaient des sources les plus hautes et les plus confidentielles. Il suggérait des contacts personnels avec certains membres du gouvernement, ou du cabinet du Premier ministre, ou encore avec un informateur proche du prince de Galles. Sturges, de son côté, ne cachait pas qu'il avait glané tous ses échos dans son club, ou à l'occasion de rencontres fortuites avec des personnes qui pouvaient bien ne pas se révéler fiables. Les visites de Gosse et de Sturges ne se recoupèrent à aucun moment, au cours de ces semaines frénétiques, ce qui était une chance pour Henry dans la mesure où l'un et l'autre étaient porteurs exactement des mêmes nouvelles.

Gosse venait chez Henry chaque jour, et Sturges uniquement quand il y avait du nouveau ; mais après l'ouverture du procès, Sturges lui rendit visite quotidiennement, lui aussi. Il y avait toujours quelque ornement, quelque péripétie inédite. Gosse avait ainsi croisé George Bernard Shaw, qui lui avait raconté son entrevue avec Wilde, où il lui avait conseillé de renoncer à ce procès contre le marquis de Queensberry. D'après Shaw, Wilde avait reconnu que, en effet, ce procès n'était pas très sage ; la cause était donc entendue, quand Lord Alfred Douglas avait surgi – impudent et irascible, pour reprendre la description de Shaw – en exigeant que Wilde maintienne le procès contre son père, en critiquant ceux qui lui conseillaient la prudence, et en insistant pour que Wilde reparte avec lui sur-le-champ. Douglas était rouge de colère, avait précisé Shaw, un vrai enfant gâté. Chose étrange, Wilde paraissait complètement en son pouvoir ; il avait accepté de le suivre et, apparemment, de lui céder. Il fondait sous la chaleur de la colère du jeune homme.

Sturges fut le premier à lui révéler la ligne que comptait défendre le marquis de Queensberry.

— Il a des témoins, me dit-on. Des témoins qui ne nous épargneront aucun détail.

Sturges avait les yeux écarquillés. Henry eut envie de tapoter l'épaule de son jeune ami et de lui dire que, pour sa part, il était curieux de connaître les détails, sans exception, il voulait qu'on ne lui épargne absolument rien.

Les aventures de Wilde remplissaient désormais ses journées. Il suivait l'affaire dans les journaux et attendait la visite de ses informateurs. Il évoqua le procès dans une lettre à William, sans cacher qu'il n'avait aucun respect pour Wilde, dont il n'appréciait ni le travail ni les activités sur la scène de la société londonienne. Wilde, ajoutait-il, n'avait jamais été quelqu'un d'intéressant à ses yeux, mais à présent qu'il rejetait toute prudence et s'apprêtait, semblait-il, à endosser publiquement le rôle de martyr, le dramaturge irlandais commençait à l'intéresser énormément.

— J'ai des nouvelles de la dernière importance.

Gosse n'avait pas pris la peine de s'asseoir et arpentait la pièce comme le pont d'un navire.

— Je crois savoir que le père de Douglas va citer au procès un certain nombre de vauriens. Ces jeunes pouilleux vont témoigner contre Wilde et, d'après ce qu'on m'en a raconté, les témoignages seront accablants.

Henry savait qu'il n'était pas nécessaire d'aiguillonner Gosse. D'ailleurs, il n'aurait pas su comment formuler précisément la question qui devait être posée.

— J'ai vu les noms des témoins, poursuivit Gosse sur un ton dramatique, et il y a dans la liste de vraies crapules. Wilde s'est acoquiné avec la vermine, avec des voleurs et des maîtres chanteurs. Le prix a dû lui paraître intéressant, à l'époque, mais maintenant ça va lui coûter très cher.

— Et Douglas ? demanda Henry.

— On me jure qu'il est mouillé jusqu'au cou. Mais Wilde veut qu'il reste en dehors. Quand il en avait fini avec ses jeunes trouvailles, Wilde les repassait apparemment à Douglas, et Dieu sait à qui d'autre encore. Il existe, paraît-il, toute une liste de gens qui sous-louaient les services de ces garçons.

Henry nota que Gosse guettait sa réaction.

— C'est affreux, dit-il.

— Oui, une liste, répéta Gosse comme si Henry n'avait pas parlé.

Ni Sturges ni Gosse n'assistèrent au procès ; pourtant ils semblaient connaître les échanges par cœur. Wilde, assuraient-ils, était sûr de lui et arrogant. Sturges disait qu'il pouvait se permettre de brûler ses vaisseaux parce qu'il était sur le point de partir pour la France. Il se montrait spirituel et hautain, insouciant et dédaigneux. Gosse apprit un soir par ses sources habituelles que Wilde avait décampé ; quand il apparut le lendemain que ce n'était pas le cas, Gosse observa un silence. Néanmoins, les informateurs de Henry étaient convaincus l'un et l'autre que Wilde se réfugierait en France ; ils citaient également les noms des garçons qui s'apprêtaient à témoigner contre lui, et en parlaient comme de personnages ayant chacun un caractère et un profil singuliers.

Au troisième jour du procès, Henry nota une intensité spéciale dans le ton de Gosse et de Sturges. Ils avaient veillé tard, séparément, pour discuter de l'affaire ; et ils avaient attendu confirmation de la présence de Wilde au tribunal ce jour-là avant d'apporter les dernières nouvelles à Henry. Gosse avait passé une partie de la soirée avec le poète Yeats ; parmi tous ceux à qui il avait parlé, ce dernier était le seul à professer son admiration pour Wilde et à vanter son courage. Le poète, dit Gosse, s'était attaqué à l'hypocrisie du public.

— Je n'avais pas conscience, ajouta-t-il, que le public draguait les égouts. C'est d'ailleurs ce que j'ai dit à Yeats.

— Connaît-il Wilde personnellement ? demanda Henry.

— Entre Irlandais, ils se tiennent les coudes.

Henry insista.

— Le connaît-il bien ?

— Il m'a raconté une histoire extraordinaire sur un Noël qu'il aurait passé chez les Wilde. La maison, à l'en croire, était plus magnifique encore que ce qu'on en raconte, toute blanche et remplie d'objets étranges de grande beauté, dont Mrs Wilde elle-même, qui est intelligente et très belle, d'après Yeats. Et les deux garçons, avec leurs cheveux bouclés, étaient des images d'innocence et de douceur, des créatures parfaites. Tout était parfait, a-t-il dit, un foyer d'une perfection infinie, trahissant non seulement un goût extraordinaire mais beaucoup de chaleur, beaucoup de beauté et beaucoup d'amour.

— Pas assez, apparemment, dit Henry d'un ton sec. Ou peut-être trop, au contraire.

— Yeats a l'intention de lui rendre visite, reprit Gosse. Je lui souhaite bonne chance.

Pour une fois, Henry divulgua à Sturges, qui l'écouta attentivement, des informations communiquées par Gosse.

— C'est très clair, réagit Sturges. Bosie est l'amour de sa vie. Il renoncerait à tout pour lui. Wilde a trouvé l'amour de sa vie.

— Dans ce cas, pourquoi ne le fait-il pas passer en France ? C'est pourtant là qu'on emmène ces gens, en général.

— Il peut encore y aller.

— Le fait qu'il ne soit pas déjà parti est inexplicable.

— J'en connais peut-être la raison. J'ai passé beaucoup de temps à en parler avec ceux qui le connaissent ou qui croient le connaître, et j'ai mon idée.

— J'écoute, dit Henry, en prenant place dans un fauteuil près de la fenêtre.

— En un seul mois, commença Sturges lentement, comme s'il réfléchissait déjà à la phrase suivante, il a vu jouer deux de ses pièces et il a assisté à un véritable triomphe, des éloges, son nom étalé partout en lettres capitales. N'importe qui en aurait été troublé. Aucun homme qui a récemment publié un livre ou fait jouer une pièce ne devrait se fier à son propre jugement.

Henry ne réagit pas.

— Pendant cette période, continua Sturges, il est aussi allé en Algérie, imagine ça, et la rumeur de certaines de ses activités est revenue jusqu'ici. Il semblerait que Douglas et lui n'aient pas hésité un instant à se faire connaître des tribus locales, et toute cette excitation a dû achever de bouleverser Wilde, pour ne rien dire des tribus.

— Je peux me l'imaginer.

— Et depuis son retour, il n'a plus de foyer, il vit à l'hôtel. Et il n'a plus d'argent.

— Mais si, objecta Henry. J'ai calculé ses revenus, pour le théâtre. Ce sont des sommes très importantes.

— Bosie a tout dépensé, et Wilde a des dettes en conséquence. Je crois savoir qu'il n'a pas de quoi payer sa note d'hôtel et que le directeur a fait saisir ses affaires.

— Cela ne l'empêche pas d'aller en France. Il peut y acheter de nouvelles affaires, peut-être même y gagneront-elles en qualité.

— Il a perdu tout ancrage. Il n'a plus de jugement, il est incapable de prendre une décision. Le succès, l'amour et les chambres d'hôtel ont eu raison de lui. En plus, il pense que ce sera un coup dur pour l'Irlande, Dieu sait ce qu'il entend par là.

Pour Gosse, dans la mesure où la police savait où le trouver, il était évident que Wilde serait arrêté à la fin du procès, à moins qu'il prenne la fuite avant. À chaque heure qui passait, sa condamnation pour outrage public à la pudeur – et pis encore – devenait plus vraisemblable, avec tous ces témoins surgis des égouts de Londres.

— Il existe donc une liste, dit-il, qui sème la peur dans la ville. Le gouvernement est déterminé à écraser l'indécence. Je crains qu'il n'y ait d'autres arrestations. J'ai entendu des noms. C'est assez choquant.

Henry remarqua le changement d'expression de Gosse et le ton de sa voix. Soudain, il voyait son vieil ami transformé en partisan farouche de l'écrasement de l'indécence, content de réintégrer les rangs du public anglais dans un de ses grands moments d'autosatisfaction indignée. Il regretta qu'il n'y ait pas un Français présent pour le calmer. Il avait lui-même envie de le mettre en garde, de l'avertir que cet état d'esprit ne risquait guère d'améliorer sa prose.

— Un temps de réclusion ferait peut-être du bien à

Wilde, dit Henry. Mais pas le martyre. On ne peut souhaiter cela à personne.

— Apparemment cette liste a fait l'objet de discussions au sein du gouvernement, poursuivit Gosse. La police a déjà procédé à des interrogatoires et beaucoup d'individus ont reçu le conseil de traverser la Manche. Certains la traversent au moment où je te parle.

— En plus du climat moral, je crois qu'ils apprécieront le changement culinaire, dit Henry.

— On ne connaît pas les noms avec certitude, mais il court beaucoup de rumeurs – Henry nota le regard de Gosse. – Il est recommandé, je pense, à toute personne éventuellement compromise de prendre ses dispositions et de partir le plus vite possible. Londres est une grande ville, où il peut se passer beaucoup de choses dans le secret et la discrétion. Mais la discrétion n'existe plus. Elle a été fracassée.

Henry, qui s'était levé, s'approcha des rayonnages qui occupaient l'espace entre les fenêtres et examina ses livres.

— Je me suis posé la question, dit Gosse, si tu... si peut-être...

— Non – Henry se retourna abruptement. – Tu ne t'es pas posé la question. Il n'y a pas de question à se poser.

— Eh bien, si je puis me permettre, murmura Gosse en se levant à son tour, c'est un soulagement.

— Est-ce pour me poser cette question que tu es venu ?

Henry fixait Gosse du regard ; un regard suffisamment prolongé et hostile pour l'empêcher de répondre.

Sturges continua à lui rendre visite dans la période conduisant au procès, alors que Wilde se trouvait en détention préventive et que toute possibilité de refuge en France s'était évanouie.

— Sa mère jubile, lui annonça Sturges. Elle estime qu'il a porté un grand coup à l'Empire.

— Il est difficile de lui imaginer une mère, répliqua Henry.

Il demanda à ses deux visiteurs et à toutes les autres personnes qu'il vit au cours de ces semaines-là s'ils savaient la moindre chose concernant les fils de Wilde, les deux merveilleux enfants dont le nom serait désormais couvert d'opprobre. Ce fut Gosse qui lui apporta l'information.

— Il est ruiné, mais pas sa femme. Elle dispose d'une fortune personnelle. Elle aurait déménagé en Suisse. Et elle a fait changer son nom et celui de ses fils. Ils ne portent plus celui de leur père.

— Était-elle au courant, pour son mari, avant le procès ? demanda Henry.

— Non. D'après ce que je sais, ça a été un choc terrible pour elle.

— Et que savent les garçons ?

— Je n'ai rien entendu à ce sujet, dit Gosse.

Pendant des jours après cette conversation, il pensa à ces enfants – créatures gracieuses, aux abois – exilés dans un pays dont ils ne comprenaient pas la langue, niés jusque dans leur nom, sachant que leur père s'était rendu coupable de quelque crime obscur et innommable. Il les imaginait dans une résidence suisse à tourelles, assis dans des pièces immenses dont les fenêtres donnaient sur le lac, et leur nurse qui refusait de leur expliquer la raison de ce long voyage et de tout ce silence, la raison pour laquelle leur mère tantôt les évitait, tantôt les serrait comme s'ils couraient un danger. Ces deux-là n'auraient pas besoin d'évoquer entre eux les démons qui les entouraient, leur nouveau nom, leur intense isolement, le chaos qui avait finalement débouché sur ces jours qu'ils passaient ensemble, seuls, dans ces pièces étrangères comme dans l'attente qu'une catastrophe se dévoile, et leur père réduit à un souvenir fantomatique qui les attendait en souriant sur le palier plongé dans l'ombre, quand ils montaient l'escalier, et qui leur faisait signe dans l'obscurité.

Après la condamnation de Wilde, quand le scandale entourant les sombres mystères de Londres fut un peu retombé, la relation de Henry et d'Edmund Gosse redevint ce qu'elle avait toujours été, dans la mesure où Gosse lui-même avait retrouvé son ancien moi. Dès l'instant où Wilde fut en prison, Gosse cessa de s'exprimer comme un représentant de la Chambre des lords.

Un après-midi, alors qu'ils prenaient le thé dans le bureau de Henry, la conversation roula sur un vieux sujet commun, qui avait beaucoup occupé l'esprit de Henry. Ce sujet était John Addington Symonds, ami et correspondant de Gosse, qui était mort deux ans plus tôt. Parmi toutes les personnes, dit Henry, susceptibles d'être fascinées par l'affaire Wilde, JAS, ainsi qu'il l'appelait, aurait sûrement été la plus passionnée. Cela aurait presque réussi à le faire rentrer en Angleterre.

— Il aurait détesté Wilde, bien sûr, répliqua Gosse, tout cet aspect vulgaire et ordurier.

— Oui, fit Henry avec patience, mais il aurait été captivé par les révélations du procès.

Symonds avait longtemps vécu en Italie, et il en avait décrit les paysages, l'art et l'architecture dans ses livres avec beaucoup, voire trop, de sensualité. Connaisseur de la lumière et de la couleur italiennes, il était aussi expert dans un domaine plus dangereux, qu'il qualifiait lui-même de problème dans l'éthique grecque, l'amour entre deux hommes.

Dix ans plus tôt, Henry et Gosse avaient discuté de Symonds aussi avidement qu'ils venaient de le faire pour Wilde. À l'époque, Gosse circulait moins librement dans les antichambres du pouvoir, et il existait un accord tacite entre eux selon lequel les préoccupations de Symonds les intéressaient l'un et l'autre à titre personnel, accord tacite qui avait diminué au fil des ans.

Tout au long des années 1880, Symonds n'avait pas fait mystère de ses propres penchants. Il expédiait d'Italie des lettres explicites à tous ses amis, et à beaucoup d'autres qui n'étaient pas de ses amis. Quand il écrivit un livre à ce sujet, il l'envoya à tous ceux dont il pensait qu'ils pourraient initier un débat en Angleterre. Beaucoup en furent furieux et très embarrassés. Symonds voulait mettre le propos sur la place publique, susciter une discussion et, comme Henry l'avait fait remarquer à Gosse à l'époque, c'était en soi un signe du nombre d'années qu'il avait passées à jouir du soleil italien, loin de l'Angleterre. Gosse, qui s'intéressait à la vie publique, souhaitait discuter de l'influence possible des thèses de Symonds sur la législation et les mœurs. Henry, de son côté, était fasciné par Symonds lui-même. À cette époque, Henry avait reçu plusieurs lettres de lui sur l'Italie ; bien des années plus tôt, il avait eu par hasard la femme de Symonds pour voisine, lors d'un dîner. Il se souvenait d'une femme peu loquace et assez terne, et il fut incapable, après qu'il eut commencé à s'intéresser à son cas, de se rappeler le moindre mot qu'elle aurait prononcé à cette occasion.

Pourtant, il avait gardé d'elle l'impression d'une personne aux opinions tranchées, aux attitudes durcies ; à mesure que Gosse lui en apprenait davantage sur Symonds, Henry commença à laisser son imagination s'emparer de Mrs Symonds, comme s'il était un portraitiste. Elle n'éprouvait pas, soutenait Gosse, la moindre sympathie pour les écrits de son mari ; elle réprouvait absolument le ton qu'il prenait pour décrire l'Italie, ce style esthétisant qu'il avait mis au point la consternait, et elle détestait en bloc le sujet de l'amour entre hommes. Elle était, d'après Gosse, d'une disposition froide, étroite, calviniste, aussi morbide dans son aspiration à la grandeur morale que l'était son mari dans sa quête de beauté sublime. Chacun des deux, disait Gosse, semblait aggraver le défaut de l'autre, si bien qu'avec le temps Mrs Symonds avait développé un goût insatiable pour la bure tandis que son mari se languissait d'amours grecques.

Gosse évoquait les Symonds avec insouciance, sans voir l'intensité avec laquelle Henry assimilait chaque détail. L'histoire, quoi qu'il en soit, lui vint si vite et si facilement qu'il n'eut pas le temps d'en parler à Gosse. Il se mit au travail.

Et si un tel couple avait eu un enfant, un garçon, impressionnable, intelligent, éveillé au monde et profondément aimé de ses deux parents ? Comment l'enfant serait-il élevé ? Comment lui apprendrait-on à envisager la vie ? Il écoutait Gosse, lui posait des questions et, à partir des réponses, il commença à échafauder sa nouvelle. Ses idées initiales se révélèrent trop brutales à l'usage et il abandonna donc les ambitions des parents pour leur fils – l'une voulant qu'il serve l'Église, l'autre qu'il devienne un artiste. Au lieu de cela, il mit en scène le désir de la mère de sauver simplement l'âme de son fils et, donc, de le protéger des écrits de son père.

Il se demanda au début s'il devait laisser l'enfant devenir un rustre ignare, aussi éloigné que possible des espoirs de sa mère et des ambitions de son père. Mais en continuant à travailler, seul, loin de la conversation de Gosse, il décida de s'occuper uniquement du garçon, et de rendre bref et dramatique le cadre temporel du récit. Il inclurait un étranger, un Américain admirateur du travail du père et l'un des rares à comprendre son génie. Le père, pensa-t-il, pourrait être poète ou romancier, ou l'un et l'autre. L'Américain est reçu très aimablement et il passe quelques semaines auprès de la famille, semaines qui coïncident avec la maladie et la mort de l'enfant. L'Américain découvre quelque chose que le père ignore – pendant la nuit, alors que l'enfant est au plus mal, sa mère décide secrètement qu'il vaut mieux qu'il meure, et elle le regarde sombrer en se contentant de lui tenir la main avec une infinie tendresse. L'Américain ne communique jamais cette information à l'auteur qu'il admire tant.

Henry nota l'essentiel de l'histoire un soir après le départ de Gosse et y travailla par la suite assidûment chaque jour. Il savait qu'elle exigerait de lui une délicatesse prodigieuse et que, même ainsi, elle resterait sans doute encore trop effroyable, trop artificielle. Néanmoins, elle l'intéressait, et il résolut de s'y essayer car le thème général, corruption, puritanisme et innocence, était lui aussi plein d'intérêt et typique de certaines situations modernes.

Gosse, il s'en souvenait, avait été effrayé par la parution de la nouvelle dans les pages de la revue *English Illustrated*. La plupart des lecteurs, s'inquiéta-t-il, reconnaîtraient les Symonds, et les autres s'imagineraient que le protagoniste était Robert Louis Stevenson. Henry lui signifia que sa nouvelle était écrite et publiée, et qu'il n'était pas disposé à perdre un seul instant à se demander qui croirait s'y reconnaître. Gosse, inquiet de sa propre contribution dans cette affaire, insista en répétant qu'il était malhonnête, bizarre et même sournois de fonder une histoire sur des faits et des individus réels. Henry refusa de l'écouter. En représailles, Gosse cessa de lui fournir sa ration habituelle de potins. Très vite cependant son ami oublia ses objections contre l'art de la fiction, pillage éhonté du réel et du vrai, et commença à répéter à Henry une fois de plus toutes les informations qu'il avait accumulées depuis leur dernière entrevue.

Quand Sturges raconta à Henry que la femme de Wilde avait fait le voyage de Suisse pour informer personnellement le prisonnier du décès de sa mère, Henry eut l'occasion de méditer une fois de plus sur le sort des enfants nés de l'union entre deux forces contraires. Il se revit avec William à la fenêtre de l'hôtel de l'Écu à Genève alors qu'il avait douze ans et William treize, et ce séjour en

Suisse lui apparut comme une éternité de malheur : heures infinies d'ennui et de tristesse, rues sinistres, venelles et arrière-cours noircies par le temps. Il imagina les deux fils d'Oscar Wilde, avec leur nom modifié, incertains quant à leur avenir, observant du haut d'une fenêtre le départ de leur mère. Il se demanda ce qu'ils redoutaient le plus à l'approche de la nuit ; deux enfants effrayés dans cette ville dure aux ombres noires abruptes, ayant une vague idée de la raison pour laquelle leur mère les laissait ainsi entre les mains de domestiques, hantés par des peurs jamais nommées, des bribes d'information à peine comprises et le souvenir de leur père, ce père diabolique qu'on avait dû cacher et enfermer très loin.

5

Mai 1896

Sa main lui faisait mal. Tant qu'il écrivait, en déplaçant sa plume posément et sans fioritures, il ne sentait pas même l'ombre d'un inconfort, mais quand il se servait de sa main, par exemple pour tourner la poignée d'une porte ou pour se raser, il pouvait ressentir une douleur fulgurante dans le poignet et dans les os reliant son poignet à son petit doigt. Soulever une feuille de papier était désormais une forme de torture légère. Il se demanda s'il s'agissait d'un message des dieux pour l'inciter à écrire davantage, à manier sa plume sans relâche.

Chaque année à l'approche de l'été il éprouvait la même inquiétude sourde et persistante qui se transformait tôt ou tard en panique. La traversée de l'Atlantique étant devenue plus facile et plus confortable, elle devenait aussi plus populaire. Avec le temps, ses nombreux cousins d'Amérique semblaient produire à leur tour d'autres cousins, et ses amis, de nombreux autres amis. À Londres, ils voulaient tous voir la Tour, l'abbaye de Westminster, la National Gallery et Henry, dont le nom s'était au fil des ans ajouté à la liste des monuments qu'il était indispensable d'avoir vus. Dès que les jours rallongeaient et que les hirondelles revenaient du Sud, les lettres commençaient à affluer, lettres d'introduction et ce qu'il appelait « lettres

de détermination » de la part des touristes eux-mêmes, persuadés que leur visite à la capitale manquerait cruellement
d'éclat s'ils devaient par malheur rater le célèbre écrivain,
sa compagnie et ses précieux conseils. Si sa porte leur
demeurait fermée, sous-entendaient ces lettres – ou affir-
maient-elles carrément, avec une insistance implorante –,
ils n'en auraient pas pour leur argent, et cela, découvrit
Henry, devenait un souci dominant chez ses compatriotes
à l'approche du nouveau siècle.

Il se rappelait une note de son carnet, datant de l'année
précédente ; la scène était restée gravée en lui. Jonathan
Sturges lui avait parlé de sa rencontre à Paris avec William
Dean Howells, qui approchait la soixantaine. Howells avait
confié à Sturges qu'il ne connaissait pas la ville, que tout
était nouveau pour lui, que chaque impression lui parvenait
dans toute sa fraîcheur. Howells paraissait triste et mélancolique, comme s'il faisait cette expérience trop tard, au
soir de sa vie, alors qu'il était impuissant sauf à accueillir
les sensations et regretter qu'elles ne lui soient pas venues
quand il était jeune. Ensuite, en réponse à une réflexion
de Sturges, Howells avait posé la main sur son épaule et
il s'était exclamé : « Oh, vous qui êtes jeune, réjouissez-
vous, et vivez, vivez de toutes vos forces, c'est une erreur
de ne pas le faire. Peu importe vos actes – vivez. » Sturges
avait rapporté ces mots en y mettant le ton ; la réplique
devenait ainsi une plainte étrange et poignante, un cri du
cœur, comme si Howells avait dit la vérité pour la première fois de sa vie.

Henry connaissait Howells depuis trente ans et il était
en correspondance régulière avec lui. Chaque fois qu'il
venait à Londres, il s'y comportait avec une aisance parfaite ; il était l'image même du gentleman cosmopolite et
grand voyageur. Henry fut donc surpris de l'intensité de
sa réaction à Paris, et du sentiment rapporté par Sturges
qu'il n'avait pas vécu et qu'il était désormais trop tard
pour s'y mettre.

Henry aurait aimé que Londres inspire à ses invités d'Amérique une émotion semblable à celle de Howells. Il aurait voulu que ces visites instillent en eux un sentiment de respect ou de regret, ou qu'elles les conduisent à comprendre, comme jamais auparavant, le monde, et leur place dans ce monde. Au lieu de cela ils lui répétaient, et se répétaient les uns aux autres, qu'aux États-Unis aussi il y avait des tours et que certains établissements pénitentiaires soutenaient plutôt dignement la comparaison, ne serait-ce que par la taille, avec la Tour de Londres. Et que le fleuve Charles remplissait sa fonction plus efficacement que la Tamise.

Chaque année à l'approche de l'été, il prenait néanmoins un certain intérêt à observer Londres par le truchement de ses visiteurs ; il s'imaginait à leur place, découvrant Londres pour la première fois, de la même manière que, quand il était en voyage en Italie ou qu'il rentrait pour quelque temps aux États-Unis, il imaginait les différentes vies qu'il aurait pu mener. Un paysage urbain vu pour la première fois, ou même un bâtiment isolé, suffisait à le plonger dans une rêverie sur ce qu'il aurait pu devenir et ce qu'il aurait été aujourd'hui s'il était resté à Boston ou bien s'il avait passé ses jours à Rome ou à Florence.

Dans l'enfance, pour William et lui, peut-être aussi pour Wilky et Bob, et peut-être même pour Alice, les raisons invoquées afin de justifier leur déménagement de Paris à Boulogne, ou de Boulogne à Londres, ou de l'Europe en général vers les États-Unis ne semblaient jamais aussi solides que l'inquiétude de leur père, sa grande agitation, qu'ils connaissaient bien mais qu'ils ne furent jamais en mesure de comprendre. La découverte d'un havre, toujours suivie d'un nouveau déracinement, ou alors – ce qui fut souvent le lot de sa famille tout au long de son enfance – l'arrivée dans un logement sinistre sans savoir combien de temps il faudrait attendre avant que leur père annonce qu'il était temps de repartir, donnait à Henry un désir intense de sécurité et de confort. Il n'avait aucune idée de la raison pour laquelle sa famille avait déménagé de Paris à Boulogne. Lui-même avait douze ou treize ans à l'époque ; peut-être y avait-il eu une crise boursière, ou une défaillance d'un locataire dans le paiement des loyers, ou une lettre alarmante concernant des dividendes.

Pendant le temps qu'ils vécurent à Boulogne, Henry prit l'habitude de se promener avec son père sur la plage. L'une de ces promenades eut lieu au début de l'été, par une journée calme et sans vent, le long d'une étendue sablonneuse et d'une mer immense. Ils étaient attablés tous les deux dans un café aux grandes fenêtres claires et au plancher couvert de sciure, ce qui, aux yeux de Henry, conférait à l'endroit tout le charme d'un cirque. Il n'y avait personne, hormis un vieux monsieur qui se curait les dents avec d'impressionnantes contorsions du visage et un autre qui trempait ses tartines beurrées dans son café, sous le regard fasciné de Henry, avant de les ranger dans le petit espace compris entre son nez et son menton. Henry n'avait aucune envie de partir, mais son père voulait sa promenade quotidienne sur la plage, et il lui fallut donc abandonner son plaisir intense à observer les habitudes alimentaires des Français.

Son père devait lui parler tout en marchant. Quoi qu'il en soit, l'image qui lui venait était celle de son père en train de gesticuler, sans doute à propos d'une conférence, ou d'un livre, ou d'une théorie nouvelle. Henry aimait écouter son père, surtout quand William était ailleurs.

Ils ne pataugeaient pas dans l'eau, ne s'approchaient jamais des vagues. Dans le souvenir de Henry, ils marchaient plutôt vite. Son père avait peut-être même une canne de promenade. C'était une image de bonheur. Et pour un observateur, elle aurait pu n'être que cela : la scène idyllique d'un père et d'un fils se délassant ensemble en fin de matinée sur la plage de Boulogne. Une femme se baignait, surveillée par une autre, plus âgée, restée sur le sable. La baigneuse était corpulente, peut-être même obèse, et bien protégée des éléments par un imposant costume de bain. Elle s'éloigna vers le large d'une nage experte et se laissa ramener par les vagues. Puis elle se redressa, face à la mer, en laissant ses mains jouer avec l'eau. Henry l'avait à peine remarquée jusqu'au moment où son père s'arrêta et feignit d'examiner quelque chose à l'horizon ; puis il se détourna et marcha quelques instants en silence, l'air distrait, avant de se retourner derechef pour scruter l'horizon. Cette fois, Henry put constater qu'il observait la baigneuse, la détaillant avec une expression affamée, farouche. Puis il se retourna vers les petites dunes et fit semblant de s'y intéresser avec une intensité égale.

Le temps que son père se remette en marche pour rentrer à la maison, il était comme hors d'haleine, et il ne parlait plus du tout. Henry aurait voulu trouver un prétexte pour partir devant, courir, s'éloigner de lui, mais au même instant son père se retourna une fois de plus avec une expression saisissante, la peau marbrée, le regard acéré comme s'il était en colère. Il s'était immobilisé, tremblant, face à la baigneuse qui lui tournait le dos, moulée dans son costume de bain. Il ne faisait plus d'effort pour paraître détaché. Son regard était fixe, délibéré, concentré, mais personne ne le remarqua à part Henry. La femme ne se retourna pas, et sa compagne était partie. Et lui-même, Henry, devait absolument feindre l'indifférence ; il était hors de question de risquer une allusion, encore moins d'émettre un commentaire. Son père ne bougeait plus et semblait avoir oublié sa présence. Il devait bien savoir pourtant que son fils était là ; mais la raison impérieuse, quelle qu'elle fût, qui le poussait à boire ainsi goulûment des yeux la baigneuse était assez forte pour qu'il ne se préoccupe plus de Henry. Et quand il se décida enfin à aborder le chemin du retour, il continua à jeter des regards en arrière, avec l'expression de quelqu'un qui a été traqué et vaincu. La femme, pendant ce temps, nageait à nouveau vers le large.

Henry aimait la douceur des couleurs de la plage près de Rye, la lumière changeante, les nuages crémeux qui avaient l'air de traverser le ciel avec une intention précise. Il y passait l'été depuis quelques années et cet été-ci en particulier, tandis qu'il marchait d'un pas vif en essayant pour une fois de savourer le présent sans élaborer de projets, il ne put s'empêcher de se demander de quoi il avait envie ; il découvrit qu'il ne voulait rien d'autre que prolonger ce présent-là : travail calme, journées calmes, une belle maison pas trop grande et cette douce lumière estivale. Avant son départ de Londres, il avait acheté la bicyclette qui l'attendait maintenant au bord du chemin de la plage. Il s'aperçut qu'il ne voulait même plus que le passé lui soit rendu ; il avait appris à ne pas demander cela. Ses morts ne reviendraient pas. Libéré de sa crainte de les voir partir, il éprouvait cet étrange contentement de ne rien désirer désormais sinon que le temps passe avec lenteur.

Chaque matin sur sa terrasse il ressentait le besoin de capturer cette image de beauté et de la garder près de lui. La terrasse, pavée et incurvée telle la proue d'un navire, surplombait un paysage aussi pur et aussi changeant qu'une étendue de mer. À ses pieds il y avait Rye, la moins anglaise des localités anglaises, avec ses toitures rouges, ses rues tortueuses, ses pavés ronds et ses maisons agglutinées, un village perché à l'italienne, dégageant une atmosphère à la fois sensuelle et pleine de retenue. Il se promenait presque chaque jour dans les rues de Rye, examinant les maisons, les boutiques anciennes avec leurs fenêtres à petits carreaux, la tour carrée de l'église, la beauté patinée de la brique. De retour chez lui, la terrasse était sa loge d'opéra, du haut de laquelle embrasser du regard tous les royaumes de la terre. Sa terrasse, pensait-il, était aussi aimable qu'une personne, et peut-être plus encore. Il aurait aimé pouvoir acheter cette maison ; il tenait déjà rancune au propriétaire de son projet de la récupérer à la fin du mois de juillet.

En juin, il n'y avait pratiquement pas de nuit. Il s'attardait sur la terrasse pendant qu'une brume lente recouvrait la vallée et que tombait une pénombre claire semblable à de la gaze. À peine quelques heures plus tard, on verrait les premiers indices de l'approche de l'aube. Son unique visiteur prévu, en ces jours d'industrie et d'indolence, lui écrivit pour confirmer ses dates d'arrivée et de départ. Oliver Wendell Holmes junior était un vieil ami, devenu entre-temps un ami lointain, membre d'un groupe de jeunes gens qu'il avait connus à Newport et Boston, qui avaient atteint l'éminence dès la trentaine et qui occupaient à présent des places de premier plan aux États-Unis. Lors de leurs visites, ils lui paraissaient mystérieux, avec leur assurance, leur faculté de toujours finir leurs phrases, leur habitude d'être écoutés ; pourtant, comparés aux Anglais et aux Français de leur espèce, ils avaient un côté curieusement fruste et enfantin, une impétuosité qui s'apparentait à de l'innocence. Son frère William possédait tout cela, lui aussi, mais chez lui ce n'était qu'une partie de la vérité ; l'autre étant une timidité profonde où toute sa fraîcheur enfantine et fruste avait été enterrée sous l'ironie. William savait quel effet était capable de produire sa personnalité réfléchie et complexe ; chose que ses contemporains exerçant dans le monde de la littérature ou du droit aux États-Unis ignoraient du tout au tout. Ils restaient naturels et ce détail les rendait, aux yeux de Henry, extrêmement intéressants.

Ainsi un William Dean Howells pouvait-il tomber sous le charme de Paris ; face au monde des sens, il ne possédait aucune des défenses que tout homme européen du même âge aurait érigées depuis longtemps avec soin et assiduité. Howells était disposé à se laisser séduire par la beauté et à nourrir le profond regret que celle-ci lui eût échappé à

Boston. Henry aimait le côté ouvert, plein de désir, des Américains, leur promptitude à prendre des risques, leur regard brillant, plein d'espoir et de promesse. En travaillant à ses romans sur la moralité et les manières des Anglais, il ressentait toute la sécheresse de l'expérience anglaise de la vie – certaine de sa propre place et peu encline aux changements, moulée dans le social et le solide, tout un système d'attitudes mis au point et perfectionné sans véritable coupure depuis un millénaire. Par contraste, ses visiteurs américains, pourtant cultivés et puissants, étincelaient comme des sous neufs, tellement disposés à incarner une éternelle nouveauté, tellement convaincus que l'avenir leur appartenait... Henry, assis sur sa terrasse au crépuscule, prenait conscience soudain de la force de ses compatriotes, de leur potentiel et du peu d'attention qu'il leur avait accordé au cours des dernières années. Il se réjouit alors d'avoir invité Oliver Wendell Holmes à séjourner à Point Hill, et il se promit de le revoir à Londres, si possible. Lui qui en était venu à redouter terriblement les interruptions se découvrait plutôt curieux de celle-ci.

Il commença alors à penser à Holmes, en le situant sur la toile de fond de l'époque où il l'avait rencontré ; il se rappela l'atmosphère de certitude et de fiabilité qui avait toujours entouré son ami. À vingt-deux ans déjà, Holmes était persuadé de vivre dans un monde où il ne pouvait que s'épanouir. Il était semblable à un rabot destiné à creuser dans l'existence un ample sillon de bénéfice personnel. Lorsqu'une expérience se proposait à lui, il veillait à ce qu'elle soit riche et gratifiante et qu'elle lui procurât du plaisir. Mais dès l'instant où il apprit à réfléchir, son esprit se transforma en un ressort comprimé. Il se trouva pris entre la vénalité et l'exigence, ce qui donnait à sa présence un je ne sais quoi de nerveux et d'excitant. Il avait adopté une voix officielle, une manière de se tenir, de parler, de formuler des jugements et des déclarations de principe qui permettait de tenir l'élément personnel et charnel à la fois sous contrôle et à l'abri des regards. Il pouvait être, si le besoin ou le désir s'en faisait sentir, pompeux et intimidant. Henry l'avait trop bien connu pour en être affecté, pourtant il s'était suffisamment intéressé, à l'instigation de William, à la carrière de juge de Holmes pour être en même temps très impressionné par lui.

Par l'intermédiaire de William également, il connaissait certains aspects de la personnalité de Holmes dont l'intéressé lui-même se gardait bien de lui faire part. Holmes aimait ainsi, en présence de ses vieux amis, tenir des propos lestes sur les femmes. Cela amusait beaucoup William, et d'autant plus quand il apprit que Holmes s'en abstenait devant Henry. En bonne compagnie, toujours d'après William, Holmes aimait aussi rejouer les batailles de la guerre de Sécession et expliquer à son auditoire l'origine de ses blessures.

— En fin de soirée, avait dit William, Holmes devient comme son vieux despote de père. Il se délecte de ses anecdotes mille fois racontées, et il adore qu'on l'écoute.

William fut ébahi d'apprendre que Holmes, depuis trente ans que Henry le fréquentait, n'avait pas mentionné une seule fois la guerre de Sécession.

— Ça dure toute la journée, puis la soirée y passe, poursuivit William, les balles qui sifflent, les hommes qui chargent, les morts qui s'entassent et les blessés qui défient toute description. Il raconte en détail ses propres blessures, même quand il y a des dames dans l'assemblée. On s'étonne d'ailleurs qu'il ait pu y survivre. Ne me dis pas qu'il ne t'a jamais montré ses blessures !

Cette conversation, Henry s'en souvenait, s'était déroulée dans le bureau de William. Celui-ci prenait visiblement plaisir à s'exprimer sur ce ton, et à prendre avec son frère des libertés habituellement réservées à sa femme.

Henry éprouvait une certaine satisfaction à se remémorer la fin de leur échange.

— Alors de quoi parlez-vous, tous les deux ? avait demandé William, comme s'il souhaitait sincèrement une réponse factuelle.

Henry avait pris son temps, en fixant son regard sur une série de volumes reliés à l'autre bout de la pièce.

— Wendell, je le crains, a été créé pour témoigner exclusivement de lui-même.

Il s'attarda sur la terrasse après dîner pendant que la nuit tombait. Holmes, se rappelait-il à présent, lui parlait en général de sa carrière, de ses collègues, d'affaires en cours, de péripéties récentes dans le monde du droit et de la politique, et de ses dernières conquêtes dans l'univers de l'aristocratie britannique. Il médisait de ses vieux amis, se glorifiait de ses amis récents, et s'exprimait de façon généralement libre et solennelle. Henry adorait son urbanité, ses phrases travaillées et sèches où surgissaient tout à coup des expressions surprenantes, qui ne relevaient ni du droit ni de la guerre, mais plutôt de la chaire ou de l'essai. Holmes adorait spéculer, débattre avec lui-même, expliquer sa propre logique comme si elle représentait un camp précis dans une bataille que se livraient plusieurs forces antagonistes, avec son lot de drames intérieurs.

Henry se moquait bien de ce que lui racontait Holmes. Il le voyait rarement et savait précisément ce qui les liait l'un à l'autre. Ils étaient les représentants d'un monde ancien, intensément respectable et curieusement puritain, dirigé à la fois par l'esprit instable et inquisiteur de leurs pères et par le regard infiniment prudent et vigilant de leurs mères. Ils possédaient tous deux un sentiment profond de leur destin. De façon plus précise, ils appartenaient au groupe de jeunes gens qui étaient allés à Harvard, qui avaient connu et aimé Minny Temple, qui avaient activement recherché son approbation et qu'elle continuait de hanter à l'approche de l'âge mûr. Face à Minny, leur expérience n'était d'aucun poids, pas plus que leur innocence, car elle exigeait d'eux tout autre chose. Elle les exaltait, et ils éprouvaient une étrange et insistante nostalgie en se rappelant l'époque où ils l'avaient connue.

Minny était la cousine de Henry, l'un des six enfants Temple qui avaient été laissés orphelins. Pour Henry et pour William, cette absence de parents rendait les cousins Temple intéressants et romantiques. Leur position semblait enviable, puisque toute autorité exercée sur eux ne pouvait être que vague et provisoire. Ils en paraissaient libres et indisciplinés, et ce n'est que longtemps après, en les voyant lutter, chacun à sa manière, dans une grande souffrance, que Henry comprit le caractère irrévocable et la profonde tristesse de leur deuil.

Entre l'époque où il les enviait et celle où il avait commencé à avoir pitié d'eux, il y avait un long fossé. En revoyant Minny Temple à dix-sept ans – il ne l'avait pas croisée depuis des années –, son sentiment était encore en grande partie d'admiration, voire de respect craintif. Il comprit immédiatement qu'elle deviendrait, bien plus que ses sœurs, quelqu'un d'important pour lui, et qu'elle le resterait. Beaucoup d'adjectifs pouvaient la décrire : elle était légère, et curieuse, et spontanée, et elle était naturelle – ça, c'était important – et peut-être l'absence d'autorité parentale lui conférait-elle une sorte d'aisance et de fraîcheur ; elle n'avait jamais eu à refléter quelqu'un, ou à tenter de ressembler à quelqu'un, ou à se battre contre de telles influences. Peut-être, pensa-t-il plus tard, avait-elle cultivé à l'ombre de cette mort ce qui était son trait le plus remarquable – un goût pour la vie. Elle avait un esprit insatiable ; il n'y avait rien qu'elle ne désirât savoir, aucun sujet sur lequel elle n'eût envie d'exercer sa capacité de réflexion. Elle combinait une vie intérieure riche de questions à un vif talent social. Elle adorait arriver quelque part et y trouver du monde. Par-dessus tout, il se rappelait son rire, son caractère imprévisible et son éclat, mais aussi sa légèreté – la résonance curieuse et touchante de son rire.

Quand il avait pris la mesure pour la première fois de sa force morale, Minny ne lui était pas apparue d'emblée sous un jour si éthéré. Elle était venue à Newport avec une de ses sœurs ; toutes deux semblaient à Henry belles et libres, le regard clair – elles étaient à l'époque placées sous la supervision approximative de leur tante et de leur oncle. Au cours de cette première visite, Minny avait eu une discussion avec le père de Henry. Henry n'avait jamais connu un temps où les gens ne discutaient pas avec son père. Dès qu'il avait été en âge de voir et d'entendre, il avait vu William et son père plongés dans des échanges qui exigeaient qu'on élevât la voix et qu'on professât des divergences de vue passionnées. La plupart des visiteurs, et certaines visiteuses, paraissaient venir à la maison à cette fin expresse. La liberté sous toutes ses formes, et en particulier la liberté religieuse, était le grand sujet de son père, mais il en avait beaucoup d'autres ; il ne pensait pas devoir se limiter, c'était un de ses principes.

Ils étaient assis au jardin. Minny Temple écoutait en silence le père de Henry dont les remarques s'adressaient pour la plupart à William, avec un hochement de tête occasionnel à Henry et aux sœurs Temple. Il y avait un pichet de limonade et quelques verres sur la table basse, et on aurait pu croire à n'importe quelle réunion estivale ordinaire et gaie de cousins en train de s'amuser aux pieds de l'ancienne génération. Tout ce qu'exprimait son père avait déjà été répété de nombreuses fois, mais William lui adressa néanmoins un sourire encourageant quand il se mit tout à trac à parler des femmes, de leur infériorité profonde et de la nécessité pour elles de demeurer non seulement asservies, mais patientes.

— Par nature, affirmait-il de sa voix rythmée et catégorique, la femme est inférieure à l'homme. Elle est inférieure dans la passion, inférieure en intelligence et inférieure pour la force physique.

— Mon père ne manque pas de convictions, dit William aimablement.

Il adressa un sourire à Minny, qui ne le lui rendit pas. Son regard était calme et sérieux. Elle se redressa comme pour parler. Le père, prenant note de son malaise, lui jeta un coup d'œil impatient. Pendant quelques secondes le groupe se tut, attendant de voir si elle dirait quelque chose. Quand elle parla enfin, ce fut d'une voix si basse que le vieil homme dut faire un effort pour l'entendre.

— Peut-être est-ce mon infériorité même qui me pousse à m'interroger, dit-elle.

— Sur quoi ? demanda William.

— Vous voulez vraiment le savoir ?

Elle paraissait au bord du rire.

— Exprime-toi, dit le père.

— Très simplement, monsieur, je me demande si ce que vous dites est vrai.

Son ton était soudain clair et direct.

— Vous voulez dire que vous n'êtes pas d'accord ? demanda William.

— Non. Si j'avais voulu dire cela, je l'aurais dit. Je répète donc : je me demande si c'est vrai.

Une aspérité s'était glissée dans sa voix.

— Bien sûr que c'est vrai, répliqua le vieil homme avec un regard qui trahissait sa mauvaise humeur. Un homme est physiquement plus fort qu'une femme. Voilà qui est clair ; voilà qui est vrai, si c'est le mot que tu veux entendre. L'homme est aussi plus fort dans la passion, comme je l'ai dit. Et pour ce qui est de l'intelligence, Platon n'était pas une femme, pas plus que Sophocle ou que Shakespeare.

— Comment pouvons-nous affirmer que Shakespeare n'était pas une femme ? intervint William.

Le père ignora l'interruption.

— Ce que je viens de dire vous satisfait-il, Miss Temple ?

Minny ne lui répondit pas.

— C'est le devoir d'une femme, poursuivit-il, de se soumettre. De s'occuper de ses travaux d'aiguille, de sa cuisine et de sa mission, qui est d'être la gardienne inlassable des enfants de son mari. Nous jugeons une femme sur son obéissance et sur l'attention qu'elle porte à accomplir son devoir.

Sa voix était pleine de rancune ; on l'avait à l'évidence contrarié.

— Ainsi parla notre père, dit William.

— La question est-elle réglée ? demanda le vieil homme, s'adressant toujours à Minny.

— Pas du tout, monsieur. Rien n'est réglé.

Elle lui sourit. Son expression était presque condescendante.

— Je ne sais pas, dit-elle, si le fait d'être physiquement plus faible que l'homme implique que nous comprenions moins de choses, ou que nous vivions moins intelligemment dans le monde. Voyez-vous, j'en ai la preuve à portée de main. Mon esprit est faible assurément, mais pas davantage, je pense, que celui de n'importe qui.

— Les femmes doivent vivre dans l'humilité chrétienne, martela Henry senior.

— Est-ce écrit dans la Bible, monsieur, ou s'agit-il d'un commandement ? Ou peut-être vous l'a-t-on enseigné à l'école ?

À l'heure du dîner, la nouvelle s'était propagée, et Mrs James, tante Kate et Alice étaient averties de l'outrage qui avait été commis.

— Plus tard, cela ne la dérangera pas que d'autres femmes fassent la cuisine et tiennent son intérieur à sa place, dit la mère de Henry quand il la croisa dans le vestibule. Elle n'a pas été disciplinée, et pas davantage cultivée, et nous devons la plaindre parce qu'elle n'aura pas une vie enviable.

À l'été 1865 – la guerre de Sécession était finie et ses deux premières nouvelles avaient été publiées – Henry s'apprêta à passer le mois d'août avec les Temple dans le New Hampshire. Oliver Wendell Holmes, qui avait refusé une invitation à venir à Newport, accepta de se rendre à North Conway après avoir découvert qu'il y aurait une nombreuse compagnie féminine. Il devait voyager avec Henry ; John Gray, qui revenait comme lui de la guerre, était censé les rejoindre. Henry écrivit à Holmes pour lui signifier que Minny Temple, après des efforts surhumains, leur avait déniché une chambre, la seule dans toute la région, et que son charme et ses protestations n'avaient pas suffi à persuader l'affreux propriétaire d'y installer un deuxième lit.

Ils allaient donc, poursuivait Henry dans sa lettre, chiper le lit du propriétaire pendant son sommeil. D'ici là, Minny continuerait d'ouvrir l'œil au cas où elle verrait passer un autre lit, ou même une autre chambre. Holmes se réjouit à l'idée d'obliger un ennemi à céder son matelas. Pendant le voyage, il dressa la liste des tactiques possibles en multipliant les termes techniques ; tous ces scénarios le mettaient lui-même au premier plan en tant que chef et héros, pendant que Henry, de deux ans son cadet et vétéran d'aucune guerre, était cantonné au rôle de complice. Quand Henry s'endormit, il ne parut pas s'en formaliser.

Ils devaient dîner le soir même dans la maison où logeaient les filles Temple, chaperonnées par leur grand-tante qui ressemblait beaucoup, de l'avis de Henry, à George Washington. Mais tout d'abord, à leur arrivée à North Conway, ils entreprirent de chercher leur chambre et, après s'être trompés plusieurs fois de chemin, ils tombèrent sur un type costaud et renfrogné – le propriétaire – qui parvint à exprimer sur-le-champ toute l'aversion que lui inspiraient les gens qui n'étaient pas nés à North Conway ou dans ses environs immédiats. Ni l'uniforme de Holmes, qu'il portait pour l'occasion, ni sa moustache ne l'impressionnèrent. Il ne jeta pas un regard à Henry. Un lit en effet, confirma-t-il, c'est ce qu'il avait dit à la dame et ça n'avait pas changé depuis, mais la chambre avait un plancher bien propre où on pouvait allonger sans problème un régiment entier, ajouta-t-il avec insolence en leur tendant la clé.

La chambre était vide hormis une table équipée d'un broc et d'une cuvette, une armoire et un petit lit en fer recouvert d'une couverture multicolore, aussi belle que curieuse, qui tranchait sur l'aspect spartiate du décor. Ils laissèrent leurs bagages à la porte, comme s'ils hésitaient encore à rester.

— Je pense que nous devrions demander des renforts et attaquer sans attendre, déclara Holmes.

Henry testa le matelas, qui s'affaissait en son milieu.

— Sans doute est-ce le genre de chambre qui se porte mieux en l'absence de ses occupants.

Il ramassa une petite lampe posée à même le sol.

— Cette relique, j'en ai peur, a reçu la visite de chaque phalène du New Hampshire. Elle est arrivée ici en même temps que les Pères fondateurs.

— Ta cousine Minny est-elle une femme avisée ?

— Oui, dit Henry.

— Dans ce cas, je suis sûr qu'elle nous a trouvé une autre chambre.

Henry alla jusqu'à la petite fenêtre et regarda au-dehors. La lumière était encore forte et l'odeur des pins remplissait l'air. Il se retourna vers Holmes.

— En attendant, comme disait la dame pendant que le chien lui léchait la figure : si ça ne vous dérange pas, alors moi non plus.

— Ce mois risque d'être long, répondit Holmes.

Minny et deux de ses sœurs étaient installées sur la pelouse derrière la maison lorsque leur cousin arriva avec son ami. Henry était aux aguets quant à l'impression qu'allait produire Minny sur Holmes. Elle n'était pas belle, pensa-t-il, jusqu'au moment où elle commençait à parler ou à sourire. Elle dégageait alors une profonde bienveillance envers ceux qui l'entouraient, un mélange intense de sérieux et de gaieté. Henry eut tout de suite le sentiment que Holmes préférait ses deux sœurs, Kitty et Elly, plus conventionnellement jolies, plus polies et plus timides que leur sœur.

À peine eurent-ils pris place sur leurs chaises que Henry vit Holmes se transformer en vétéran de la guerre de Sécession, qui avait traversé bien des batailles et frôlé la mort de près. Soudain, la tactique militaire n'était plus une plaisanterie. La grand-tante et les trois filles Temple, dont le frère William était mort à la guerre, contemplaient le soldat d'un regard triste et admiratif. Henry observa Minny avec la plus grande attention pour voir si les discours de Holmes l'impressionnaient vraiment, mais elle ne laissait absolument rien paraître.

Après dîner, les deux jeunes gens regagnèrent leur chambre à pied, heureux de savoir que Minny leur avait trouvé un autre logis où ils pourraient emménager dès l'arrivée de John Gray. Holmes était de bonne humeur ; il avait apprécié la compagnie des filles, et il savait qu'il tenait là un public réceptif – jeune, gracieux et gai – pour le reste de son séjour. Il blaguait, riait, inventait de nouvelles méthodes pour semer le trouble dans l'esprit du propriétaire et remporter la bataille du lit.

Ni l'un ni l'autre n'avait évoqué la manière dont ils allaient passer la nuit, si l'un des deux essaierait le plancher ou s'ils dormiraient à deux dans le lit, tête-bêche ou côte à côte. Henry savait que la décision reviendrait à Holmes et, en attendant cette décision, il s'attarda à la fenêtre. Holmes, pendant ce temps, essayait en vain d'allumer la lampe.

Quand la lumière se fit enfin, la chambre dépouillée parut plus vaste, plus accueillante ; la couverture bigarrée attirait encore plus le regard. Holmes devint grave, comme s'il se concentrait sur un sujet difficile. Il s'approcha de la cuvette avec un morceau de savon et une serviette prise dans son sac. Il la remplit à l'aide du broc et se déshabilla très vite. Henry, en le voyant nu, fut surpris de le découvrir si costaud, presque charnu dans la lumière tremblante. Pendant une seconde où son ami resta immobile, on aurait pu croire la statue d'un jeune homme, grand et musclé. En le regardant, Henry oublia sa moustache et ses traits taillés à la serpe. Il n'avait jamais pensé qu'il le verrait un jour ainsi. Le fait de se déshabiller comme venait de le faire Holmes ne signifiait sans doute rien pour quelqu'un qui avait été soldat si longtemps. Il devait sûrement savoir, d'un autre côté, que dans le silence de la nuit, dans cette chambre étrangère et devant son ami, ce n'était pas pareil... Henry examina ses jambes et ses fesses musclées, la ligne de sa colonne vertébrale, sa nuque délicate et bronzée. Il se demanda si Holmes avait l'intention de renfiler son linge de corps avant de se coucher. Il commença à se déshabiller à son tour, et il était presque nu lorsque Holmes ouvrit la fenêtre pour balancer au-dehors l'eau savonneuse. Holmes replaça la cuvette sur la table et se dirigea, nu, vers le lit, en emportant la lampe.

Henry se demanda si Holmes l'observait pendant qu'il prenait son tour devant la table de toilette. Il éprouvait une gêne aiguë, à mille lieues de la désinvolture dont venait de faire preuve son ami. Il se lava avec lenteur ; quand Holmes lui adressa la parole et qu'il se retourna à demi pour l'écouter, il le découvrit allongé dans le lit, une main sous la nuque.

— J'espère que tu ne ronfles pas, disait Holmes. On avait une méthode pour traiter les ronfleurs.

Henry essaya de sourire et se détourna. Lorsqu'il eut fini de s'essuyer, il alla jeter l'eau sale par la fenêtre en pensant qu'il lui faudrait à présent se retourner vers Holmes, qui suivait ses mouvements avec nonchalance. Il était embarrassé, et il ne savait toujours pas si Holmes s'attendait à ce qu'il vienne s'allonger nu près de lui. Mais il hésitait à l'interroger.

— Pourrais-tu éteindre la lampe ?

— Tu es timide ? rétorqua Holmes sans obtempérer.

Henry se retourna et s'approcha lentement du lit, la serviette jetée sur l'épaule de manière à dissimuler en partie son torse. Holmes le suivait d'un regard amusé. Quand Henry laissa tomber la serviette, Holmes se pencha et éteignit la lampe.

Ils étaient à présent allongés côte à côte sans parler. Henry sentait l'os de sa hanche effleurer le corps de Holmes. Il faillit suggérer qu'ils s'installent plutôt tête bêche mais, d'une manière ou d'une autre, Holmes avait pris le contrôle et lui déniait en silence le droit d'émettre la moindre suggestion. Il entendait sa propre respiration et les battements de son cœur ; il ferma les yeux et tourna le dos à son compagnon.

— Bonne nuit.

— Bonne nuit.

Au lieu de l'imiter, Holmes resta allongé sur le dos. Pour ne pas risquer de tomber du lit, Henry dut se rapprocher un peu de lui ; puis il s'éloigna une nouvelle fois, sans cesser de toucher encore Holmes, qui restait immobile, impassible.

Il se demanda s'il lui arriverait jamais à nouveau d'être aussi intensément en vie. Chaque respiration, l'éventualité que Holmes puisse faire un geste, ou la simple idée qu'il ne dormait pas, était comme une brûlure. Il était hors de question de trouver le sommeil. Holmes, pensa-t-il, avait dû croiser les bras sur sa poitrine, et il ne faisait aucun bruit. Son immobilité même donnait à penser qu'il était éveillé, sur le qui-vive. Henry aurait beaucoup donné pour savoir s'il était conscient comme lui du contact entre leurs deux corps, ou s'il se reposait au contraire, détendu, indifférent à la masse de chaleur comprimée qui le frôlait. Ils devaient changer de logis le lendemain ; la situation ne se reproduirait donc pas. Elle n'était pas préméditée, et Henry n'y avait pas même pensé jusqu'au moment où il avait vu Holmes à la lumière de la lampe, se déplacer nu devant la table de toilette. Maintenant encore, s'il avait le choix, si un autre lit se matérialisait soudain dans la chambre, il le rejoindrait sur-le-champ, il se faufilerait hors de celui-ci, à tâtons dans le noir. Néanmoins, son impuissance était commode. Il était content de ne pas bouger, de ne pas parler et de feindre le sommeil si nécessaire. Il savait que son inertie et son silence laissaient le champ libre à Holmes, et il attendait de voir ce qu'il allait faire ; mais Holmes ne bougeait pas.

Depuis l'instant où ils avaient quitté Boston ensemble, Henry avait senti une absence inhabituelle de tension, qui avait persisté tout au long de la soirée. Il en connaissait la raison : William n'était pas avec eux – il participait à une expédition scientifique au Brésil. L'absence de son frère aîné était pour lui un soulagement, elle le débarrassait d'une source de pression qui se muait volontiers en oppression douce. Holmes avait beau être l'ami de William et avoir un an de plus que lui, il n'avait en rien la faculté de son frère de l'ébranler en lui faisant comprendre que chaque parole qu'il prononçait, chacun de ses gestes, prêtait le flanc à la censure, à la critique ou à la moquerie.

Tout à coup, Holmes se rapprocha du milieu du lit. Son geste parut à Henry un acte volontaire, pas le mouvement inconscient d'un homme qui dort. Très vite, sans se laisser le temps de la réflexion, Henry se rapprocha imperceptiblement de lui, après quoi ils restèrent de nouveau sans bouger. Il sentait la présence de son ami, son souffle, son grand corps osseux tout près de lui maintenant, pendant que lui-même continuait de surveiller sa respiration et de faire le moins de bruit possible.

Quand Holmes lui tourna le dos – aussi soudainement qu'il s'était rapproché un peu plus tôt – Henry comprit que son sort serait de traverser la nuit ainsi, l'esprit battant la campagne, à côté de ce grand corps peut-être indifférent et habitué à la proximité d'autres hommes. Holmes, pensa-t-il, s'était endormi. Henry ne savait pas s'il était déçu ou soulagé, mais il aurait voulu pouvoir sombrer lui aussi dans le sommeil pour ne plus avoir à réfléchir jusqu'au matin.

Après un moment, il acquit cependant la certitude que Holmes ne dormait pas. Ils étaient allongés dos à dos, et il éprouvait la tension de la présence derrière lui. Il attendit. Il lui semblait inévitable que Holmes se retourne, que quelque chose vienne rompre ce jeu silencieux, lent, entravé, auquel ils se livraient depuis le début de la nuit. Il sentait Holmes aussi concentré que lui sur ce qui allait peut-être se produire.

Il ne fut donc pas surpris quand Holmes se retourna et vint lover son corps contre le sien, une main contre son dos et l'autre sur son épaule. Il eut l'intelligence de ne pas se tourner, de ne pas faire un geste, tout en essayant de laisser entendre à Holmes que cela ne signifiait pas une résistance de sa part. Il resta immobile – il n'avait cessé de l'être à aucun moment –, mais d'une manière subtile il se laissa aller plus confortablement contre son ami, en fermant les yeux et en rendant sa respiration fluide.

Il s'assoupit, se réveilla un moment, s'assoupit de nouveau. Quand il s'éveilla pour de bon, la chambre était inondée de soleil. Il fut surpris alors de voir avec quelle tranquillité son camarade croisait son regard et continuait de s'approcher librement de lui. Il aurait cru que ce qui avait pris place entre eux appartenait à la nuit secrète, à l'intimité de la nuit. Il savait que la chose ne serait jamais mentionnée, ni entre eux ni devant quiconque, et il avait pensé par conséquent que la lumière du jour en annulerait la trace. Par ailleurs, il en avait entendu assez pour savoir que Holmes avait vu la mort en face, qu'il avait souffert de blessures extrêmement douloureuses et qu'il s'était forgé, entre l'âge de vingt et un et vingt-deux ans, une fermeté d'âme à toute épreuve. Henry n'avait pas imaginé que ce courage puisse s'étendre à la sphère privée, mais c'était bien ce qu'il constatait à présent, dans cette chambre du New Hampshire, dans la lumière vive du matin.

À onze heures, les bagages étaient bouclés, et les deux hommes lavés, habillés et prêts, après avoir payé le propriétaire, à se présenter à la cour des sœurs Temple. Une fois de plus, ils prirent place sur des chaises, sur la pelouse derrière la maison, et commencèrent à élaborer des projets de promenades et d'excursions. Le thé fut servi, la conversation s'anima, et pendant ce temps Henry avait la sensation d'avoir été trempé dans une substance inconnue ; ce qui s'était produit s'attardait comme une obsession de tous ses sens, continuait à vivre dans chaque instant et chaque objet, et rendait tout le reste déplacé et fade. Cette impression était si puissante, pendant qu'il buvait son thé en écoutant ses cousines, qu'il dut se faire violence pour se rappeler que cela n'était pas en train de se produire encore, qu'un nouveau jour avait commencé avec son cortège de devoirs.

Au bout d'un moment, il s'aperçut que Minny restait à l'écart de la conversation et qu'elle paraissait plus réservée qu'à son habitude. Il s'adressa à elle seule, pendant que les autres continuaient à bavarder et à rire.

— Je n'ai pas dormi, dit-elle. Je ne sais pas pourquoi.

Il lui sourit, soulagé de ce que la distance qu'elle mettait entre elle et eux pût se réduire.

— Et vous ? interrogea-t-elle.

— Ça n'a pas été facile, mais on s'est arrangés. Malgré le lit, je dirais.

— Le fameux lit ! s'exclama-t-elle en riant.

Lorsque John Gray arriva cet après-midi-là, Henry nota que Holmes – qui, dans sa courte période passée loin des autres soldats, avait perdu un peu de son aura militaire –

rendossait son rôle de vétéran, pendant que Gray faisait son possible pour l'aider ou pour l'endosser lui-même. Ils furent conduits à une ferme située à quelques kilomètres de la maison des Temple, où ils se virent attribuer trois chambres sous les combles par la maîtresse de maison, une jeune femme très aimable. Le plancher grinçait, les lits étaient vieux et les plafonds bas, mais le prix était raisonnable, et quand le mari apparut, il leur proposa tout de suite de les véhiculer dans la région, s'ils en avaient envie. D'ailleurs, ajouta-t-il d'un ton à la fois réservé et amical, s'ils avaient besoin de quoi que ce soit, il le leur offrirait, dans la mesure de ses moyens, au tarif le plus raisonnable de tout North Conway.

Ainsi commencèrent les vacances qui devaient permettre aux deux hommes d'action de reprendre pied dans la vie civile. C'était un petit monde de sociabilité détendue et gaie, de conversations illimitées, de libertés prises et de délicatesses respectées, invitant à la discussion d'une centaine de sujets humains et personnels pendant que l'été américain répandait indéfiniment ses largesses.

Henry continuait à jouir du souvenir de son arrivée à North Conway, qui jouait pour lui le rôle d'un trésor bien gardé qu'il était sûr de retrouver dans l'état où il l'avait laissé chaque fois que ses pensées y retournaient. Il observait ses compagnons en attendant de voir émerger une configuration dans le groupe, conscient de son désir que ses deux amis apprécient Minny Temple autant qu'il l'appréciait lui-même ; qu'ils la distinguent de ses deux sœurs – douces et charmantes, certes – et qu'ils la reconnaissent pour ce qu'elle était, un esprit scintillant. Il se surprit à user de mille subterfuges pour accélérer leur prise de conscience de la valeur de Minny. Lorsqu'il voyait Holmes parler avec elle, il se sentait profondément concerné par ce qui pouvait éventuellement passer entre eux, et il ne souhaitait rien tant qu'être le témoin de leur intérêt grandissant l'un pour l'autre.

Le ton de Gray était sec ; dans son régiment comme dans son cadre domestique, il était à l'évidence très écouté, et ses études de droit ajoutaient à sa conversation un vocabulaire latinisant auquel il recourait davantage au fil des jours. Il s'intéressait en outre à la littérature ; chaque jour, il croisait les jambes, s'éclaircissait la voix et parlait aux dames de Trollope – ses personnages si drôles et si bien décrits, ses intrigues fascinantes, sa maîtrise de la vie politique de son pays, et le fait regrettable qu'on n'eût à ce jour aucun romancier américain capable de rivaliser avec lui.

— Mais, objecta Minny, comprend-il réellement les complexités du cœur humain ? Comprend-il le mystère de notre existence ?

— Vous avez posé deux questions, dit Gray, et je vais y répondre séparément. Trollope parle avec précision et finesse de l'amour et du mariage. Ce point ne fait aucun doute. La deuxième question est d'un ordre assez différent. Trollope dirait, je pense, que c'est la fonction du prêtre, du théologien, du philosophe et peut-être du poète, mais certainement pas celle du romancier, de se préoccuper de ce que vous appelez « le mystère de notre existence ». J'aurais tendance à être d'accord avec lui.

— Oh, dans ce cas je ne suis d'accord ni avec lui ni avec vous, répliqua Minny, le visage brillant d'animation. Pour ne donner qu'un exemple, en refermant *Le Moulin sur la Floss*, on en sait infiniment plus sur le fait étrange et merveilleux d'être en vie qu'après avoir lu un millier de sermons.

Gray n'avait pas lu George Eliot, et quand Minny lui soumit avec ardeur un exemplaire du *Moulin sur la Floss*, il le prit et le feuilleta d'un air sagace.

— Cet écrivain, dit Minny, est la personne au monde que j'aime le plus, et que j'aimerais rencontrer de préférence à toute autre.

Gray leva un regard soupçonneux.

— Elle comprend le caractère d'une femme généreuse, poursuivait Minny, c'est-à-dire, d'une femme qui croit en la générosité et qui ressent intensément la difficulté, en pratique, de – elle s'interrompit un instant pour réfléchir – eh bien, de la vivre, de la mener jusqu'au bout.

— « La » vivre ? interrogea Gray. À quoi fait référence le « la » ?

— À la générosité, comme je le disais.

Minny remit aussi à Gray un exemplaire de la *North American Review* du mois de mars, qui contenait une nouvelle de Henry intitulée *L'Histoire d'une année*. Elle lui raconta que ses sœurs et elle n'avaient pas été autorisées à lire la précédente nouvelle de Henry, qu'on leur avait dite chargée d'immoralité française, mais qu'on leur avait permis de lire celle-ci. Au cours des jours précédents, Henry, qui était novice en matière de publication, avait attendu un commentaire de Holmes au sujet de cette nouvelle. Holmes, il le savait, avait dit à William qu'à son avis le personnage de la mère était inspiré de sa propre mère et le personnage du soldat de lui-même. Cette remarque avait tout de suite fourni à William un motif nouveau et intéressant de taquiner Henry. La famille Holmes, lui soutint-il, était en rage, et le vieux père Holmes allait se plaindre auprès de leur père. Par la suite, William avait confessé que tout cela était une pure affabulation de sa part, à l'exception du commentaire premier de Holmes.

Holmes, cependant, n'avait rien dit. À présent, Gray traversait le jardin, traînant une chaise d'une main et tenant dans l'autre la *North American Review*, à la recherche d'un lieu ombragé où il pourrait s'asseoir et lire. Henry s'inquiétait de la réaction de Gray, mais se réjouissait en même temps qu'il fût maintenant possible de discuter de sa nouvelle. Il imaginait Gray en train de la lire avec son regard aigu de vétéran, n'y trouvant pas assez d'action et beaucoup trop de choses sur les femmes. Le fait de le voir entamer sa lecture et d'assister ensuite à sa progression, à l'autre bout de la pelouse, était un exercice difficile, presque troublant. Après un moment, il n'y tint plus, et il fit cet après-midi-là une longue promenade dont il ne revint qu'à l'heure du dîner.

Dès qu'ils furent à table, Minny prit la parole.

— Alors, Mr Gray, que pensez-vous de cette nouvelle ? Je ne peux pas vous dire à quel point je suis ravie d'avoir un cousin écrivain, je trouve ça vraiment extraordinaire.

Henry comprit – et se demanda si Minny comprenait également – l'effet produit par ses paroles sur les deux jeunes gens qui venaient d'offrir leur vie à leur patrie. Pour eux, la guerre restait brutale et récente, et leur présence était en elle-même un rappel de l'héroïsme de leur camp et des pertes subies. Dans son enthousiasme pour les écrits de Henry, Minny semblait minimiser l'importance et la chance réellement extraordinaire d'avoir deux soldats à sa table.

— C'est intéressant, déclara Gray, de l'air de quelqu'un qui n'en dirait pas plus.

— Nous avons adoré sa nouvelle, intervint Elly, la sœur de Minny. Et nous sommes tellement fières !

— Si je n'avais pas connu l'auteur, j'aurais pensé qu'il s'agissait d'une femme. Mais cela faisait peut-être partie du projet, dit Gray en se tournant vers Henry, qui le regarda sans répondre.

— Il a écrit une nouvelle, pas un projet, dit Minny.

— Oui, mais si l'on pense à la guerre, si l'on parle à ceux qui l'ont faite, ou même simplement si on lit des choses à son sujet, je suis sûr qu'on peut trouver des histoires plus intéressantes à raconter, qui sont plus proches de la vie.

— Mais cette histoire-ci ne parle pas de la guerre, objecta Minny. Elle parle du cœur d'une jeune fille.

— N'y a-t-il pas suffisamment de jeunes filles capables d'écrire de telles histoires ? rétorqua Gray.

Holmes croisa les mains derrière la nuque et éclata de rire.

— Tout le monde ne peut pas être soldat, déclara-t-il.

La conversation entre les sœurs Temple et leurs trois visiteurs revenait sans cesse à la guerre. Dans la mesure où le frère des filles et leur cousin, Gus Barker, avaient été tués, les deux soldats devaient veiller à ne pas trop se féliciter de leur bravoure, ni à se réjouir ouvertement d'avoir survécu. Néanmoins, il était difficile d'éviter complètement l'évocation d'exploits singuliers et le phénomène extraordinaire qu'étaient les soldats blessés, par exemple le frère de Henry, Wilky, et Holmes lui-même, et Gus Barker, qui avait insisté pour retourner au front après son rétablissement. Holmes et Wilky, blessés à nouveau, avaient encore survécu. Mais Gus Barker était mort deux ans plus tôt sous les balles d'un tireur embusqué, au bord du Rappahannock, en Virginie. Il avait tout juste vingt ans. Toute la tablée se tut à l'évocation de son nom et du lieu de sa mort.

Henry avait rencontré Gus dans l'enfance au cours des visites familiales en Amérique, d'abord chez sa grand-mère à Albany, où il avait aussi croisé les Temple, et plus tard à Newport. Pendant que les autres recommençaient à parler de lui, les pensées de Henry revinrent cinq ans en arrière, à l'époque où la guerre de Sécession ressemblait à un impossible cauchemar et où la famille James avait quitté l'Europe pour revenir à Newport afin que William puisse étudier les beaux-arts.

Un jour de l'automne 1860, en entrant dans l'atelier où travaillait son frère, Henry avait découvert son cousin Gus Barker, nu sur un piédestal, qui servait de modèle aux étudiants confirmés. Gus était musclé, noueux, roux et blanc de peau. Il se tenait immobile, pas gêné pour deux sous, pendant que cinq ou six étudiants, parmi lesquels William, travaillaient à leur croquis comme s'ils ne le connaissaient pas. Gus Barker, à l'instar des sœurs Temple, avait perdu sa mère, et son statut d'orphelin lui conférait la même auréole de mystère et d'indépendance. Aucune mère ne risquait de survenir pour lui ordonner de cesser immédiatement cette exhibition et de se rhabiller sur-le-champ. Sa silhouette était belle et virile, et Henry fut surpris par son propre besoin de le regarder, tout en feignant de ne lui porter qu'un intérêt distant et académique. Il examinait donc attentivement le dessin de William, afin de pouvoir ensuite lever la tête et observer à sa guise le corps nu de son cousin, sa perfection de gymnaste, sa puissance et son aura de sensualité tranquille.

Il fut frappé, tant d'années plus tard, d'avoir invoqué en esprit un souvenir qu'il ne pourrait partager ni avec Gray ni avec Holmes, ni même avec Minny ; au cours de ces quelques minutes, il avait laissé ses pensées vaquer autour d'une scène dont la signification devait lui demeurer cachée, secrète. Il ne pensait pas que l'esprit de Gray fonctionne ainsi, pas plus que l'esprit et l'imagination de Holmes ou des sœurs Temple. Il ignorait même si son frère William fréquentait intérieurement des lieux qui devaient rester opaques à son entourage. Il essaya d'imaginer le résultat s'il avait révélé le contenu de ses réflexions, s'il avait dit à ses compagnons aussi honnêtement que possible ce que le nom de Gus Barker venait de susciter dans sa mémoire. Il s'ébahit de la manière dont ils se frottaient chaque jour les uns aux autres, tout en gardant en réserve un monde entièrement privé dans lequel chacun avait le loisir de se retrancher à la simple évocation d'un nom, ou même sans raison particulière. L'espace d'une seconde, pendant qu'il réfléchissait à cela, il croisa le regard de Holmes ; il s'aperçut qu'il n'avait qu'imparfaitement réussi à donner le change, que Holmes avait percé le masque social et aperçu l'esprit qui s'égarait sur des chemins impossibles à évoquer. Il y eut un échange entre Holmes et lui en cet instant, tacite, fugitif, qui passa inaperçu des autres.

Peu à peu, au fil des jours, Minny Temple fit un choix. Elle le fit de façon subtile et attentive, si bien que personne ne s'en aperçut tout d'abord, mais ce qui n'était apparent ni pour Gray, ni pour Holmes, ni pour ses sœurs devint évident pour Henry parce qu'elle souhaitait qu'il en soit ainsi. Elle avait choisi Henry comme son ami et confident, celui à qui elle s'en remettait par préférence et à qui elle parlait le plus facilement. Et elle avait peut-être choisi Holmes pour une autre fin, car elle ne l'ignorait jamais et ne lui prodiguait pas moins sa lumière qu'aux autres. Mais elle avait élu Gray car il était celui sur lequel elle aurait le plus d'effet, celui qui avait le plus besoin d'elle. Elle ne prêtait aucune attention à ses discours militaires, à ses commentaires frustes et pragmatiques, ni à ses traits d'esprit un peu secs. Elle voulait le changer, et Henry l'observa pendant qu'elle le circonvenait en douceur, sans s'autoriser à devenir blessante.

Un jour, alors qu'elle voulait lui donner des vers de Browning, il refusa et lui demanda de les lui lire à voix haute.

— Non, dit-elle, je veux que vous les lisiez vous-même.

— Je ne sais pas lire la poésie.

Henry, Holmes et les deux sœurs de Minny restèrent muets ; c'était, Henry le savait, un moment décisif dans le combat que menait Minny pour mouler John Gray dans une forme acceptable à ses yeux.

— Bien sûr que si, répliqua-t-elle. Mais vous devez d'abord oublier l'idée de « lire », l'idée de « poésie » et vous concentrer sur le « je » pour lui découvrir d'autres connotations, et bientôt vous serez transformé et votre jeunesse reviendra. Mais si vous le désirez vraiment, je lirai ces vers à haute voix.

— Minny, intervint sa sœur, tu ne dois pas brusquer Mr Gray.

— Mr Gray a l'intention de devenir un grand avocat, dit Holmes. Il doit apprendre à se défendre, il me semble, afin de pouvoir le moment venu défendre ceux qui le méritent peut-être davantage.

— J'aimerais beaucoup que vous lisiez ces vers à haute voix, dit Gray.

— Et moi j'aimerais qu'un jour, dit Minny en lui reprenant le livre des mains, vous puissiez les lire vous aussi, en silence et avec émotion.

Henry commença à imaginer une héritière, orpheline depuis peu, qui avait trois prétendants, une jeune femme dont l'intelligence patiente n'avait jamais été appréciée à sa juste valeur par son entourage. Il ne voulait pas la rendre aussi belle que l'était Minny en ce mois d'août ; il la rendit au contraire banale, à l'exception d'un magnifique sourire. Il fit de deux des prétendants des militaires ; le troisième, qui donnait son nom à l'histoire, *Pauvre Richard*, homme nerveux et impulsif, rendu presque désespéré par cet amour non payé de retour, était un civil. Richard adorait Gertrude Whittaker, qui le prenait beaucoup moins au sérieux que les deux vétérans de la guerre de Sécession. L'un des deux, le capitaine Severn, était un homme sérieux et consciencieux, discret, circonspect, peu habitué à agir sans but précis. Le major Lutrell, qui aurait pu tenir le rôle de Gray, était à la fois agréable et insupportable. Tous trois se livraient à un siège pour gagner le cœur de Miss Whittaker et l'épouser. À la fin, elle n'acceptait aucun des trois.

Pour Henry, l'histoire puisait son origine dans un moment fugitif où Richard voit le capitaine Severn tomber dans un silence presque aussi impuissant que le sien tandis qu'ils assistent à un dialogue animé entre Miss Whittaker et le major Lutrell. Henry et Holmes prirent l'habitude de se taire de la même manière à North Conway, pendant que Minny poursuivait chaque jour son combat pour adoucir Gray, le rendre conscient de son âme plus que de son uniforme, de ses peurs et de ses désirs les plus profonds plutôt que de son jargon militaire protecteur convenablement censuré à l'intention des dames. Holmes crut tout d'abord que Minny n'appréciait pas Gray, ce qui lui fit plaisir ; ensuite il prit conscience, avec des éclairs d'alarme, de ce que Gray était en train de l'emporter. Minny, ses sœurs et Gray étaient trop distraits pour entendre résonner l'alarme de Holmes, bruit que Henry, de son côté, n'eut aucun mal à capter, et qu'il réserva pour y repenser dans ses moments de solitude.

Il ne comprit pas sur le moment, et pas davantage au cours des années qui suivirent, combien ces quelques semaines à North Conway – les conversations à l'infini de leur petit groupe sous les pins – avaient été pour lui une nourriture suffisante ; étaient, en réalité, tout ce qu'il aurait jamais besoin de savoir au cours de sa vie. Durant toute sa carrière d'écrivain il continuerait à puiser dans les scènes qu'il avait vécues et dont il avait été témoin à ce moment-là : les deux représentants de la Nouvelle-Angleterre patricienne, jeunes, ambitieux et conscients déjà de leur éminence future, et les jeunes filles américaines, Minny en tête, fraîches, vives, ouvertes à la vie, d'une curiosité, d'un charme, d'une intelligence sans limites. Et, entre elles et eux, beaucoup de choses qui ne pourraient jamais être dites et d'autres qui ne seraient même jamais sues. Déjà sur la pelouse, derrière la maison où habitaient cet été-là les sœurs Temple, il y avait eu des secrets et des alliances tacites, et la prémonition que Minny Temple leur échapperait à tous, qu'elle s'élèverait et planerait au-dessus d'eux, bien qu'aucun d'entre eux n'eût la moindre idée de la manière dont cela allait se produire, ni à quel point ce serait triste.

Il n'avait nul souvenir du moment où il comprit pour la première fois qu'elle allait mourir. Certainement, il n'y avait eu aucun signe avant-coureur de maladie cet été-là. Sa mère, il s'en souvenait, avait déclaré quelque temps plus tard que Minny n'allait pas très bien, sur un ton désapprobateur, comme si elle pensait que la maladie était un stratagème de sa part pour attirer l'attention.

Le groupe se retrouva une fois de plus au complet chez les parents de Henry, dans Quincy Street, vers la fin de l'année suivante ; il se rappelait encore sa surprise en découvrant que Minny était restée en correspondance à la fois avec Gray et avec Holmes. Sa mère, qui appréciait beaucoup Gray, l'avait trouvé aussi charmant que d'habitude, et plus charmant que Holmes. Elle lui raconta plus tard que Minny lui avait confié être désenchantée par Holmes ; elle avait fait allusion à son égoïsme, mais aussi à ses beaux yeux. Henry avait été étonné de ce que Minny parût soudain se confier à sa mère.

De nombreuses années plus tard, il était assis sur une terrasse distante de plusieurs milliers de kilomètres de ces événements. Quand le croissant de la lune apparut, il examina sa beauté étrange, mince, dure, et soupira en se remémorant l'instant où William était entré dans sa chambre pour lui apprendre que Minny avait une tache au poumon. Henry n'était pas sûr d'avoir entendu la nouvelle pour la première fois à ce moment-là – mais c'était la première fois qu'elle n'était pas confiée dans un murmure. Henry se rappelait sa propre dépression au cours des mois suivants, sa propre immobilité ; il savait qu'il n'avait pas vu Minny pendant ce temps-là, mais qu'il était tenu informé régulièrement par sa mère, qui s'intéressait beaucoup aux maladies de tout un chacun, particulièrement à celles des jeunes femmes en âge de se marier, et qui prenait désormais très au sérieux le mal de Minny.

Il essaya de se rappeler quand John Gray lui avait parlé des longues lettres qu'il recevait de Minny. Gray les trouvait difficiles, un peu embarrassantes, disait-il, confidentielles et fiévreuses, mais il y répondait, et elle, du coup, ne cessa de lui écrire au cours de la dernière année de sa vie. Dans une de ces lettres, elle avait inscrit les mots que Gray avait répétés à Henry et qui, pensait ce dernier à présent, étaient peut-être plus importants pour lui que n'importe quels autres mots, y compris tous ceux qu'il avait lui-même écrits, ou qui avaient pu être écrits par d'autres. Ces mots le hantaient au point que le simple fait de les prononcer, de les murmurer dans le silence de la nuit, lui ramenait, toute proche, la présence exigeante de Minny. Ces mots formaient une phrase unique : « Vous devez me dire quelque chose que vous savez avec certitude être vrai. » Voilà, pensa-t-il, ce qu'elle avait désiré déjà à l'époque où elle était vivante et heureuse ; mais sa maladie, le fait de savoir qu'elle n'en avait plus pour longtemps, l'avait forcée à formuler dans l'urgence la phrase qui résumait sa quête immense et généreuse. « Vous devez me dire quelque chose que vous savez avec certitude être vrai. » Les mots lui venaient avec la voix douce de Minny et, là, assis sur sa terrasse dans le noir, il s'interrogea sur la manière dont il lui aurait répondu si elle les lui avait destinés.

Il se demandait si la personnalité intense de Minny et la pure originalité de ses ambitions, qui formaient un tel contraste avec l'ennui, la banalité et la pénurie qui l'entouraient, avaient pu troubler son envie de vivre. Il l'avait ressenti en particulier quand les sœurs de Minny ayant fait des mariages de raison plus que d'amour, Minny en vint à dépendre de leurs maris pour sa subsistance, pendant que commençait l'hémorragie de ses poumons et que sa santé périclitait. Il se rappelait l'avoir vue à New York deux jours avant son propre départ pour l'Europe, seul pour la première fois, et il avait fait un effort alors pour déguiser autant que possible son impatience, son appétit démesuré pour tout ce qui l'attendait sur l'autre rive. Ils s'accordèrent à dire que ce voyage aurait été parfait pour Minny, et qu'il était détestable qu'il s'embarque sans elle. Malgré sa maladie et l'envie que lui inspirait Henry, l'heure qu'ils passèrent ensemble ce jour-là fut joyeuse et leur conversation pleine de gaieté. Ils parlèrent de se retrouver à Rome l'hiver suivant ; elle l'interrogea sur ses projets à Londres, les gens qu'il rencontrerait, les lieux qu'il verrait. La frustration de Minny ne devint extravagante que quand il évoqua une possible visite à Mrs Lewes, sa George Eliot adorée. Alors elle secoua la tête et rit devant l'énormité de sa propre jalousie.

Il était clair qu'elle était malade, et si évident pour l'un comme pour l'autre qu'elle ne guérirait pas qu'ils ne prirent même pas la peine d'en parler. Mais au moment de la quitter, il lui demanda si elle arrivait à dormir.

— Dormir ? Oh, je ne dors pas, dit-elle. J'ai renoncé au sommeil.

Mais ensuite elle rit, d'un rire courageux et libre, et elle s'arrangea soigneusement pour que son sourire n'ait l'air ni creux ni factice. Puis elle le quitta.

En Angleterre, quand il rendit enfin visite à Mrs Lewes un samedi après-midi à North Bank, grâce à l'intervention d'un ami de la famille, il imagina Minny à ses côtés, posant à George Eliot les questions que nul dans le cercle de Minny n'aurait eu envie de poser, sans même parler d'y répondre. Il imagina sa voix, étouffée par la révérence, prenant peu à peu de l'ampleur. Au moment du départ, il imagina sa cousine qui se levait et s'approchait vivement pour serrer la main de la romancière, à qui elle avait fait une forte impression et qui l'invitait à revenir la voir. Il essaya de décrire Mrs Lewes dans une lettre à Minny : son accent, la sévérité calme de son regard, son étrange laideur, son mélange de sagacité et de douceur, sa dignité et sa force de caractère, sa grâce et sa lointaine indifférence. Il lui fut plus facile pourtant d'en parler dans une lettre à son père ; écrire à Minny, c'était comme écrire à un fantôme.

Minny mourut en mars, un an après leur dernière entrevue. Il se trouvait encore en Angleterre. Il eut le sentiment que sa jeunesse prenait fin. Il savait que la mort avait jusqu'au bout terrifié Minny. Elle aurait tout donné pour vivre. Au cours des années qui suivirent, il regretta sans cesse le fait de ne pas savoir ce qu'elle aurait pensé de ses romans et de ses nouvelles, et des décisions qu'il prenait pour sa propre vie. Les réactions profondes et exigeantes de Minny manquaient également à Gray, Holmes et William. Tous, dans leur ambition nerveuse et leur grand égoïsme agité, se demandaient ce que Minny aurait pensé d'eux, ou ce qu'elle aurait dit à leur sujet. Henry s'interrogeait aussi sur ce que la vie lui aurait réservé et sur la manière dont son exquise faculté de défi aurait pu composer avec un monde qui aurait inévitablement tenté de la réduire. Sa consolation était que lui, du moins, l'avait connue comme personne n'en avait eu la chance, et que la douleur de vivre sans elle était simplement le prix qu'il payait pour le privilège d'avoir été jeune en sa compagnie. Ce qui a été vivant une fois le reste à jamais, pensait-il, et il savait que l'image de Minny présiderait toujours dans sa conscience comme une sorte de mesure et de critère de tout éclat et de toute paix.

Il n'était pas exact de dire que Minny Temple l'avait hanté au cours des années qui suivirent ; c'était plutôt lui qui la hantait. Il faisait surgir sa présence partout, en retournant à la maison de ses parents et plus tard lorsqu'il voyagea en France et en Italie. Dans l'ombre des grandes cathédrales, il la voyait émerger, délicate, élégante, infiniment curieuse, prête à se laisser réduire au silence, émerveillée, par chaque œuvre d'art qu'elle voyait, essayant ensuite de trouver les mots capables de faire honneur à l'instant, de permettre à sa nouvelle vie sensuelle de prendre sa place et de s'approfondir.

Peu après sa mort il écrivit une nouvelle intitulée *Compagnons de voyage*, dans laquelle William, voyageant en Italie, la croisait par hasard dans la cathédrale de Milan, après l'avoir vue une première fois devant la *Cène* de Leonardo. Il prit un plaisir infini à décrire son ombrelle blanche à la doublure violette, la sensation de plaisir intelligent dégagée par ses gestes, son regard et sa voix. Maintenant que Minny était morte il pouvait contrôler sa destinée, lui offrir les expériences qu'elle aurait convoitées et donner un relief dramatique à sa vie si cruellement abrégée. Il se demanda si pareille chose était arrivée à d'autres écrivains avant lui, si Hawthorne ou George Eliot avaient écrit pour faire revivre les morts, travaillant jour et nuit, tel un magicien ou un alchimiste, défiant le destin, le temps et tous les éléments, dans le seul but de recréer une vie sacrée.

Il ne pouvait s'empêcher de se demander comment elle aurait vécu, ce qu'elle aurait fait. Il n'avait jamais pu parler de Minny avec Alice, dans la mesure où sa sœur enviait tout ce qu'avait possédé Minny : son étrange beauté, son allure, son assurance, son profond sérieux, son effet sur les hommes. Et, par la suite, Alice lui envia aussi le fait d'être morte.

Les spéculations concernant Minny intéressaient cependant William ; quand Henry et lui abordaient le sujet ensemble, ils exprimaient tous les deux la conviction qu'elle n'aurait pas su qui épouser, que son choix, si elle avait vécu, aurait été trop idéaliste, ou trop impétueux, ou trop contre nature. Son mariage, ils étaient bien d'accord là-dessus, aurait été une erreur, et cela suggérait à son tour que quelque chose dans l'organisme complexe de Minny avait anticipé cet état de fait et compris que son avenir de femme intelligente et désargentée représentait un problème tristement insoluble. Les deux frères avaient pressenti qu'à un certain niveau, à presque tous les niveaux, Minny n'aurait jamais trouvé sa place dans l'étroitesse de la vie. Toute sa conduite et son caractère, pensait Henry, pointaient vers cette conclusion – de quelle inconséquence la vie aurait pu être pour elle, compte tenu de son histoire.

Henry imaginait souvent, si elle avait épousé Gray, ou Holmes, ou William, combien elle aurait été diminuée, combien le mariage aurait été pour elle un combat qu'elle était contrainte de perdre. Dans *Pauvre Richard*, il l'avait envoyée en Europe, où elle ne se mariait pas. Dans *Daisy Miller*, où il avait souligné son intrépidité, son courage et son indifférence aux conventions, elle mourait à Rome. Dans *Compagnons de voyage*, il lui avait inventé un mariage en plantant le décor italien de sa rencontre avec son futur mari. Il ne la suivait pas jusque dans les tâches quotidiennes assumées à l'ombre d'un homme terne.

Ce fut en lisant *Daniel Deronda* qu'il perçut quelque chose qui lui avait échappé jusque-là – les possibilités dramatiques d'une femme d'esprit détruite par un mariage étouffant. Par coïncidence, il lut aussi à cette époque *Phineas Finn* de Trollope, avant tout comme une aide à l'endormissement, et là encore il fut frappé par le mariage de Lady Laura Kennedy et par l'intérêt extraordinaire que présentait une telle alliance pour le lecteur dont on avait auparavant stimulé la sympathie envers l'héroïne brave et brillante qui affrontait son destin avec l'illusion de la liberté.

Il se mit au travail. À cette époque-là, il vivait depuis quelques années déjà en Angleterre ; il lui semblait voir l'Amérique plus clairement et il souhaitait donner vie à un esprit américain plein de liberté et de fraîcheur, prêt à goûter à tout avec l'unique certitude d'être ouvert aux autres et à l'expérience. Il ne fut pas difficile de situer sa jeune femme dans la maison de sa grand-mère à Albany, dans les pièces étranges, démodées, encombrées, d'où la riche et autoritaire Mrs Touchett viendrait délivrer Isabel Archer afin de l'emmener en Angleterre, où tant d'héroïnes de Henry avaient déjà souhaité se rendre. En Angleterre, il pouvait facilement l'entourer de son vieux trio de prétendants familiers, décrits avec le plus grand soin : le type sérieux qui ne parlait jamais sans un but précis ; le patricien qui possédait un peu plus de douceur ; et le troisième homme, qui était à la fois l'ami de l'héroïne et l'observateur fasciné de son destin, étant trop inapte, ou trop malade, ou trop ironique pour devenir son amant.

Il travailla à ce livre pendant qu'il était à Florence ; en se réveillant chaque matin dans son hôtel au bord du fleuve, et plus tard dans ses appartements à Bellosguardo, il sentit qu'il avait à présent la mission de laisser Minny fouler le pavé de ces rues, de permettre à la lumière toscane d'éclairer son doux visage. Mais plus encore, il voulait recréer sa présence morale de manière plus fine et plus intense que jamais auparavant. Il voulait prendre cette fille américaine désargentée et lui offrir un univers ancien, solide, dans lequel respirer. Il lui donna de l'argent, des prétendants, des villas et des palais, de nouveaux amis, des sensations nouvelles. Jamais encore il ne s'était senti aussi puissant ni aussi conscient de son devoir ; il parcourait les rues de Florence, les quais et la colline escarpée menant à Bellosguardo avec une légèreté nouvelle, et cette légèreté s'insinua dans le livre. Celui-ci progressait avec élégance, facilement, librement, comme si Minny elle-même protégeait Henry et le guidait. Dans certaines scènes, après avoir tout imaginé et tout écrit, il se demandait si cela avait réellement eu lieu ou si son monde imaginaire en était venu à supplanter le monde réel.

Pour autant, Minny resta réelle pour lui au long des années, plus réelle que toutes les personnes nouvelles qu'il rencontrait et fréquentait. Elle appartenait à cette part de lui-même qu'il gardait de la façon la plus farouche, son moi caché que personne en Angleterre ne pouvait connaître ni comprendre. Il était plus facile de préserver Minny sous un ciel anglais, dans un pays où personne ne prenait la peine de se souvenir des morts comme il se souvenait de sa cousine, où le terne présent régnait seul, avec son ordre attenant. Ce fut là qu'il la laissa se promener, telle une vieille chanson qui résonnait du fond des années et lui apportait ses notes tristes où qu'il allât.

Il avait oublié, jusqu'à l'instant de retrouver Holmes, combien son vieil ami adorait les Anglais ; dès sa descente du train à Rye, il commença à parler des gens qu'il avait vus, et comment ils allaient, que Leslie Stephen était devenu sourd depuis la mort de Julia, que Margot Tennant n'était plus la même depuis son mariage, combien charmante était sa nouvelle amie Lady Castletown et combien aristocratique. Henry n'eut même pas l'idée de prononcer un mot, et il savait que s'il l'avait fait, il aurait été interrompu sur-le-champ. Holmes avait le regard brillant, presque fiévreux, et parvenait malgré les années à paraître plus beau et plus valeureux que jamais. Peut-être était-ce son séjour auprès de Lady Castletown qui l'avait rendu ainsi.

— J'ai bien peur, dit Henry lorsqu'il y eut enfin une pause dans la narration de Holmes, qu'il n'y ait ni lords ni ladies à Rye. Ce sera très calme. C'*est* très calme.

Holmes lui tapa dans le dos et sourit comme s'il venait tout juste de remarquer sa présence. Son statut de juge semblait à tout prendre l'avoir rendu moins réservé qu'avant. Peut-être, songea Henry, était-ce la manière dont se comportaient ces temps-ci les hommes éminents en Amérique, mais ensuite il pensa à William Dean Howells et à son frère William, et il constata que c'était Holmes et lui seul qui se comportait ainsi. Il essaya de lui expliquer qu'il travaillait non pas à un mais à deux romans et qu'il n'avait eu aucune compagnie au cours des derniers mois, en dehors de celle de ses domestiques. Holmes, qui avait entrepris de chanter les louanges du paysage, était trop distrait pour l'écouter, et Henry fut soudain heureux à la pensée que son ami ne resterait qu'une nuit à Point Hill. Il savait par William, Howells et d'autres que Holmes était devenu un juge célèbre, dont les théories étaient commentées dans les plus hautes sphères du droit et de la politique, comme les théories de Darwin auprès des scientifiques et du clergé. Henry se rappelait avoir demandé à William

146

quelles étaient ces théories, et William avait répondu sans ambages que Holmes ne croyait en rien et qu'il avait réussi à rendre cette vision des choses à la fois populaire et apparemment raisonnable. Sa position, avait précisé William, était qu'il n'en avait pas. Howells, qui n'était pas enclin à la brutalité, se contenta de dire que Holmes avait tenté d'appliquer énergiquement au domaine du droit l'élément humain et pragmatique plutôt que les éléments historiques, théoriques ou même moraux. Tout comme Darwin, avait ajouté Howells, Holmes avait mis au point une théorie de vainqueurs, mais c'était avant tout sa rhétorique simple et suggestive qui remportait les suffrages.

Il s'était souvent demandé, disait à présent Holmes pendant qu'ils traversaient le bourg, s'il aurait dû venir vivre en Angleterre. Il ne pensait pas que les Anglais le serreraient contre leur cœur s'il décidait de prolonger son séjour. Henry hocha la tête, mais son esprit fut bientôt ailleurs.

Ils dînèrent sur la terrasse et après manger ils restèrent alanguis à regarder la plaine immense éclairée par la lumière du soir. Holmes étira ses membres comme s'il s'installait pour une longue soirée de bavardage et de détente ; Henry, lui, aurait aimé avancer sa montre d'une heure afin de pouvoir s'excuser. La conversation entre eux restait décousue, dans la mesure où ils évitaient soigneusement les sujets qui pourraient les opposer, par exemple William, avec lequel Holmes s'était apparemment querellé, ou Mrs Holmes, qui se languissait à Boston, ou les romans de Henry sur lesquels Holmes, il le savait, avait son opinion. Les sujets dont ils pouvaient parler, les ragots sur l'Amérique privée et publique, le droit et la politique, furent bientôt épuisés. Henry s'aperçut qu'il avait posé trop de questions sur trop de vieux amis et que Holmes avait trop de fois répondu qu'il les voyait à peine et qu'il ne savait presque rien d'eux. Il soupçonnait – il le répéta plusieurs fois – que Henry en savait plus long sur leur compte que lui.

Le crépuscule se prolongeait et les deux hommes devenaient de plus en plus silencieux, jusqu'au moment où Henry eut le sentiment qu'ils ne trouveraient plus jamais quelque chose à se dire. Il déplaça son fauteuil de manière à pouvoir observer Holmes ; il lui apparut, là, dans la demi-clarté du soir, comme un type profondément satisfait, parfaitement à l'aise avec lui-même, et il éprouva un léger dégoût pour cette aura de complaisance débonnaire.

— C'est étrange comme le temps passe, dit Holmes.

— Oui, répliqua Henry en s'étirant à son tour. Avant je pensais qu'il passait plus lentement en Angleterre, mais j'y ai vécu assez longtemps pour savoir qu'il s'agit d'une illusion. Maintenant, pour voir le temps passer avec lenteur, je ne peux plus compter que sur l'Italie.

— Je pensais plutôt à cet été où nous étions tous réunis, dit Holmes.

— Oui. Un été glorieux. Héroïque.

Henry s'attendait à ce que Holmes réponde maintenant que le temps avait passé en un éclair, ou que cela lui semblait hier, et il s'interrogeait sur la manière dont il pourrait réagir à ces platitudes. Intérieurement il préparait déjà une missive à William, où il lui racontait que la conversation de Holmes laissait décidément à désirer.

— Je me souviens de chaque instant de ce mois d'été, dit Holmes. Mieux que je ne me souviens de la journée d'hier.

Tous deux observèrent un temps de silence ; Henry se demanda à quel moment il pourrait prendre congé sans paraître impoli. Holmes s'éclaircit la voix ; puis il retomba dans le silence. Il soupira.

— C'est comme si le temps avait passé à reculons pour moi, dit-il en se tournant vers Henry pour s'assurer qu'il l'écoutait. Une fois cet été passé, j'ai commencé à me le rappeler en détail, mais sur le moment, pendant ces longues journées, avec ces conversations et cette compagnie, tout était comme enveloppé dans un rideau. J'avais parfois l'impression d'être sous l'eau, de ne voir que le contour des choses, et j'essayais désespérément de remonter à la surface pour respirer. Je ne sais pas ce que la guerre m'a fait, sinon que j'ai survécu. Mais je sais maintenant que la peur et le choc et le courage ne sont que des mots ; ils ne nous disent pas que quand on en fait l'expérience jour après jour, on perd une partie de soi, qu'on ne récupère plus jamais. Après la guerre, j'étais diminué et je savais ceci : qu'une part de mon âme, de ma façon de vivre et de sentir était paralysée, mais laquelle ? Je n'aurais pas su le dire. Personne ne voyait ce qui se tramait, pas même moi la plupart du temps. Pendant tout cet été-là j'ai voulu changer, cesser de rester en retrait, en observation. J'avais envie de me joindre à vous, de faire partie du groupe, de boire la vie qui nous était offerte à ce moment-là, comme le faisaient ces merveilleuses sœurs. J'aurais voulu être en vie, tout comme je voudrais l'être maintenant, et le temps qui passe m'aide, il m'a aidé à vivre. Quand j'avais entre vingt et un et vingt-deux ans, les sentiments normaux se sont desséchés en moi et depuis lors j'essaie de compenser cela, et de vivre en même temps, vivre comme le font les autres.

Il y avait presque de la colère dans la voix de Holmes, étrangement basse et distante. Henry savait ce que devait lui coûter le fait de parler ainsi, et aussi que ce qu'il disait était vrai. Une fois de plus ils se turent, mais leur silence était rempli de regret et de reconnaissance de ce qui avait eu lieu.

Henry ne pensait pas pouvoir ajouter quoi que ce soit. Il n'avait pas de confession à faire. Sa guerre à lui avait été d'ordre privé, intérieure à sa famille et intérieure à lui-même, profondément. Elle ne pouvait être ni évoquée ni expliquée, mais elle l'avait laissé, lui aussi, dans la situation que venait de décrire Holmes. Il avait par moments la sensation de vivre comme si sa vie appartenait à quelqu'un d'autre, comme une histoire non encore écrite, un personnage non encore imaginé jusqu'au bout.

Il pensa que Holmes avait tout dit ; il était disposé à s'attarder un moment encore en hommage à sa franchise, à sa sincérité, le temps de laisser cette confession prendre sa juste place. Puis il comprit, à la manière dont Holmes lui faisait face et remplissait son verre de cognac comme si la soirée commençait à peine, que son invité avait encore des choses à lui dire. Il attendit ; lorsque Holmes reprit la parole, son ton avait changé. Il avait réendossé son rôle de juge, de personnage public, d'homme du monde.

— Tu sais, en fin de compte, ton *Portrait de femme* est un magnifique monument à sa mémoire, bien que la fin, eh bien, je dois avouer que je n'ai pas été très convaincu par la fin.

Henry ne détourna pas son regard de la nuit tombante ; il ne répondit pas. Il ne souhaitait pas discuter de la fin de son roman, néanmoins il était content que Holmes y eût enfin fait allusion, ce dont il s'était abstenu auparavant.

— Oui, reprit Holmes, elle était très noble et je pense que tu as restitué cela.

— Je pense que nous étions tous en adoration devant elle.

— Elle reste pour moi une référence. J'aimerais qu'elle soit encore là aujourd'hui pour lui demander ce qu'elle pensait de moi à l'époque.

— Bien sûr.

Holmes but une gorgée de cognac avant de reprendre.

— T'est-il jamais arrivé de regretter de ne pas l'avoir emmenée en Italie quand elle était malade ? Gray dit qu'elle te l'a demandé plusieurs fois.

— Je ne crois pas que « demander » soit le terme qui convienne. Elle était très malade à ce moment-là. Gray est mal informé.

— Gray dit qu'elle te l'a demandé, mais que tu ne lui as pas proposé ton aide et qu'un hiver à Rome aurait pu la sauver.

— Rien n'aurait pu la sauver.

Henry ressentait la détermination intense du ton de Holmes, sa cruauté lente ; il était en ce moment même, pensa-t-il, interrogé et jugé par son vieil ami sans aucune trace de sympathie ni d'affection.

— Quand elle n'a plus eu de nouvelles de toi, elle a tourné son visage vers le mur.

Holmes avait prononcé ces mots comme une réplique préméditée depuis un certain temps. Il s'éclaircit la voix et poursuivit :

— Quand elle a enfin compris que personne ne l'aiderait, elle a tourné son visage vers le mur. Elle était très seule à ce moment-là ; elle s'était raccrochée à cette idée. Tu étais son cousin, tu aurais pu voyager avec elle. Tu étais libre, tu étais même déjà à Rome. Cela ne t'aurait rien coûté.

Le temps que l'un ou l'autre reprenne la parole, la nuit était complètement tombée, et l'obscurité avait un aspect étrangement absolu, sinistre. Henry signifia au domestique qu'ils n'auraient pas besoin de lampe car ils s'apprêtaient à se retirer. Holmes sirotait son cognac, croisait et décroisait les jambes. Henry ne se rappelait plus comment il avait enfin réussi à aller se coucher.

Au matin, Henry se demandait encore à quel moment il aurait dû prendre la parole pour se défendre ou mettre un terme à la discussion. Il était évident que le sujet fermentait depuis des années dans l'esprit de Holmes ; il en avait discuté avec Gray, et les deux hommes de loi, tout à fait à l'aise quand il s'agissait d'accuser les autres, étaient arrivés à la même conclusion. À présent Holmes allait pouvoir raconter à Gray ce qui s'était dit.

151

Au petit déjeuner, Holmes se montra calme et résolu comme s'il avait rendu la veille au soir un jugement difficile, mais pondéré, et que l'estime qu'il se portait en sortait grandie. Il se proposa de revenir le week-end suivant et, tout en convenant avec lui des détails de cette visite, Henry réfléchissait à la manière dont il l'annulerait. Il ne souhaitait pas revoir Holmes avant très longtemps.

Au cours de la semaine qui suivit il travailla dur, bien que la douleur à la main fût par moments insupportable. Il évitait la terrasse et ne quittait son bureau que pour manger et dormir. Après quelques jours, il écrivit à Holmes qu'il travaillait comme un forcené pour respecter une date de remise et qu'il ne pourrait malheureusement pas le recevoir comme prévu à la fin de la semaine. Il espérait, ajoutait-il, le voir à Londres avant son retour aux États-Unis.

Pendant quelques jours ensuite, il se délecta de la solitude que lui avait gagnée sa lettre ; mais il ne pouvait s'empêcher de dérouler en pensée, encore et encore, sa conversation avec Holmes. Il commença intérieurement plusieurs lettres à son intention. Il trouvait l'accusation injuste et infondée, et il jugeait inqualifiable la froideur péremptoire avec laquelle Holmes s'était permis d'aborder le sujet.

Il ne savait rien de ce que sa cousine avait pu écrire à Gray au cours des derniers mois de sa maladie. Gray avait sûrement conservé les lettres de Minny, de la même manière que lui-même conservait dans son appartement londonien les lettres qu'elle lui avait expédiées l'année précédant sa mort. Elle ne l'accusait de rien dans ces missives, il en était certain, mais il voulait savoir quels termes elle avait choisis, tant d'années auparavant, pour formuler son désir de se rendre à Rome. Peu à peu, il cessa de travailler. Ses heures de veille étaient consumées par des souvenirs liés à ses premiers séjours en Angleterre et en

Italie, et à sa réception de ces lettres. Il s'imaginait rentrant chez lui – il savait parfaitement où elles étaient rangées – les dépliant, les relisant, et cette pensée l'occupait de façon si incessante qu'il comprit qu'il lui faudrait retourner à Londres. Tel un fantôme, il se glisserait dans son appartement de Kensington, il traverserait les pièces jusqu'à l'armoire où se trouvaient les lettres et il les lirait ; ensuite il retournerait à Rye.

Il attendit le train, plein d'appréhension à l'idée de croiser une connaissance qui l'obligerait à prétendre qu'une affaire pressante l'appelait à la capitale. Il appréhendait de parler tout court ; le simple fait de devoir signaler son départ aux domestiques, de s'adresser au chauffeur de taxi ou d'acheter son billet lui portait sur les nerfs. Il aurait aimé se rendre invisible pendant un jour ou deux. Il était conscient – et c'était cela qui l'oppressait le plus, à bord du train qui le rapprochait de Londres – de ce que les lettres pourraient fort bien ne rien lui révéler et accroître son incertitude. Après les avoir relues, il ne saurait peut-être rien de plus que maintenant.

En sortant de la gare, il mesura soudain combien sa vie était redevenue calme après le désastre de sa pièce. C'était la première fois depuis cet épisode que son équilibre chèrement atteint se voyait détruit. Il imagina qu'en ouvrant l'armoire qui contenait les messages de sa cousine, il verrait émerger une chose, une chose palpable ; il essaya de se convaincre qu'il s'agissait d'un fantasme délirant, d'un accès de fièvre, en vain.

Il trouva facilement les lettres et fut surpris de leur brièveté, de leur peu d'épaisseur, de la manière dont les plis du papier semblaient avoir corrodé l'encre des deux côtés de la feuille et rendu l'écriture partiellement illisible. Mais elles étaient de Minny, et elles étaient datées. Il se mit à lire en remuant les lèvres.

Vous allez me manquer, mon cher, mais je suis très heureuse de savoir que vous allez bien et que vous vous amusez. Si vous n'étiez pas mon cousin, je vous écrirais pour vous demander de m'épouser et de m'emmener avec vous, mais comme ce n'est pas possible, je vais devoir me consoler à la pensée que si ce l'était, vous n'accepteriez peut-être pas ma proposition.

Il lut un peu plus loin : « Si je devais, par n'importe quel moyen, passer l'hiver avec des amis à Rome, aurais-je la moindre chance de vous voir ? » Puis, dans une de ses dernières lettres : « Songez, mon ami, au plaisir que nous aurions ensemble à Rome. Cette simple idée me rend folle. Je donnerais tout pour un hiver en Italie. »

Il reposa les lettres et resta assis, la tête entre les mains. Il ne l'avait ni aidée ni encouragée ; et elle, de son côté, avait pris soin de ne jamais lui adresser une demande directe. Si elle avait insisté – il se força à formuler cette pensée jusqu'au bout –, il aurait pris ses distances ou il l'aurait activement empêchée de venir, selon ce qui se serait révélé nécessaire. Au cours de cette année-là, il avait réussi sa propre évasion, il avait rejoint le monde ancien et brillant qu'il convoitait. Il écrivait des histoires, s'emplissait de sensations et commençait lentement à comploter ses premiers romans. Il n'était plus un membre de la famille James ; il était seul, dans un climat chaud, avec une ambition claire et une imagination libre. Sa mère lui avait écrit de dépenser tout l'argent qu'il jugerait nécessaire pour festoyer à la table de la liberté. Il ne voulait pas de sa cousine invalide. Eût-elle même été en bonne santé, il n'était pas certain que sa compagnie fantasque, pleine de charme et de curiosité, aurait été la bienvenue. À cette époque il avait besoin d'observer la vie, ou d'imaginer le monde, par ses propres yeux. Si elle avait été là, il aurait tout vu à travers son regard à elle.

Il alla à la fenêtre et contempla la rue, en bas. Encore maintenant, il sentait qu'il avait été parfaitement dans son droit en la laissant derrière lui, en suivant le chemin de son talent, de sa propre nature. Cependant, les lettres de Minny le remplissaient de chagrin et de culpabilité, et aussi d'une sorte de honte en comprenant qu'elle avait dû parler aux autres, à Gray tout du moins, de son refus de la recevoir. La phrase de Holmes, « elle a tourné son visage vers le mur », résonnait en lui et luttait avec le sentiment de sa propre férocité, de son propre instinct de survie. Pour finir, quand il se tourna de nouveau vers la pièce ce fut pour faire face à une idée insupportable qui le cloua littéralement sur place – cette chose vivante, féroce et prédatrice lui murmurait qu'il préférait sa cousine morte plutôt que vivante, qu'il avait su quoi faire d'elle après que la vie lui eut été retirée, mais qu'il l'avait reniée quand elle avait doucement imploré son aide.

Il passa presque tout l'après-midi sur une chaise, à laisser ses pensées plonger, glisser et remonter à la surface, encore et encore. Il se demanda s'il pouvait brûler ces lettres. Il les mit provisoirement de côté, retourna à l'armoire où il les avait prises et fouilla les étagères jusqu'à découvrir le carnet rouge qu'il cherchait. Il savait que cela se trouvait dans les premières pages, qui dataient de quelques années déjà ; les grandes lignes étaient présentes à son esprit, mais pas les détails. Il rapporta le carnet dans le séjour, où la lumière était meilleure.

Pendant le temps écoulé depuis la visite de Holmes, et au milieu de l'agitation douloureuse qu'il éprouvait, il lui était revenu une image, celle de la lente agonie d'une jeune femme américaine, qu'il avait notée par écrit et qui commençait peu à peu à le captiver. Cette jeune femme, très riche, se tenait sur le seuil d'une vie aux possibilités apparemment infinies. Elle partait pour l'Europe, où elle vivrait passionnément et intensément, pendant un temps très court.

Il parcourut ses notes sur le personnage masculin : un jeune Anglais désargenté, intelligent, beau, amoureux d'une autre, mais dont la tâche devient de sauver la jeune Américaine, de l'aimer, de l'aider à vivre, alors même qu'il est engagé ailleurs, ce dont la mourante ignore tout. La fiancée du jeune homme, pauvre elle aussi, devient à son tour l'amie de l'Américaine.

En relisant ses notes, il fut horrifié par le cynisme de cette histoire. Le jeune homme feignant d'aimer l'Américaine et lorgnant sur sa fortune pendant que son véritable amour supervise la trahison en sachant que s'ils parviennent à s'emparer de l'argent, elle pourra l'épouser. Son histoire, pensa-t-il, était laide et vulgaire ; pourtant elle lui revenait avec beaucoup de force.

Il reprit les lettres une fois de plus, examina l'écriture propre et confiante de Minny – l'écriture de quelqu'un qui n'attendait que bonté de la part du monde. Il la voyait très distinctement : elle arrivait en Europe pour un dernier regard sur la vie. Il lui donnait de l'argent, en faisait une héritière ; il voyait aussi son héros, en partie plein d'amour et de pitié pour elle, en partie endurci, aux abois et prêt à trahir. L'histoire était vulgaire et laide uniquement si les motifs l'étaient, mais qu'en serait-il si on imaginait des motifs ambigus ? Henry se redressa soudain sur sa chaise. Il se leva, s'approcha de la fenêtre. Il venait d'apercevoir l'autre femme – une vision aiguë de son étrange neutralité morale –, ce qu'elle sacrifiait d'un côté en laissant la jeune mourante connaître l'amour, et ce qu'elle gagnait de l'autre, et le soin extrême qu'elle prenait, à sa manière pragmatique, de ne jamais permettre à ces deux éléments d'apparaître sur les plateaux opposés de la balance.

Il les tenait à présent, tous les trois. Il allait les tenir serrés, ne plus les lâcher, les laisser se bonifier avec le temps, devenir plus complexes, moins vulgaires, moins laids, plus riches, plus résonants, plus fidèles non pas à ce que la vie était, mais à ce qu'elle pourrait être. Il traversa encore une fois la pièce, ramassa les lettres et le carnet, les rapporta à l'armoire, les posa avec brusquerie sur une étagère et referma les portes. Il n'en aurait plus besoin. Il fallait juste se mettre au travail, appliquer son esprit. Il allait donc retourner à Rye et se tenir prêt, le moment venu, à explorer une fois de plus la vie et la mort de sa cousine Minny Temple.

6

Février 1897

Sa main n'allait pas mieux. Il en venait à la porter comme une chose étrangère qui lui aurait été confiée – importune, hostile et parfois même venimeuse. Il pouvait écrire le matin, mais à midi déjà la douleur était intense au niveau de l'os, des tendons, des muscles et des nerfs reliant son poignet à son petit doigt. Tant qu'il laissait sa main au repos il ne ressentait aucune gêne, mais le fait d'écrire désormais, surtout s'il s'arrêtait pour réfléchir un instant avant de se remettre au travail, était un supplice qui ne lui laissait pas d'autre choix que de poser son stylo.

Au comble de la frustration, il relisait alors ses dernières pages et les corrigeait intérieurement. Il se découvrit ainsi capable de continuer sur sa lancée, de poursuivre la narration sans effort, par phrases entières. Il ajoutait un point imaginaire et composait en esprit une nouvelle séquence, puis une autre. Il ne prononçait pas ses phrases à haute voix, ne les murmurait même pas ; elles s'imposaient d'elles-mêmes, et il n'avait aucune difficulté à se rappeler le contenu des précédentes. Mais quand il voulut écrire à William au sujet de ce phénomène, il s'aperçut qu'il ne le pouvait pas ; il n'avait, de fait, écrit aucune lettre sérieuse depuis longtemps, tant il veillait à préserver les forces de sa main droite pour le roman qui paraissait à cette époque-là sous forme de feuilleton et dont les chapitres, douleur ou pas, devaient être remis chaque mois dans les délais. Pendant les quelques heures de la matinée où il était en état de travailler, il se consacrait exclusivement à la fiction ; avec le temps, pourtant, même ces quelques heures d'écriture devinrent difficiles.

William, qui était un grand adepte des inventions modernes, lui avait parlé dans une lettre des avantages de la sténotype ; la dictée était bien plus rapide et plus commode que l'écriture, affirmait-il, et, à condition de savoir se concentrer, elle donnait des résultats incontestablement meilleurs. Henry était sceptique sur ce dernier point et s'inquiétait de la question du coût. De plus, il était jaloux de sa solitude et du contrôle absolu qu'il exerçait sur chaque mot tracé sur la page. Mais quand la douleur irradia son bras entier et qu'il en vint à devoir supporter jour après jour une matinée de torture pour maintenir le feuilleton en vie et fournir à l'imprimeur sa ration de pages fraîches, il comprit qu'il ne pourrait pas continuer. Il était à bout.

Il résolut alors de recourir à la sténotype pour la rédaction de son courrier, car il avait accumulé beaucoup de retard de ce côté-là. L'invasion de son intimité l'inquiétait, mais il se rassurait en pensant que rien dans sa correspondance n'était d'ordre strictement privé. Et s'il découvrait quoi que ce soit qui l'était, il l'effacerait sur-le-champ. Le sténotypiste qu'on lui recommanda était un Écossais du nom de William McAlpine, qui commença à se présenter à l'appartement tous les matins et qui se révéla à la fois rapide, fiable et compétent ; toutes qualités mineures, aux yeux de Henry, comparées à son silence, à son austérité implacable et à son manque d'intérêt apparent pour tout ce qui ne concernait pas sa tâche.

Henry dicta donc des lettres que McAlpine sténographiait consciencieusement sans jamais se départir de son air revêche et qu'il lui rapportait plus tard dactylographiées au propre. Henry prit très vite l'habitude de s'adresser directement à la machine ; il se demandait parfois qui, de McAlpine ou de sa sténotype flambant neuve, s'intéressait le plus à ses propos.

Sa main, annonça-t-il à ses amis, avait été reléguée à une obscurité incompétente et permanente. Son sténotypiste devint peu à peu aussi omniprésent et étrangement transparent que l'air lui-même, surtout à partir du jour où Henry découvrit que la pratique de la dictée convenait à la fiction autant, sinon plus, qu'à l'art épistolaire. Ayant aussi moins mal à la main, il se mit à rédiger lui-même une partie de sa correspondance le soir après le départ de MacAlpine, et à réserver la machine et son maître silencieux pour la création littéraire, qui avait lieu pendant le jour.

Il avait veillé à ne pas trop ébruiter sa nouvelle méthode, mais il regretta bientôt d'en avoir parlé à quiconque ; ceux qui savaient qu'il dictait désormais ses mots à une machine, transformant ainsi l'art littéraire en entreprise industrielle, émirent aussitôt de sombres pronostics quant à son avenir d'écrivain. Il leur assura qu'on pouvait lui faire confiance, que son style ne serait jamais simplifié ou frelaté par quelque raccourci ou facilité que ce soit, et que son commerce avec la muse avait, tout au contraire, tiré profit de l'arrivée de la machine et de l'Écossais.

Il adorait marcher de long en large dans son bureau, commencer une phrase, la laisser onduler un moment, l'interrompre par une incise, une courte pause, avant de la laisser galoper vers une conclusion élégante. Il anticipait avec plaisir le moment de se mettre au travail chaque matin, avec son Écossais ponctuel qui ne se plaignait jamais et paraissait tout à fait indifférent, comme si les mots prononcés par le romancier égalaient, en intérêt et en importance, ceux de son précédent employeur dans le secteur commercial.

Henry avait le sentiment que toute sa vie professionnelle n'avait été qu'une longue préparation à cette liberté bruyante ; après quelques mois il eut la certitude qu'il ne serait plus capable de revenir au stylo et au papier, à la solitude non mécanique. Où qu'il aille, il faudrait que l'Écossais l'accompagne, flanqué de l'encombrante machine à écrire qui avait entre-temps remplacé la sténotype. Il faudrait transporter la machine et nourrir l'Écossais. Ainsi, tout déplacement entraînerait souci et dépense. Les bateaux, les trains, les hôtels – toute cette existence-là était pour lui révolue. L'appel d'autres climats et de villes prestigieuses avait été supplanté par le cliquetis consciencieux de la Remington et le son de sa propre voix.

Pendant toutes ces années, dans ses livres, il avait exploré en si grand détail le thème des maisons que son ami l'architecte Edward Warren proposa de lui dessiner Gardencourt, Poynton, Easthead ou Bounds – ces demeures qu'il avait décrites pièce par pièce, en les remplissant d'une atmosphère précieuse, d'objets rares et de tapisseries anciennes. On pouvait, disait Warren, imaginer une édition spéciale, architecturale, de ses romans. À chacune de ses visites chez Warren, Henry examinait tout particulièrement un dessin de son ami, qui représentait le pavillon d'été de Lamb House, à Rye, vu depuis la rue, et il en admirait l'essence purement anglaise de vieille brique et de confort patiné.

Henry rêvait d'avoir une maison à lui en dehors de Londres ; il s'imaginait installé le soir près d'une lampe diffusant une chaude lumière dorée entre des murs anciens couverts de boiseries, une pièce au plancher verni, sombre, jonché de tapis, avec une flambée dans la cheminée, le crépitement des bûches, de lourds rideaux tirés, la journée de travail accomplie et aucune obligation sociale en perspective.

L'été venu, il alla passer du temps dans les villages côtiers du Suffolk, dont les noms – Great Yarmouth, Blundeston, Saxmundham, Dunwich – évocateurs d'un héritage

161

noueux, d'une histoire immémoriale, lui plaisaient infiniment. Il pensait qu'un cottage en pierre, une construction simple, étroitement reliée à ce paysage et à ce monde maritime, serait parfait pour lui. Tout en procédant ainsi d'un village à un autre, toujours suivi par son dactylo et sa machine, en logeant tour à tour dans de méchantes pensions et de grands hôtels, il espérait bien que ce serait le dernier de ses étés incohérents ; mais il savait aussi que cette vie de bric et de broc, cette vie nomade, déracinée, intolérable, resterait son lot jusqu'au jour où il parviendrait à mettre la main sur un merveilleux refuge rien qu'à lui, et qu'il convoitait, avec le temps, de plus en plus.

Il s'adressait aux gens qu'il croisait dans ces villages du Suffolk, leur expliquait ses besoins et ses désirs et leur laissait avant de partir son adresse londonienne en gage de sérieux et de détermination. À quelques reprises, il fut encouragé à jeter un coup d'œil à une propriété, mais rien de ce qu'il vit n'avait de commune mesure avec son rêve ; ces maisons innocentes lui paraissaient hideuses sans exception, car il voyait bien qu'elles n'étaient disponibles pour lui que dans la mesure où personne d'autre n'en voulait.

À Rye, il s'était lié avec le maréchal-ferrant, qui avait aussi le titre de quincaillier, et qui passait beaucoup de temps sur le pas de sa porte à l'affût de nouvelles têtes susceptibles d'avoir envie de bavarder. Henry s'était arrêté un jour devant la boutique de Mr Milson, qui ne manquait jamais depuis lors de le saluer et de l'appeler Mr James – l'écrivain américain qu'on voyait se promener dans les rues de Rye et qui en venait lentement à admirer le bourg et à l'aimer. À sa deuxième ou troisième conversation avec Mr Milson, pendant qu'il résidait encore à Point Hill, Henry lui dit qu'il envisageait de s'établir dans la région, voire à Rye même. Comme Mr Milson adorait bavarder, que les sujets littéraires ne l'intéressaient pas, qu'il n'était jamais allé en Amérique, qu'il ne connaissait guère d'Américains à part Mr James, et que Henry de son côté n'avait que des notions rudimentaires de quincaillerie, les deux hommes parlèrent maisons : celles qui avaient été à louer dans le passé, celles qui avaient été proposées à la vente, ou vendues, ou retirées du marché, et les autres, les plus convoitées, qui n'avaient jamais été achetées, vendues ni louées de mémoire d'homme. À chacune de ces entrevues, une fois le sujet lancé, Mr Milson allait chercher la carte portant l'adresse londonienne de Henry. Il ne l'avait pas égarée, expliquait-il, il n'avait pas oublié sa demande ; puis, sur un ton enjôleur, il lui décrivait une superbe vieille demeure, comme faite pour un célibataire, disait-il, avant d'ajouter en soupirant que le propriétaire y était malheureusement très attaché et qu'il n'y renoncerait sans doute pas de son vivant.

Henry considérait ses conversations avec Mr Milson comme un jeu, au même titre que ses échanges avec les pêcheurs sur le thème de la mer ou avec les fermiers sur celui des récoltes : c'était une détente polie, une façon de s'imprégner de l'Angleterre, d'en extraire la saveur sous forme d'expressions imagées, de tours de phrase et de références locales. Ainsi, en recevant un jour une lettre à Londres – même après avoir vu que la calligraphie sur l'enveloppe n'était pas celle d'un habitué de la correspondance et que l'expéditeur était un certain Milson –, Henry eut du mal à en saisir la provenance. Il dut la relire pour identifier enfin son auteur et alors seulement, comme si on l'avait frappé au ventre, il comprit ce que disait cette lettre. Lamb House était libre, lui écrivait Milson. On pouvait l'avoir. La première pensée de Henry fut qu'elle lui échapperait – il ne la voyait que trop bien, la maison tranquille en haut de la colline pavée, dont Edward Warren avait dessiné le pavillon d'été avec amour, la maison à laquelle il avait jeté des regards de convoitise intense à chacun de ses passages à Rye, une maison à la fois modeste et superbe, à la fois centrale et préservée, le genre même de maison qui semblait appartenir avec tant de naturel aux autres, pour leur confort et leur plaisir. Il examina le cachet de la poste. Son quincailler avait-il claironné partout la nouvelle ? Lamb House était la maison qu'il aimait et convoitait entre toutes. Rien ne lui était jamais venu ainsi, avec cette simplicité presque magique. Il restait convaincu qu'elle lui échapperait, quoi qu'il fasse. En attendant, il n'y avait pas à réfléchir : il fallait se précipiter à Rye, pour s'assurer au moins qu'il ne serait pas lui-même responsable, par sa négligence, de la décision du propriétaire de ne pas le choisir comme nouvel occupant de Lamb House.

Avant de partir, il écrivit à Edward Warren en l'implorant de venir à Rye dès qu'il le pourrait, afin d'inspecter la demeure qu'il avait tant admirée de l'extérieur. Mais il ne pouvait pas attendre Warren, et encore moins travailler ; dans le train qui l'emmenait vers la côte, il se demanda si un observateur aurait pu se douter, à le voir, combien ce voyage revêtait pour lui un caractère décisif, exaltant et potentiellement catastrophique. Bien sûr, ce n'était qu'une maison ; d'autres en achetaient, en vendaient, et déménageaient leurs affaires avec une facilité déconcertante. Il pensa soudain que personne en dehors de lui ne pouvait comprendre l'enjeu. Il vivait depuis tant d'années sans pays, sans famille, sans rien qui fût à lui à l'exception d'un appartement à Londres, qui lui servait de lieu de travail. Il lui manquait la coquille dont il avait pourtant si grand besoin, et cette exposition continuelle, au fil des ans, l'avait laissé nerveux, épuisé et plein d'appréhension. Comme si son existence manquait d'une façade, d'une étendue de mur capable de le protéger contre l'extérieur. Lamb House lui offrirait de vieilles fenêtres magnifiques d'où observer le monde ; le monde, en revanche, ne pourrait jeter un coup d'œil à l'intérieur que sur son invitation.

Il rêvait maintenant de recevoir, de devenir un hôte pour ses amis et les membres de sa famille ; il rêvait de décorer sa maison, d'acheter ses propres meubles, d'avoir enfin dans ses jours une certitude et une continuité.

Dès qu'il eut franchi le seuil, il respira un air de sombre confort. Les pièces du rez-de-chaussée étaient petites et intimes, celles du premier étage vastes et lumineuses. Certaines boiseries en chêne avaient été recouvertes de papier peint moderne, mais on pouvait, lui assura-t-on, les récupérer sans peine. Deux pièces ouvraient sur le jardin, qui était bien entretenu et planté avec goût, quoiqu'un peu trop grand pour ses besoins personnels. La chambre d'amis, qui avait autrefois accueilli George Ier, conviendrait parfaitement, pensa-t-il, à ses propres invités. Pendant qu'il déambulait ainsi, ouvrant lui-même certaines portes, attendant qu'on lui en ouvre d'autres, il garda le silence de peur de trahir son enthousiasme et que celui-ci à son tour ne fasse aussitôt surgir un candidat mieux placé, qui lui ordonnerait de déguerpir.

Néanmoins, en traversant le jardin et en entrant dans le pavillon dont la grande baie vitrée surplombait la colline, quand il entrevit de quelle manière il utiliserait cette pièce, comment il viendrait y travailler chaque jour, à la belle saison, en profitant de sa beauté spacieuse et de sa luminosité exceptionnelle, il ne put réprimer un soupir. Il atteignit le summum du ravissement quand il se retourna pour quitter le pavillon et qu'il se retrouva face au jardin, avec son mur croulant sous les plantes grimpantes, son mur de brique roussie par l'âge et les intempéries, devant lequel un vieux mûrier dispensait son ombre. Le fait d'arpenter ainsi la maison et le jardin lui donnait la sensation de parcourir un contrat de bail ; plus il couvrait de terrain, plus il avait la conviction d'approcher du moment où il pourrait apposer sa signature au bas de la dernière page et faire valoir son droit.

Le propriétaire, averti du nom et de la qualité du preneur potentiel, accepta très vite de signer un bail de vingt et un ans à des conditions favorables. Warren soumit la maison à un examen professionnel et dressa la liste des aménagements qui pourraient être réalisés sans peine au cours de l'hiver afin de la rendre habitable au printemps. Par l'entremise de McAlpine, Henry écrivit à certains amis ainsi qu'à sa belle-sœur pour leur annoncer qu'il avait une nouvelle maison. Il précisa les conditions du bail – soixante-dix livres par an – à la main, le soir, après le départ de McAlpine.

Au cours des mois qui suivirent, étrangement, il éprouva surtout de la peur, comme s'il s'était embarqué dans quelque périlleuse spéculation financière où il risquait de perdre tout ce qu'il possédait. Il devait faire face à de multiples questions d'organisation : embaucher du personnel, s'occuper de l'achat des meubles et des équipements ménagers, décider s'il devait sous-louer son appartement londonien ou le conserver comme pied-à-terre. Et maintenant qu'il avait pris ces coûteux engagements, il fallait que les rentrées suivent. Cependant ce n'était pas cela qui le remplissait d'un pressentiment innommable. Il mit des semaines à le cerner, puis en un éclair, il comprit : en montant au premier étage de Lamb House, et en entrant dans la chambre où il dormirait, il avait eu la certitude d'entrer dans la chambre de sa mort. Le terme du bail – vingt et un ans – le conduirait jusqu'à la tombe. Cette maison avait vu passer des hommes et des femmes pendant presque trois cents ans ; elle l'invitait maintenant à goûter brièvement son charme, elle l'attirait entre ses murs et lui offrait son hospitalité provisoire. Elle l'accueillerait, puis elle le rejetterait, comme elle l'avait fait pour les autres. Il s'aliterait dans une de ces chambres ; son corps froid reposerait dans cette maison. Cette pensée le glaçait et le réconfortait en même temps. Il avait accompli ce voyage sans hésiter pour découvrir le lieu de sa mort et lui retirer ainsi une partie de son mystère, une de ses dimensions inconnues. Mais il avait aussi l'intention d'y vivre, d'y connaître de longues journées de travail et de longues soirées au coin du feu. Il avait trouvé sa maison, lui qui avait erré avec tant d'inquiétude, et il lui tardait de sentir sa présence enveloppante, sa familiarité et sa beauté.

Il se ragaillardit, au cours de l'hiver et du printemps, en s'attelant aux questions pratiques. Lorsque Howells vint à Londres, ils passèrent une matinée ensemble – le brouillard, dehors, était compact – à discuter, entre autres, du marché américain pour la nouvelle et la parution en feuilleton. La visite de Howells, ses avis pondérés et son intervention auprès des éditeurs après son retour aux États-Unis, débouchant sur des contrats et des sollicitations diverses, contribuèrent pour Henry à la magie de cet hiver-là.

Lentement, tout se mettait en place. Lady Wolseley, ayant eu vent de la nouvelle acquisition de Henry, insista beaucoup pour la voir et pour lui prodiguer ses conseils. C'était une collectionneuse insatiable et avisée ; ses goûts étaient pragmatiques et elle ne dédaignait ni les petits meubles ni les espaces intimes. Elle connaissait bien les antiquaires et elle avait su, au fil des ans, écarter les pires et inspirer aux meilleurs crainte et respect. Elle avait aussi lu *Les Dépouilles de Poynton* – qui était paru sous forme de feuilleton en Amérique et qu'elle s'était fait expédier de là-bas –, et elle croyait dur comme fer que Mrs Gareth, le personnage de la veuve prête à sacrifier sa vie pour les trésors patiemment amassés de Poynton, s'inspirait d'elle.

— Pas par l'avidité, disait-elle, ni par la bêtise, ni par le veuvage. Je n'ai jamais eu de goût pour le veuvage. Mais le regard, le regard auquel rien n'échappe, qui décèlera toujours le fauteuil reine Anne, ou la tapisserie défraîchie cachée dans un coin, ou le tableau qu'on a acheté pour le cadre.

Elle partait du principe que Henry n'avait pas d'argent et que son goût était identique au sien ; elle prit le temps de se familiariser avec la nouvelle maison et d'identifier dans les moindres détails ce qui serait nécessaire dans chaque pièce. Pour elle, Lamb House était la maison idéale. Elle aurait aimé pouvoir l'emporter chez elle, mais comme elle ne le pouvait pas, elle se consolait en emmenant Henry faire le tour des marchands londoniens et en lui faisant découvrir les recoins et les allées dérobées de cet univers. Il apprit avec surprise que l'essentiel des trouvailles qu'elle avait accumulées pour son propre compte avait été acquis pendant les années où son mari et elle n'avaient pas encore hérité et se débrouillaient avec son salaire à lui et sa petite rente à elle. Son regard, lui confia-t-elle, avait été aiguisé par la pénurie.

À mesure que les jours raccourcissaient, il prit l'habitude de parcourir la ville avec elle, de pousser la porte de magasins obscurs où officiaient des professionnels vigilants, qui étaient presque toujours de vieilles connaissances de Lady Wolseley ; certains se rappelaient encore tel achat qu'elle avait fait il y a fort longtemps, telle affaire mémorable, ou encore certains objets qu'elle avait tenu à acquérir et qui paraissaient à l'époque excentriques, comme une émanation de sa propre personnalité têtue. Cet aspect de Londres, avec ses magasins, ses rues animées, sa vie sociale riche, pressée, intense, était un monde qu'il commençait déjà à regretter, tout en préparant sa retraite dans la sécurité et la solitude de la vie provinciale. Il aimait la lumière de fin d'après-midi, la morsure du froid, et il avait beau protester, il aimait aussi la perspective de la soirée qui s'annonçait. Dans les rues où il suivait son avide conseillère, il portait sur la ville un regard plein de tendresse, et ensuite, dans les entrepôts où il se laissait guider par ces antiquaires qui avaient tous l'air d'incarner l'essence même du savoir-vivre et de la discrétion – au point qu'on aurait cru que c'était cela qu'ils vendaient, et non de simples objets –, il imaginait sa nouvelle existence, ses nouveaux meubles, ses murs repeints à neuf ou ses boiseries décapées, et il se sentait soudain étrangement léger, heureux de n'être qu'à mi-chemin de son but, et que Lamb House, à Rye, appartînt encore au domaine de l'imaginaire.

Depuis l'élévation de Lord Wolseley à la position de commandant en chef des forces de Sa Majesté, et depuis leur retour triomphal d'Irlande, Lady Wolseley était devenue plus impérieuse avec Henry, ce qui ne l'empêchait pas de se montrer douce pendant leurs excursions, et polie avec les marchands. Il ne l'avait jamais connue discrète, mais dans les boutiques poussiéreuses où elle examinait les dernières livraisons ou demandait à voir des cartes anciennes, sa dernière obsession, elle était modeste et réservée, et cela de plus en plus à mesure que l'hiver avançait. Ce qui ne l'empêchait pas de rester très ferme quant à ce qui méritait ou non d'être acheté, et elle avait en tête une image précise de chaque recoin de Lamb House. Il devait sans cesse lutter contre son enthousiasme et son impatience, et à quelques reprises il dut veiller à taire son désir d'un objet qu'elle avait rejeté d'un revers de main.

Lady Wolseley lui offrait un guide secret des réserves londoniennes, où il n'avait qu'à se servir pour meubler Lamb House ; elle lui offrait aussi la ville dans sa version la plus dense, la plus vibrante. Chaque objet qu'il manipulait possédait une histoire extraordinaire qui ne serait jamais dévoilée, et qui évoquait pour lui l'Angleterre dans toute sa richesse et sa détermination anciennes.

Au cours de ces mois d'hiver, il travailla dur à des articles et des nouvelles ; mais certains jours, après avoir rempli son contrat intérieur, rédigé son nombre alloué de mots et occupé son Écossais toute la matinée, il décidait soudain de retourner chez les marchands, de se mêler une fois de plus à la poussière et aux objets, au désordre des héritages bradés, de flâner d'une boutique à l'autre en repérant distraitement un cadre, ou un fauteuil, ou une ménagère, sans rien acheter, attendant un moment où il serait d'humeur plus décidée, ou accompagné par Lady Wolseley.

Un après-midi entre quatre et cinq, à l'heure où la lumière se faisait indécise, il se retrouva chez un antiquaire de Bloomsbury où il ne s'était rendu qu'une fois avec Lady Wolseley. Il se souvenait de lui à cause de ses yeux extraordinaires, qui avaient exercé une pression subtile, une sorte de mainmise silencieuse sur Lady Wolseley et son compagnon, et fait planer sur leur visite une ombre de solennité. Henry se rappelait ses doigts minces aux ongles soignés, qui effleuraient par intermittence les objets posés sur le comptoir d'un geste rapide, nerveux, tendre. Il avait pris note de l'intense résistance de Lady Wolseley à acheter quoi que ce soit, bien qu'il leur eût montré quelques pièces parfaites, parmi lesquelles une tapisserie française, petite mais superbe, et un brocart de velours ancien dont Lady Wolseley et le marchand avaient décrété d'un commun accord qu'on n'en trouvait pratiquement plus la pareille. Elle n'avait rien acheté, mais elle avait examiné certains objets si longuement que le regard patient du propriétaire des lieux s'était teinté d'ironie. Une fois dehors, elle avait déclaré à Henry qu'il pratiquait des prix trop élevés – alors même que la question financière avait à peine été évoquée – et qu'il ne devait plus être encouragé, à son avis.

Henry songeait depuis quelque temps à acheter un objet inutile, cher, voire beaucoup trop cher, qui aurait captivé son regard et qu'il souhaiterait avoir près de lui parce qu'il aurait une signification indépendante de sa valeur marchande. Cette tapisserie française était une possibilité ; la scène qu'elle représentait s'inspirait des maîtres italiens, Fra Angelico ou Masaccio, et les fils roses avaient

170

conservé leur ton d'origine. Il songea à aller la regarder une nouvelle fois, à en reparler avec le marchand ; peut-être prendrait-il la décision de l'acheter sans consulter Lady Wolseley qui, il le savait, ne changeait jamais d'avis.

Trouvant la porte ouverte, il entra dans le magasin et la referma discrètement derrière lui. Le fait de permettre aux clients d'entrer ainsi lui paraissait révélateur du tact étrange de cet homme. La boutique paraissait étroite et encombrée à première vue, mais Henry se rappelait qu'on accédait par quelques marches à un autre espace, qui ouvrait à son tour sur un entrepôt avec grenier. Il flâna un moment en attendant que le propriétaire des lieux se manifeste, puis il se mit à examiner une tasse à thé, qui était peut-être un sèvres. Après avoir considéré distraitement quelques autres objets, il s'enfonça dans le magasin jusqu'à avoir une bonne vue de l'espace en contrebas. Il aperçut un homme et une femme penchés au-dessus d'une chaise longue, en train de discuter apparemment de l'étoffe qui la recouvrait et d'en évaluer la résistance. Il reconnut Lady Wolseley et le marchand. L'espace d'une seconde il se fit l'effet d'un intrus ; il recula dans l'ombre et attendit. Il n'avait pas imaginé qu'il trouverait Lady Wolseley ici ; il valait peut-être mieux la laisser tranquille. C'était son territoire, après tout, et il ne lui avait pas demandé la per-mission d'y venir sans elle. Le plus convenable, lui sem-blait-il, était de se retirer immédiatement et en silence.

Au même instant un autre client fit une entrée bruyante dans le magasin. C'était un monsieur bien habillé, entre quarante et cinquante ans, qui eut autant de difficulté à refermer la porte qu'il en avait eu à l'ouvrir. Le marchand, alerté, gravit les quelques marches et parut saisir tout de suite que les deux visiteurs étaient arrivés séparément et n'avaient pas de lien entre eux. D'abord pris au dépourvu, il masqua sa surprise sous un sourire d'heureuse recon-naissance destiné à Henry et un autre, plus réservé, à l'intention du deuxième arrivant. Il produisit sur Henry une impression différente de la première fois : plus habile, plus étranger aussi, d'une intelligence plus profonde et d'une finesse de traits plus accusée ; ses yeux sombres brillaient d'un éclat chaleureux et pénétrant. Il ignorait à l'évidence que Henry avait déjà aperçu Lady Wolseley, et Henry le vit s'interroger, sans cesser de sourire un instant, sur la conduite à tenir. Puis il pria Henry de patienter quelques secondes et redescendit les marches. Henry entendit un échange de murmures en contrebas, pendant que l'autre client s'emparait pour l'examiner d'une clochette en argent au manche de bois sculpté. Henry attendait l'apparition de Lady Wolseley en se demandant ce qu'il pourrait bien trouver à lui dire, dans son rôle d'intrus.

L'antiquaire revint vers lui, et Henry nota tout de suite une ombre de souci sur son visage. Il fut rejoint une seconde plus tard par Lady Wolseley dans sa version la plus impériale et, pensa Henry malgré lui, la plus bruyante.

— J'ignorais que vous vous aventuriez dehors tout seul, lança-t-elle. Êtes-vous perdu ?

Elle lui décocha un sourire scintillant, suivi d'un rire bref.

Il s'inclina. En se redressant, il comprit en une fraction de seconde que l'autre client n'était pas un inconnu pour Lady Wolseley. Ils venaient d'échanger un coup d'œil pressant, presque alarmé. Le marchand et elle paraissaient tous deux anxieux.

— La plupart des objets qu'on trouve ici, ajouta-t-elle, sont au-dessus de vos moyens de toute façon.

L'un et l'autre perçurent immédiatement la brusquerie excessive de cette remarque, entendue comme une plaisanterie.

— Un pauvre homme a toujours ses yeux pour regarder, objecta-t-il en s'interrogeant sur la manière dont elle allait sauver la situation.

— Venez, dans ce cas, dit-elle. Je vais vous montrer quelque chose.

Elle l'entraîna en bas des marches et ordonna qu'on apporte une lampe. Il comprit qu'il s'agissait d'un signal destiné à l'autre homme et il ne fut pas surpris d'entendre la porte du magasin se refermer une fois de plus. Pendant que Lady Wolseley faisait poser la lampe sur un secrétaire italien, il se demanda qui était cet homme, pourquoi ils n'avaient pas été présentés, pourquoi la tension avait été si palpable et, compte tenu de la considérable expérience sociale de Lady Wolseley, si mal détournée. Lady Wolseley avait-elle été sur le point de se compromettre dans un magasin londonien, par un après-midi d'hiver ordinaire ? Et quelle forme pouvait bien prendre une telle compromission ? À quel titre le marchand était-il impliqué ? Pendant ce temps, Lady Wolseley et ce dernier rivalisaient de louanges sur les vertus et les beautés du secrétaire ; Lady Wolseley renchérissait sur chaque phrase prononcée par le marchand, en répétait même certaines pour mieux les souligner, et affirma à sa suite qu'il était tout à fait impossible d'évoquer un prix, que ce serait une cause de choc ou de scandale, qu'il valait mieux en tout état de cause que ce prix reste ignoré du visiteur qui avait le goût du beau mais peu de moyens.

Pendant qu'ils péroraient ainsi, et ensuite, après que le marchand se fut retranché dans le silence et que la conversation continua à être assurée par la seule Lady Wolseley, Henry fut certain d'avoir parfaitement saisi la scène dont il venait d'être témoin, mais pas son sens. Lady Wolseley était convenue de retrouver un homme à cet endroit ; mais en soi cela ne signifiait rien, puisqu'elle se déplaçait librement dans la ville, la meilleure preuve en étant sa façon d'entraîner Henry dans les magasins sans la moindre hésitation. La tension avait surgi de son refus de saluer cet homme ou de faire les présentations. Henry ne voyait pas quel sens donner à ce refus ; elle aurait dû ou bien l'ignorer complètement, ou bien admettre avec légèreté qu'elle le connaissait. La conversation, qui avait entre-temps repris entre Lady Wolseley et l'antiquaire, donnait l'impression de faire surgir des silences et de les remplir bruyamment. Il comprit qu'il avait été témoin d'un étrange moment londonien dont la quintessence lui demeurerait cachée, quelle que soit la durée de ses ruminations à son sujet, ou de leur station embarrassée à trois autour du secrétaire.

En remontant vers l'entrée du magasin, son regard fut arrêté par la tapisserie qui avait changé de place depuis sa dernière visite. Elle lui parut encore plus belle. Ses compagnons s'étaient immobilisés derrière lui. Il pensa qu'ils ne pourraient que remarquer eux aussi la pureté et la délicatesse de la couleur, le contraste entre les fils éclatants et les autres, et la matière même de cette tapisserie, évocatrice pour lui d'un royaume depuis longtemps disparu.

— Dix-huitième siècle ? risqua-t-il.

— Regardez-la de plus près et vous devinerez peut-être, répliqua Lady Wolseley.

Il regarda à nouveau la tapisserie pendant que le marchand approchait la lampe.

— Vous plaît-elle ? demanda Henry à Lady Wolseley en se demandant si elle se rappelait l'avoir vue lors de leur précédente visite.

— Je ne pense pas que « plaire » soit le terme qui convienne. Elle a des défauts. Elle a été restaurée. Une partie du travail est récent, ne le voyez-vous pas ?

Il s'approcha, examina les fils roses et jaunes qui paraissaient à ses yeux anciens, malgré leur contraste avec le reste du travail.

— Ça a été fait exprès pour nous duper, déclara Lady Wolseley.

— Elle est très belle, dit Henry comme s'il se parlait à lui-même.

— Si vous êtes incapable de voir ce travail de restauration dans toute sa vulgarité, c'est que vous avez encore plus besoin de moi que vous ne l'imaginez. Vous ne devez sous aucun prétexte vous aventurer à nouveau seul dehors.

Il résolut intérieurement d'acheter la tapisserie dès que se serait écoulé un laps de temps convenable.

Il allait perdre Londres ; il posa sa candidature au Reform Club, s'inscrivit dans la longue file d'attente en sachant que de nombreuses années et beaucoup de contrition seraient nécessaires avant que son nom apparaisse en haut de la liste. Il se plaisait à imaginer une vie londonienne dans le confort du Reform Club, les prévenances du personnel et la vaste cité à sa disposition. Il avait, songeait-il, connu Londres toute sa vie, y ayant séjourné pour la première fois à l'âge de six mois, lors d'une des premières expéditions de son père en quête d'éternelle sagesse, de satisfaction temporelle et d'autre chose encore, de sublime et d'innommable, qui lui échapperait toujours.

Il savait, pour avoir entendu sa tante Kate le répéter à de multiples reprises pendant son adolescence, qu'ils louaient à l'époque une petite maison près du grand parc de Windsor, et qu'ils étaient une famille très chanceuse d'avoir d'une part ces deux garçons débordants de santé dont les frasques quotidiennes maintenaient leurs parents et leur tante dans un état d'affolement permanent, et d'autre part assez d'argent pour que Henry senior ait la possibilité de s'adonner à ses passions personnelles au milieu des plus célèbres esprits de son temps, de rechercher la vérité et, si celle-ci ne pouvait être atteinte, de rendre la recherche elle-même mémorable, sérieuse et digne d'intérêt. Henry senior s'intéressait à la bonté, au grand et bon projet que Dieu avait conçu pour l'homme ; chacun d'entre nous, d'après lui, devait apprendre à déchiffrer ce projet et à vivre ensuite en fonction de sa découverte. Sa tâche à lui, en lisant, en écrivant, en parlant et en élevant ses enfants, était de réconcilier la nouveauté et la bonté essentielles de l'être humain individuel avec l'obscurité qui l'entourait de toutes parts et qui le menaçait également de l'intérieur.

Pendant cette période où Henry se préparait à quitter Londres, Edmund Gosse devint un visiteur assidu, qui s'assurait toujours qu'il ne le dérangeait pas ou qu'il ne s'attardait pas trop longtemps. Il avait lu l'un des rares exemplaires des écrits de Henry James senior qui eût traversé l'Atlantique, et il avait commencé à s'intéresser, pour des raisons personnelles, à l'enfance, à la petite enfance en particulier, dont les expériences, à en croire une série de conférences auxquelles il avait assisté, avaient une influence bien plus importante sur le comportement qu'on ne le pensait auparavant. Il était fasciné par le compte-rendu que faisait le père de Henry d'une expérience cruciale pour lui, survenue dans cette maison louée par la famille près du grand parc de Windsor.

Dans les écrits du père, l'épisode était décrit comme un moment de révélation et d'exaltation ; lui-même y faisait souvent référence dans la conversation, et Henry se rappelait que chaque fois le visage de sa mère s'assombrissait. Sa tante Kate se rembrunissait aussi, pourtant c'était elle qui avait raconté l'histoire à Henry, pas une fois mais plusieurs, apparemment satisfaite de disposer d'un public aussi attentif.

Gosse ignorait que Henry fût déjà né au moment de cet événement. Il lui en avait parlé simplement pour demander si, dans son souvenir, le comportement paternel en avait gardé des traces. Mais en apprenant que Henry avait été présent, il le supplia sur un ton bas et pressant de tout lui dire, tout ce qu'il savait, en lui promettant que ce ne serait jamais publié ni répété. Henry lui objecta qu'il était un tout jeune enfant, qu'il n'avait aucun souvenir de la scène, et que son père avait tout raconté dans son livre.

— Mais la famille a bien dû en parler, insista Gosse.

— Oui. Ma tante Kate m'en a parlé, mais le sujet ne plaisait pas du tout à ma mère.

— Ta tante Kate était-elle présente au moment des faits ?

Henry hocha la tête.

— Que t'a-t-elle raconté ?

— C'était une grande conteuse. On ne peut pas être sûr de sa véracité.

— Mais tu dois me le dire !

Henry essaya de restituer à Gosse la version de sa tante. C'était un après-midi à la fin du printemps – elle commençait toujours ainsi –, il faisait déjà chaud pour la saison et il y avait beaucoup de lumière ; après déjeuner, alors qu'ils avaient tous quitté la table, son beau-frère était resté seul assis, absorbé dans ses pensées, comme d'habitude. Souvent, disait-elle, il se levait en aveugle pour chercher du papier et un stylo et commençait à écrire de façon obsessionnelle, en froissant certaines pages après les avoir relues et en les jetant à l'autre bout de la pièce avec une sorte de rage. Souvent, il se levait pour aller chercher un livre, beaucoup trop vite, en traînant sa jambe de bois comme un fardeau. Il pouvait être très affecté par ce qu'il lisait. Il y avait une lutte en lui – tante Kate employait toujours cette formule – entre sa propre douceur et la lourde main puritaine de son père, le vieux William James d'Albany, posée sur son épaule. Partout où il allait, disait-elle, Henry James senior voyait l'amour et la beauté du projet de Dieu, mais le vieil enseignement puritain ne lui permettait pas d'en croire ses yeux. Chaque jour, en lui, la bataille faisait rage. Il était agité et impossible mais il était aussi, dans sa quête, innocent et facilement ravi. Il avait eu une première grande crise dans sa jeunesse, quand on avait dû lui amputer la jambe après un incendie ; maintenant, en cette fin de printemps à Londres, il attendait sa deuxième visitation.

— Ma tante Kate, poursuivit Henry, racontait la scène de façon très dramatique. Elles l'avaient donc laissé en train de lire. La journée était douce et elles nous avaient emmenés en promenade, nous, les petits. Il s'est trouvé seul au moment de l'attaque ; la vision a surgi de nulle part, comme une forme obscure, immense, un oiseau de proie furieux, tout cassé, perché dans un coin, prêt à l'emporter, un esprit noir, pourtant palpable, visible, qui sifflait, et qui était venu pour lui seul. Il savait, disait-elle, que cette chose avait été envoyée exprès pour le détruire. À partir de là, il a été réduit à l'état d'un enfant terrifié, jusqu'au moment où il a acquis la certitude que « ça » ne le quitterait jamais. Lorsqu'elles l'ont découvert, il était recroquevillé par terre, les mains sur les oreilles, et il les appelait à l'aide en sanglotant. William et moi, qui avions deux ans et demi et un an, étions terrifiés par sa panique, sa voix implorante. Tante Kate nous a emmenés sur-le-champ. William, disait-elle, est resté pâle pendant plusieurs jours, refusant de s'endormir sans sa mère. Nous n'avons bien entendu aucun souvenir de l'épisode.

— Ce n'est pas sûr, dit Gosse. Le souvenir est peut-être enfermé à l'intérieur.

— Non, répliqua Henry fermement. Rien n'est enfermé à l'intérieur. Nous n'en avons aucun souvenir, pas plus William que moi. J'en suis certain.

— Continue, je t'en prie.

— Toujours dans la version de ma tante, ma mère a dû soulever mon père pour le remettre debout. Elle a d'abord cru qu'il avait été attaqué par des voleurs ; puis elle a dû l'écouter pendant qu'il lui décrivait sa vision, et lui répéter inlassablement qu'il n'y avait pas de forme noire, pas de grande silhouette accroupie dans l'angle de la pièce, que tout allait bien, qu'il était en sécurité. Mais il pleurait toujours, et elle ne sut jamais avec certitude ce qui s'était passé. Elle a bien compris qu'il ne parlait pas d'un animal ou d'un voleur ; ce qui s'était produit avait eu lieu dans son esprit, son imagination. C'était une vision mauvaise, et elle refit ce qu'elle avait fait la première année de leur mariage, quand il avait des cauchemars. Elle dénicha une paire de ciseaux et commença lentement, avec précaution, à lui couper les ongles, en lui parlant d'une voix douce et en le priant de se concentrer sur le mouvement des ciseaux. Il se calma enfin, elle l'emmena dans leur chambre et resta avec lui.

— En vous laissant seuls ?

— Non, bien sûr que non. Ma tante s'occupait de nous. Après nous avoir couchés, ce soir-là, elle a rejoint ma mère, qui avait enfin réussi à apaiser mon père. Elles ne savaient pas qui consulter, que faire. Mon père, après que ma mère avait commencé à le réconforter, était resté silencieux, le regard vide, la bouche ouverte. Il continuait à sangloter tout bas, à prononcer des phrases incompréhensibles. Elles étaient loin de chez elles et ne connaissaient personne en dehors des amis distingués de mon père, et elles ignoraient si elles pouvaient faire appel à Carlyle ou à Thackeray, leur demander comment il convenait de traiter le « patient », si tel était le mot adéquat, ou si de tels moments de sombre terreur étaient monnaie courante chez les hommes qui se consacraient au sens des choses, à l'exclusion de toute responsabilité professionnelle ou domestique.

— Alors qu'ont-elles fait ?

— Mon père a passé cette nuit-là à dormir, comme nous, pendant que les deux femmes veillaient, en sachant que la vie de la famille serait désormais changée. Ma mère était convaincue de savoir ce que c'était, m'a dit ma tante, et elle y a toujours cru dur comme fer, quoi qu'en disent les autres. Pour elle, le diable avait visité un philosophe, mais c'était un diable que mon père avait imaginé, ou qu'il en était venu à *voir* dans sa vie de rêveur qui se confondait étrangement avec sa vie de lecteur, à cette époque. Ma mère croyait au diable, mais elle savait que seul mon père pouvait l'apercevoir, et que pour lui le diable avait une réalité tangible, un visage qui rôdait de l'autre côté de la vitre dès qu'il s'approchait d'une fenêtre. Personne d'autre ne pouvait l'apercevoir, car personne d'autre n'explorait des pensées et des croyances selon lesquelles l'obscurité elle-même, et le diable seraient enfin bannis de notre conception du monde. Tel était mon père.

— Mais qu'ont-elles décidé de faire ?

— Elles avaient deux enfants et une maison dont il fallait s'occuper, m'a dit tante Kate, et elles s'arrêtaient aux réalités concrètes. Le docteur avait bien insisté là-dessus, mon père devait rester tranquille, éviter de lire, d'écrire et même de penser, dans la mesure du possible, et pas de visites. Le souvenir qu'a gardé ma tante Kate de ces mois-là, c'est que chaque fois que ma mère entrait dans la pièce où se trouvait mon père, il ouvrait les bras comme un bébé demandant à être porté. Il vivait dans la terreur que ce qu'il avait vu ne revienne ; il guettait sans cesse les recoins et les fenêtres. Il vivait dans un monde au-delà d'elles ; même son élocution était abîmée.

— Ta tante t'a-t-elle dit de quelle manière cela vous avait affectés, ton frère et toi ?

Henry soupira. Il ne savait pas pourquoi il avait accepté de raconter cette histoire à son ami Gosse.

— Un de ces jours-là, alors que mon père était complètement prostré, j'ai pris, paraît-il, l'initiative de marcher. D'un coup, de façon imprévue ; très vite, je suis devenu un petit marcheur plein d'enthousiasme. Comme si j'avais échangé ma place contre celle de mon père. Elle ont fini par comprendre pourquoi j'avais appris si vite. Je voulais suivre William partout où il allait. Je guettais mon frère avec avidité, et si William sortait ou traversait la pièce, je le suivais, je m'accrochais à lui, ce qui l'ennuyait beaucoup. Je n'avais pas ri ni même souri facilement jusque-là, m'ont-elles dit, mais dès que j'ai su marcher, tout ce qu'entreprenait William me faisait rire, même quand ce n'était pas drôle. C'était, m'a raconté tante Kate, une maisonnée difficile à tenir en ce début d'été anglais.

— J'imagine, s'exclama Gosse. C'est extraordinaire !

— À la fin bien sûr, tout a été oublié, ou plutôt réinterprété comme un moment important de l'ascension de mon père vers les sommets de la connaissance et de la sagesse.

— Est-ce l'impression que ta mère et ta tante en avaient ?

— Non, dit Henry avec un sourire. Non, tante Kate m'a dit qu'elle n'avait jamais eu cette impression, pas plus que sa sœur. Elles ont été horrifiées quand mon père a commencé à décrire son épreuve à tous les visiteurs, et ensuite même à des inconnus. C'est ainsi – mais tu le sais sûrement, puisque tu as lu son livre – qu'il a rencontré dans une cure une certaine Mrs Chichester, à qui il a décrit sa bête accroupie et sifflante. Mrs Chichester a tout de suite réagi : ce qui lui était arrivé était déjà arrivé à d'autres, c'était simplement le signe qu'il était tout prêt de comprendre le grand projet, le rêve de Dieu pour l'homme, et qu'il devait absolument lire le philosophe suédois Swedenborg qui comprenait ces choses-là comme personne. Pendant cette période, n'importe quelle suggestion nouvelle semblait à mon père infiniment supérieure à la précédente. De retour à Londres, il lut deux livres de Swedenborg, bien qu'il eût abjuré la lecture, et dans un de ces livres il découvrit que son expérience de cet après-midi-là s'appelait une dévastation ; à compter de ce jour, personne ne put jamais le convaincre qu'il s'agissait d'autre chose. Une dévastation était apparemment une étape sur la route de la révélation ultime, selon laquelle Dieu nous a effectivement créés à son image, et nos pulsions et nos appétits, nos pensées et nos sentiments ont un caractère profondément sacré. Mon père est ainsi redevenu heureux, rempli de Swedenborg et convaincu que sa mission était de communiquer la vérité à l'humanité entière, du moins dans sa variété anglophone, particulièrement en Amérique, et avec un succès, devrais-je dire, mitigé.

— Cela explique peut-être pourquoi tu es revenu ici.

— En Angleterre ?

— Sur le lieu de la scène. Mes conférences expliquent qu'un enfant enregistre tout et le conserve, sans pour autant l'assimiler, dans ce qu'ils appellent l'inconscient.

— Dans ce cas, pourquoi William n'est-il pas ici ?

— Je ne sais pas. C'est un mystère.

— Peut-être me comprendras-tu si je te dis que j'aimerais mieux ne plus en reparler.

Pendant plusieurs jours après cette conversation, Henry fut incapable de travailler. Il regretta intensément d'avoir raconté cette histoire à Gosse, jusqu'au moment où il put chasser l'épisode de son esprit et recommencer à échafauder tranquillement des projets.

Certains jours, il semblait à Henry qu'il travaillait trop, trop vite, qu'il poussait son Écossais à la limite. Une fois les nouvelles publiées, il ne leur prêtait plus attention ; il les relisait une seule fois avant la publication en volume, puis il les oubliait. Cependant, quand son nouveau recueil, *Embarras*, fut publié et que Gosse eut beaucoup à dire sur une des nouvelles, il la relut pour pouvoir en discuter avec lui de façon plus approfondie. Il s'agissait d'un conte fantastique intitulé *Comment c'est venu*, qui lui semblait avec le recul bien mince, même à titre de travail de commande. Gosse voulait discuter de la technique de la narration à la première personne, qu'il prétendait difficile à rendre crédible. Il était trop poli, trop diplomate pour se permettre de passer de l'argument général à l'histoire particulière qu'avait écrite Henry. Mais quand la conversation sur ce thème se prolongea durant plusieurs visites d'affilée et commença à irriter Henry, un autre sujet soulevé par son ami suscita son profond intérêt. Gosse avançait que la plupart des lecteurs n'étaient pas convaincus de l'existence des fantômes, et que les histoires de revenants n'étaient donc jamais crédibles. Ou alors, disait-il, elles devaient avoir une explication rationnelle, être à la fois effrayantes et confinées aux limites du possible.

Henry ne partageait pas cet avis. Il pensait qu'une histoire devait être capable de suggérer tout et n'importe quoi, y compris le plus invraisemblable ; l'argument de Gosse l'intéressait néanmoins, malgré sa véhémence, sa promptitude à imposer des règles à des sujets qui, de l'avis de Henry, exigeaient plus de latitude. En privé, Henry était consterné par sa nouvelle et regrettait de l'avoir retenue pour ce recueil ; il était évident qu'il aurait mieux fait de la laisser tomber. Et il en voulait à Gosse d'avoir attiré son attention là-dessus.

Au cours d'une de ces soirées, il raconta à Gosse de quelle façon il avait acquis Lamb House, et il fit allusion à Mr Milson, le quincailler, comme à un batelier qui se serait chargé de lui faire accomplir la traversée vers la réclusion idéale, le bonheur bien géré. Il parla aussi de la visite de Howells et de la manière dont sa situation financière avait été transformée par des possibilités éditoriales inédites en Amérique, comme si un vieil ami lui avait tendu une pièce de monnaie à placer sous sa langue, afin de l'assister pendant son voyage vers l'Hadès.

— Rye, c'est vraiment la mort, réagit Gosse en riant, surtout en hiver les jours de semaine – mais en vérité je crois que les week-ends ne valent pas mieux.

— Si j'étais Poe, dit Henry, j'écrirais quelque chose sur un de ces personnages qui font le voyage jusqu'à une maison inconnue et qui découvrent que la porte d'entrée ouvre sur la tombe.

— Londres va te manquer, ça réglera la question, tu prendras la fuite et tu en seras quitte pour la peur que la campagne inflige aux imprudents.

Henry avait promis à Collier's une nouvelle histoire – cela faisait partie des intercessions de Howells en sa faveur – et après avoir consulté ses carnets de notes et reparlé avec Gosse du problème de la crédibilité des fantômes modernes sans pour autant lui dévoiler son projet, il s'attela au travail. Cette fois il donnerait un cadre à l'histoire : il utiliserait la première personne dans un manuscrit laissé par la protagoniste, qui serait lu à haute voix à l'occasion d'un week-end de fête à la campagne. Il avait envie de faire peur à l'Écossais, et dès le début de la dictée il l'observa avec attention pour noter tout changement de contenance, toute pâleur inopinée.

La voix de sa narratrice serait nette et factuelle ; son ton laisserait filtrer une sorte de bonté, une faculté à considérer toute personne nouvelle, toute expérience inédite comme une récompense qui lui aurait été envoyée en échange de sa vive intelligence et de sa sensibilité. Il cherchait un ton d'acceptation tranquille, de compétence résignée, un mélange d'autorité et de sens du devoir, un désir bien ordonné de tirer le meilleur de chaque chose ; quelqu'un qui refusait de se plaindre et pour qui le manque de tact était un péché capital. Il voulait une voix à laquelle chaque lecteur puisse ajouter foi spontanément, une voix digne de confiance, mais aussi un style un peu littéraire et désuet – notre héroïne était une grande lectrice – entrecoupé par endroits de phrases simples et frappantes.

Cette histoire rôdait dans ses carnets depuis plus de deux ans et lui revenait par intermittence, sans qu'aucune forme ou début ne l'eût encore inspiré, mais elle correspondait précisément à ce dont il avait maintenant besoin pour son nouvel éditeur de chez Collier's ; une histoire ferme, effrayante, dramatique, qui captiverait les lecteurs et les laisserait sur leur faim. C'était le conte esquissé par l'archevêque de Canterbury, celui des deux enfants abandonnés dans une grande maison aux soins d'une gouvernante qui avait reçu l'ordre de ne contacter leur tuteur sous aucun prétexte.

Il était facile d'habiller de chair ces éléments-là : une cuisinière débonnaire et confiante, une petite fille douce et jolie, un garçon charmant et mystérieux, une vieille maison étrange, et de transformer le tout en une grande aventure pour notre héroïne, la gouvernante. Celle-ci ne devait avoir aucun don pour la réflexion ou l'introspection ; il voulait qu'on la perçoive au travers de ce qu'elle remarquait, et des observations qu'elle choisissait d'inclure dans sa narration. Ainsi le lecteur verrait le monde par ses yeux, mais il la verrait aussi *elle* – malgré les efforts qu'elle déployait pour se dissimuler ou s'effacer – telle qu'elle ne pouvait s'apercevoir elle-même.

La maison n'était que vide, ombres, échos. Les deux enfants ne faisaient jamais allusion à leur abandon, ils se présentaient à la gouvernante et à la gentille cuisinière comme des anges qui ne désiraient rien d'autre que ce qui leur était proposé. Tous les bruits, à l'intérieur comme à l'extérieur, étaient menaçants et renvoyaient un écho menaçant. Il fit intervenir le plus tôt possible le moment où la gouvernante, en se retirant pour la nuit, entendait le cri lointain d'un enfant, puis, devant sa porte, un bruit de pas légers. Ces éléments, décida-t-il tout en arpentant la pièce et en dictant la suite, passeraient inaperçus sur le moment et ne prendraient sens qu'à la lumière, ou à l'ombre, de ce qui se produirait ensuite.

Il avait entrepris son histoire comme un travail alimentaire, un contrat à remplir, un conte susceptible de plaire à un vaste public, et il s'y attelait dans cet esprit, avec l'idée de la finir avant la fin de l'année. Il ignorait pourquoi ce travail en était venu à perturber ses jours, pendant ces quelques mois où il préparait son déménagement à Lamb House. Il ignorait pourquoi la voix de cette gouvernante qu'il avait créée de façon si délibérée, qu'il contrôlait et manipulait si adroitement, l'avait apparemment soumis au point qu'il lui laissait un pouvoir et une liberté qu'il n'avait jamais eu l'intention de lui accorder. Ainsi, il autorisait sa gouvernante à se raconter des histoires, chose qu'il n'avait permise à aucun de ses personnages auparavant ; il lui permettait de jouir du danger, de lui faire signe, de l'aguicher, de le désirer. Il prenait un immense plaisir à lui faire peur. Il transforma la solitude, l'isolement de son héroïne en un désir brûlant de rencontrer quelqu'un, d'apercevoir un visage à la fenêtre ou une silhouette au loin.

Ce désir, il le savait, lui viendrait à lui aussi quand la porte du jardin grincerait, quand les branches des arbres fouetteraient ses vitres pendant qu'il lirait le soir à la lueur de la lampe, ou qu'il s'allongerait sans trouver le sommeil dans la vieille maison de Rye, et alors – juste avant que de plus nobles pensées aient l'occasion de faire surface – sa première impulsion serait d'accueillir à bras ouverts ce qui se présentait ainsi pour rompre la triste et impuissante monotonie du moi ; il éprouverait l'espoir forcené que *cela* soit enfin arrivé, quel que soit *cela*. Même sous sa forme la plus sombre, cela lui offrirait le même instant de décharge pure et intense que la foudre à un paysage craquelé par la sécheresse.

Il travaillait. Il construisait les détails, lentement, méthodiquement, pour susciter la montée de la tension. Il commençait ses phrases de façon simple, déclarative, pour que l'effroi de la gouvernante ait l'air de durcir sa diction, de la forcer à des affirmations audacieuses et vraies. L'homme qui la dévisageait par la fenêtre était le même que celui dont elle avait eu la vision en haut de la tour. C'était le même. Son visage plaqué contre la vitre, son regard rivé à elle, sombre et menaçant, jusqu'à l'instant où lui venait la certitude dont elle ne démordrait plus jamais, et qui la traversait comme un choc électrique : il n'était pas venu pour elle. Il était venu pour les enfants.

Tout en travaillant assidûment à son histoire, Henry n'avait pas pensé de façon précise aux enfants. Il leur avait donné des noms, et leur gouvernante les décrivait en termes superlatifs. Peu à peu cependant, il s'aperçut qu'il leur avait imaginé des personnalités secrètes, étranges, qui ne révélaient rien tout en opposant à leur gouvernante une résistance farouche. Elle n'en avait pas conscience et pourtant, tout en se concentrant intensément sur son discours à elle, il devait bien reconnaître qu'il avait accordé au jeune Miles et à la petite Flora un esprit indépendant.

Chaque fois qu'il en venait à décrire le spectre, l'apparition éthérée et menaçante de Peter Quint, rien de tout cela n'avait d'importance. La scène elle-même, le vide de la maison, son caractère nouveau pour la gouvernante, puis ce personnage envahissant, extrêmement réel pour elle, et apparemment aussi pour les enfants et pour la cuisinière, Mrs Grose, tout cela donnait des frissons à Henry à mesure qu'il l'élaborait. Il guettait un signe d'intérêt de la part de McAlpine, en vain. C'aurait été un manque de tact, bien sûr, de demander à l'Écossais s'il trouvait ces scènes le moins du monde troublantes. Mais la plupart du temps, il n'accordait pas une pensée à McAlpine et même le bruit de la Remington lui était indifférent. La plupart du temps, il était concentré sur la voix elle-même, sur l'intensité avec laquelle la gouvernante restituait les scènes dont elle était témoin. La tâche principale de Henry était d'empêcher le lecteur de se demander pourquoi diable elle n'alertait pas le tuteur des enfants ; il se donnait du mal, étoffait les détails, accélérait le rythme pour entretenir l'illusion qu'elle était seule par nécessité, et qu'elle devait agir seule. Il voulait persuader le lecteur d'adopter son regard à elle, d'entrer dans son esprit, d'habiter sa conscience sans plus se poser de questions.

L'histoire paraissait chez Collier's en douze épisodes, sur un rythme hebdomadaire. Il n'avait aucune difficulté à respecter les délais. Il connaissait déjà toute la suite de l'histoire et parfois il s'attardait gentiment sur la dernière frayeur qu'il venait de causer à sa gouvernante, jouissait de sa réaction, de ses raisonnements précipités, en veillant à toujours laisser entendre que les enfants savaient tout et rien. Ce Miles et cette Flora formaient décidément le couple le moins fiable qu'il eût jamais inventé ; ces deux-là avaient appris à résister à tout, sauf au danger immédiat, et par moments Henry ne savait plus lui-même quel était ce danger.

Ses conditions de travail étaient parfaites ; elles ne seraient jamais meilleures. L'Écossais était silencieux, consciencieux et précis. Le fait de prononcer les phrases à haute voix leur donnait une plus grande stabilité que lorsqu'il les traçait lui-même à la plume. Et le fait de les voir dactylographiées au propre le soir même leur conférait une autorité immédiate. Il savait toujours quoi faire, quelles corrections apporter, quelles suppressions s'imposaient. Et cet appartement de Kensington serait bientôt perdu à jamais ; il le sous-louerait, ou il renoncerait au bail, mais il n'en aurait plus la jouissance, et chaque jour il marchait d'une pièce à l'autre, attentif à leur atmosphère, comme s'il allait devenir vital pour lui de s'en souvenir. Il n'avait pas de visiteurs dans la journée, aucun intrus, seulement ses expéditions dans les magasins, seul ou avec Lady Wolseley, et ses consultations avec Edward Warren qui supervisait les travaux à Lamb House. Le soir, il sortait avec grand plaisir et acceptait les invitations avec joie. Bientôt, tout cela appartiendrait au passé. Il allait quitter Londres.

En travaillant le matin à tirer de chaque scène son plein potentiel de drame et d'effroi, des scènes de sa propre vie commencèrent à lui revenir comme une série de chocs qui l'obligeaient à marquer une pause ou à s'interrompre. Un matin, alors qu'il dictait la scène où Flora est découverte après avoir quitté son lit et où elle affirme n'avoir rien vu – alors que sa gouvernante est persuadée qu'elle ment –, il faillit dire Alice au lieu de Flora. Il se rattrapa in extremis. Sa nouvelle, qui était devenue si réelle pour lui, si riche, si urgente, avait été interrompue non par l'intervention d'un spectre, mais par un souvenir qui lui revenait soudain dans toute sa souffrance, avec tous ses détails. Le souvenir lutta avec la fiction et emporta la partie. Henry dut s'arrêter, passer dans la chambre à coucher et rester un moment seul près de la fenêtre. Puis il dut retourner vers McAlpine et lui signifier qu'il n'aurait plus besoin de lui ce jour-là. Ce fut la seule fois où il crut détecter une ombre de surprise sur le visage de son secrétaire, mais elle ne dura qu'un instant ; McAlpine rangea ses affaires et partit sans question ni commentaire.

Alice devait avoir cinq ou six ans. Ils étaient revenus à Newport, ou peut-être y vivaient-ils pour la première fois ; tante Kate s'occupait des enfants depuis quelques jours, en l'absence de leurs parents. De l'avis d'Alice, tante Kate imposait trop de contraintes à sa petite personne, bien plus qu'il n'était légitime selon elle. Quand elle le lui fit observer, tante Kate refusa de négocier et rétorqua que ses ordres devaient être obéis. Alice se mit en colère. Elle appela ses frères à la rescousse, mais ils ne la soutinrent pas. Puis, en apprenant qu'elle aurait encore à subir deux jours de ce régime avant le retour de ses parents, elle cessa de bouder et commença à se conformer en tous points aux désirs de tante Kate ; elle devint l'exemple même, à supposer que Newport en eût besoin, de la petite fille obéissante.

Personne, en dehors de ses frères et de tante Kate elle-même, ne s'aperçut de ce qu'elle lui fit subir au cours des mois suivants. Tante Kate ne pouvait pas se plaindre, car les attaques d'Alice étaient trop sporadiques, trop comiques et, la plupart du temps, invisibles puisqu'elles avaient lieu dans son dos. Lorsque tante Kate accueillait chaleureusement un visiteur, sa nièce, agrippée à ses jupes, l'imitait avec un sourire grotesque. Tous ses tics de langage, ses « Oh, mon Dieu ! » et ses « Voyons, voyons, voyons ! » s'intégrèrent au discours d'Alice sous une forme exagérée. Souvent, elle dévisageait sa tante avec un air insolent, mais jamais assez longtemps pour que sa mère s'en aperçoive. Souvent aussi, elle suivait sa tante sur la pointe des pieds, en essayant de reproduire la démarche d'une vieille fille.

Tante Kate ne percevait pas l'ampleur des efforts d'Alice pour se venger d'elle et la tourner en ridicule ; quant à leurs parents, ils passèrent l'été à se féliciter de l'innocence de leurs enfants et de l'absence chez eux de toute forme de dissimulation ou de fausseté. William encourageait Alice et prenait beaucoup de plaisir à ses singeries, mais l'impulsion venait d'elle, et d'elle seule. Elle semblait y penser depuis son réveil jusqu'au moment où elle se couchait le soir. Son manège ne cessa que le jour où elle s'en lassa enfin.

Tel était l'univers qu'il avait créé pour Miles et Flora, ses deux enfants abandonnés, beaux et innocents. Leur moi réel existait à part ; ils observaient une grande distance par rapport à ce qu'on exigeait d'eux, mais n'en laissaient rien paraître. Henry offrit à son histoire tout ce qu'il connaissait : sa vie et celle d'Alice au cours des années où ils avaient été seuls en Angleterre ; la crainte, qui avait toujours hanté sa famille, que la forme noire menaçante puisse un jour revenir, se manifester à la fenêtre et contraindre leur père à se recroqueviller en hurlant de terreur ; et les années qui l'attendaient, lui, dans une vieille maison où il irait bientôt vivre comme sa gouvernante, plein d'espoir, mais aussi d'une appréhension qu'il ne pouvait effacer.

Alice était morte, tante Kate également, les parents qui ne remarquaient jamais rien reposaient eux aussi dans la terre, et William était à des milliers de kilomètres, dans son propre monde, qu'il n'avait aucune intention de quitter. Le silence régnait maintenant à Kensington, on n'entendait pas un bruit dans l'appartement sauf celui, vague cri lointain, de sa propre solitude démesurée ; sa mémoire œuvrait à la manière du deuil, le passé venait vers lui et lui tendait la main, en quête de consolation.

7

Avril 1898

Les photographies arrivèrent telles qu'il les avait commandées ; la première, un gros plan détaillé du monument dédié aux soldats du 54ᵉ régiment du Massachusetts conduits par le colonel Shaw, et l'autre, prise à distance, montrant le Boston Common avec, dans un coin, le monument de Saint Gaudens. Henry s'approcha de la fenêtre pour les examiner à la lumière, puis il retourna à la table et tira de l'enveloppe la lettre de William, qui qualifiait le nouveau monument d'œuvre d'art glorieuse, simple et réaliste. Il croyait entendre la voix pleine de certitude de William. Celui-ci avait prononcé le discours officiel lors de l'inauguration de ce mémorial au 54ᵉ régiment, premier régiment noir de l'armée américaine, où avait aussi servi leur frère Wilky. Il avait parlé quarante-cinq minutes et ensuite, selon ses propres termes, il avait été bringuebalé pendant deux heures dans un break en queue de cortège. C'était, écrivait-il à Henry, un moment unique d'émotion, où tout était adouci, rendu poétique et irréel par le temps écoulé.

Il fut facile à Henry de lui répondre qu'il aurait tout donné pour être là ; il ajouta, en choisissant bien ses mots, que l'esprit de leur pauvre Wilky avait dû régner sur le Boston Common au moment de l'inauguration, et que cet événement était une justice poétique rendue à leur frère. Henry nota que William n'avait pas joint à sa lettre une copie de son discours, et il fut heureux de ne pas avoir à le commenter. William était devenu un personnage public plein d'attitudes viriles et d'opinions intrépides. Il était ainsi capable de parler quarante-cinq minutes d'affilée, devant une salle comble, de la noblesse de la cause yankee et de la gloire des morts de l'Union, en particulier ceux du 54ᵉ et du 55ᵉ régiment, où avaient servi Wilky et Bob.

Les phrases de Henry lui-même, dans sa première nouvelle consacrée à la guerre de Sécession, restaient gravées dans son esprit, malgré le passage des ans : « Les exploits de sa campagne sont consignés dans les journaux publics de l'époque, où le curieux peut encore les consulter. Mon goût personnel s'est toujours porté vers l'histoire non écrite, et mon sujet aujourd'hui se préoccupe de l'envers du décor. » Tout au long de cette journée, où il retourna plusieurs fois examiner les photos sur la table, il se demanda quel aurait été son propre discours sur l'envers du décor du 54ᵉ régiment et de la guerre de Sécession. Il médita aussi sur toute la puissance d'une question indélicate, jamais posée, qui aurait suffi à elle seule à dégonfler le discours de William lors de l'inauguration. Elle concernait William personnellement ; elle concernait aussi Henry. Elle demandait dans un souffle pourquoi ni l'un ni l'autre n'avaient combattu, aux côtés de leurs frères, pour la cause de la liberté.

L'histoire de la jambe de bois de son père avait été l'un des délices de l'enfance de Henry. Dès que Henry montrait des signes de maladie, qu'il faisait une mauvaise chute ou s'acquittait courageusement d'une tâche ardue, sa mère lui promettait cette histoire, qu'elle lui racontait chaque fois comme si elle en avait été personnellement témoin. Son père était un garçon qui adorait jouer, commençait-elle, et il n'était jamais aussi heureux que loin de ses parents, qui étaient très stricts avec lui. Il était toujours dehors avec ses amis dans le parc et, parmi tous les jeux auxquels ils s'amusaient, il y en avait un qui était particulièrement dangereux. Il consistait à fabriquer des ballons d'air chaud, en se servant d'étoupe imbibée d'essence de térébenthine pour créer le mouvement d'air ascensionnel. Quand le ballon prenait feu, il fallait faire très attention car il pouvait atterrir n'importe où, sur quelqu'un, sur ses cheveux, sur ses vêtements, et alors la personne s'enflammait à son tour, disait sa mère en prenant un air sérieux et une voix grave, parce que la térébenthine était hautement inflammable.

Il adorait le mot *inflammable* et priait sa mère de le répéter. Il en avait appris la signification dès son plus jeune âge. Mais ce jour-là, poursuivait-elle, son père avait répandu par mégarde de la térébenthine sur son pantalon. Inconscient du danger, il était avec les autres garçons à regarder les ballons s'élever, prendre feu et retomber un à un ; les garçons s'écartaient sur leur passage et se mettaient mutuellement en garde. Mais ton père, disait-elle, a vu soudain un ballon enflammé dériver vers les écuries juste à côté du parc. Or il aimait les chevaux, que les palefreniers lui permettaient parfois d'aller nourrir, alors en voyant le ballon atterrir dans le fenil au-dessus des écuries il s'est précipité là-bas et il a grimpé à l'échelle dans l'idée d'éteindre l'incendie. Mais – la mère de Henry lui tenait maintenant la main – dès qu'il s'est approché du foyer de l'incendie pour le piétiner, et ce n'était pas grand-chose, le foin n'ayant même pas encore commencé à brûler, la térébenthine qui imprégnait son pantalon s'est enflammée, et ton père, qui avait tout juste treize ans, s'est mis à brûler comme une torche. Personne n'a pu venir à son secours. Il s'est jeté dehors en hurlant, mais le temps qu'on étouffe les flammes, il était si gravement brûlé aux jambes qu'il a fallu en amputer une.

On lui avait donc coupé la jambe au-dessus du genou ; à ce point de l'histoire, sa mère posait la main sur le genou de Henry, pourtant Henry ne flanchait pas, et sa mère aussi restait calme tout en lui expliquant combien son père avait eu mal, combien il avait été courageux, et combien il s'était efforcé de ne pas crier. Mais à la fin, dit-elle, il n'a plus pu se retenir. Ses hurlements s'entendaient, paraît-il, à des kilomètres à la ronde. Ensuite, ton père a dû rester alité pendant deux ans, confronté à un avenir où il ne pourrait plus jamais jouer ni courir. Il aurait une jambe en bois et ça, ajoutait-elle, c'était un test plus décisif pour son courage que la souffrance de l'amputation.

Chose étrange – et là, la voix de sa mère devenait tendre – il n'est sorti que du bien de cet accident. Jusque-là, le père de ton père avait été très strict avec lui, et très préoccupé aussi par ses myriades d'entreprises – elle lui jetait un regard et il hochait alors la tête pour signaler qu'il connaissait le mot myriade, grâce à sa Bible. Sa mère, elle, avait une grande maison et ses autres enfants dont elle devait s'occuper. Mais après l'accident, ils ont volé au secours de leur fils, ils lui ont témoigné pour la première fois une tendresse profonde, et il s'est senti enveloppé et protégé par leur amour. Au début, ils ne le laissaient jamais seul, et son père partageait à tel point sa douleur et sa panique qu'il fallut plusieurs fois l'emmener, en larmes. Plus tard, pendant sa convalescence, ils se sont arrangés pour lui procurer tout ce qu'il pouvait désirer, et peu à peu ses rêves de jeux et de compétition ont cédé la place à la vie de l'esprit, aux livres et aux spéculations intellectuelles. Il a commencé à appréhender le destin de l'homme dans le monde, et la vie de l'homme en relation avec Dieu, comme personne en Amérique ne l'avait fait avant lui. Il possédait déjà une bonne connaissance de la Bible et des rudiments de théologie, mais pendant ses deux ans d'immobilité, on lui a permis de lire tout ce qu'il voulait et, bien entendu, il avait beaucoup de temps pour réfléchir. Et c'est ainsi, concluait sa mère, qu'a débuté la noble quête de ton père. Plus tard, quand il est devenu l'ami d'Emerson,

Emerson a dit que Henry James avait un avantage sur lui : il avait une expérience directe de la souffrance, et il avait appris à penser loin des maîtres d'école et des autres étudiants. Emerson ajoutait toujours que ton père était un esprit authentiquement original.

Le dimanche, pendant les vacances, au cours de leurs voyages et quand il n'allait pas en classe, Henry restait près de sa mère ; pendant que les autres s'échappaient pour jouer à des jeux de garçons, il attendait qu'elle se libère ou il l'aidait dans ses tâches, et ensuite ils s'installaient dans un coin confortable, en laissant souvent tante Kate finir le travail à leur place ; et alors sa mère lui parlait, ou elle lui faisait la lecture ; ou bien encore ils examinaient ensemble certaines de ses affaires, les arrangeaient et les remettaient bien en ordre.

Les enfants James étaient divisés en trois groupes : William et Henry, dont l'éducation était supervisée dans les moindres détails par leur père ; Wilky et Bob, dont le talent pour le bruit et l'absence d'initiative scolaire le désespéraient au point qu'il décida de les envoyer en pension ensemble, puisqu'ils étaient très proches en âge et qu'avec un peu de chance Wilky s'inspirerait de la prudence de Bob, tandis que Bob, sous l'influence de Wilky, apprendrait peut-être à sourire à ses proches et à se rendre agréable aux invités. Alice, elle, était une république indépendante.

Lorsqu'on les interrogeait sur ce que faisait leur père, surtout quand ils étaient à Newport, les cinq enfants James avaient du mal à répondre. Leur père vivait de ses rentes, loyers et dividendes, mais ce n'était pas franchement une activité. Il était aussi un genre de philosophe, et parfois il donnait des conférences et écrivait des articles. Mais rien de tout cela ne pouvait être résumé en une phrase simple, une réponse évidente. Et quand leur père leur suggérait de dire aux curieux qu'il était un chercheur de vérité, le problème devenait si possible encore plus épineux. En grandissant, une autre question souvent posée commença à les tarauder davantage : qu'allaient-ils eux-mêmes faire plus tard ? William voulait être peintre et Bob, à la grande hilarité des autres, voulait ouvrir une boutique de mode. Alice, évidemment, serait une femme mariée. Mais Henry et Wilky ? Cette question n'intéressait pas leur père et ne pouvait être abordée facilement avec leur mère ; elle fut ainsi laissée en suspens, exemple supplémentaire s'il en fallait de l'étrangeté de leur famille, qu'eux-mêmes, les enfants, en étaient venus à accepter au même titre que les habitants de Newport.

Avec son amour des ruptures et ses recommencements, Henry senior était toujours prêt à discuter de n'importe quel sujet avec n'importe quel homme, même de politique, bien qu'il jugeât la politique comme une grande diversion et un grand obstacle à la possibilité d'un quelconque progrès humain. La guerre de Sécession, cependant, commença à le fasciner, non seulement parce qu'il la considérait, dans son essence, comme une guerre entre le progrès et la barbarie, mais aussi parce qu'il envisageait la fin de la guerre comme un moment où d'autres énergies pourraient occuper le devant de la scène, où il n'y aurait ni vainqueur ni vaincu, mais une grande transition du pays entier de la jeunesse vers la maturité, des apparences vers la réalité, de l'ombre fugitive vers la substance immortelle.

Néanmoins, quand la guerre en était encore à ses débuts, Henry senior affirmait à quiconque voulait l'entendre qu'il tenait fermement par les basques ses fils qui voulaient désespérément s'engager. Henry senior ne pensait pas que ses propres fils dussent partir à la guerre, disait-il, parce qu'il ne croyait pas qu'un gouvernement quel qu'il soit, actuel ou futur, méritât qu'on y sacrifie une vie humaine propre et honnête comme la leur.

Au moment où son père découvrait le plaisir de combiner transcendance politique et prudence pour les siens, Henry dénicha un jour, sous l'escalier de la maison de Newport, un gros paquet contenant de vieux numéros de la *Revue des Deux Mondes*, avec leur couverture saumon caractéristique ; s'éleva bientôt pour lui, dans l'intimité de sa chambre, un chant semblable à celui d'un chœur d'anges. Les noms, à eux seuls, lui ouvraient un monde de possibles au-delà de l'ennui domestique, du patriotisme et de la religiosité ambiantes : Sainte-Beuve, les Goncourt, Mérimée, Renan évoquaient non seulement l'esprit moderne sous sa forme la plus exigeante, mais l'idée même du style, dont la pensée n'était qu'un aspect. Chez eux, la forme privilégiée de l'essai ne recouvrait ni un appel impérieux à accomplir son devoir, ni un honnête effort pour affirmer une position personnelle ; elle était un jeu, une manière d'exercer sa voix.

Le fait que la porte de sa chambre demeure fermée et que les autres respectent sa solitude devinrent pour Henry les conforts cardinaux de l'existence. Il faisait une apparition au moment des repas et se laissait taquiner de bonne grâce sur son silence, sa pâleur, son sérieux et son austérité. Rien n'avait plus d'importance désormais que le temps magique qu'il passait en compagnie de la *Revue des Deux Mondes*, mais aussi de Balzac, dont les livres parlaient d'un pays qu'il n'avait pour sa part qu'entraperçu – assez cependant pour comprendre que lui-même ne disposerait jamais d'un sujet aussi riche, complexe, suggestif et vivant que la France de *La Comédie humaine*.

Pendant que William partait pour Harvard, que Wilky cherchait le moyen de quitter le pensionnat de Sanborn, ce « projet expérimental de coéducation » soutenu par Emerson et Hawthorne, que Bob, ayant déjà quitté Sanborn, faisait du bateau et se rendait généralement insupportable, leur mère prit l'habitude de considérer son deuxième fils, qui lisait sans relâche, comme une sorte de patient. Elle protégeait sa solitude et veillait à ce que personne ne le critique, surtout pas son père. Comme Henry senior avait tendance à prendre connaissance de ses propres opinions en s'écoutant parler, sa non-critique de Henry était synonyme d'approbation, puisqu'il n'éprouvait que bienveillance à l'égard de tout ce qui ne méritait pas ses foudres.

Sa mère commença à se présenter deux ou trois fois par jour à la porte de Henry avec un bol de lait, un petit pot de miel ou une carafe d'eau fraîche. Elle entrait dans la chambre sans frapper et ne lui adressait généralement pas la parole, ses gestes placides et son silence laissant planer une atmosphère de respect du travail en cours. Pour la première fois, songeait rétrospectivement Henry, Mrs James voyait les théories de son mari sur la nécessité d'explorer les plaisirs secrets du moi par la lecture et la réflexion mises en pratique sans être accompagnées du moindre signe de fébrilité susceptible de l'inquiéter.

En entrant dans sa chambre par une de ces calmes soirées d'été à Newport, sa mère le découvrit endormi dans son fauteuil, un livre sur les genoux. En se réveillant, il sentit la main de sa mère sur son front et lut sur son visage une expression soucieuse. Elle le quitta, mais revint très vite avec la servante, qui lui prépara son lit pendant que sa mère lui donnait un linge mouillé, pour se rafraîchir, dit-elle. Si cela ne suffisait pas, elle appellerait le médecin, mais dans l'immédiat il était impératif que Henry se couche. Il s'était surmené, insista-t-elle, il devait se reposer. Henry savait qu'il n'était absolument pas surmené, qu'il s'était simplement endormi à la fin d'une chaude journée d'été, mais entre-temps tante Kate était survenue à son tour et il s'était retrouvé au lit, gratifié de toute l'attention que recevaient les malades dans la famille.

Sa mère commença à lui apporter ses repas dans sa chambre et à l'excuser quand la compagnie n'était pas intéressante ; d'un autre côté, elle s'assurait qu'il ne reste pas confiné dans son lit quand s'annonçait une sortie agréable ou un invité susceptible de lui plaire. Elle n'évoquait jamais sa maladie avec lui et quand elle s'enquérait de son état, c'était pour savoir s'il restait inchangé ou si Henry éprouvait un léger mieux ; elle ne le laissait pas libre de répondre qu'il n'était pas malade du tout.

Débuta alors entre eux une conspiration, un drame dont ils connaissaient tous deux les rôles, les répliques et les gestes convenus. Henry apprit à marcher lentement, à ne pas courir, à sourire mais à ne pas éclater de rire, à se lever gauchement et à s'asseoir en prenant un air soulagé. Il apprit à ne pas manger de bon appétit, à ne pas boire à longues gorgées.

À mesure que l'air ambiant se chargeait de discours musclés et enthousiastes sur la nécessité de s'enrôler et de servir son pays, sa mère le veillait avec plus d'inquiétude et d'indulgence que jamais. Souvent, au réveil, il la trouvait assise à son chevet, le contemplant avec douceur et lui adressant un sourire rassurant dès qu'il ouvrait les yeux.

En quelques occasions il échoua à déguiser sa vigueur physique et son envie de participer. Au mois d'octobre, un grand vent se leva sur la mer et balaya Newport ; une petite conflagration survenue dans une écurie au coin de Beach et de Tate se transforma en peu de temps en incendie déchaîné. Deux rues entières bordées de magasins, de bars, d'écuries et de résidences privées étaient menacées ; la première écurie n'était plus qu'une ruine fumante, et il avait fallu faire vite pour sauver les chevaux, les voitures et les affaires de valeur. Tous les individus valides étaient réquisitionnés pour pomper l'eau des puits ou porter celle des citernes. Ce soir-là, au milieu de l'activité frénétique ponctuée d'ordres et de cris urgents, Henry se mit au travail sans réfléchir. Ce ne fut qu'après l'extinction de l'incendie, en éprouvant l'épuisement dans ses bras et dans son dos, qu'il pensa à la probable inquiétude de sa mère.

Sa mère et sa tante avaient été averties de son initiative par Bob. Quand il arriva à la maison, elles l'attendaient.

Elles l'allongèrent sur le sofa et lui firent couler un bain chaud. Il ferma les yeux et resta sans bouger pendant qu'elles s'activaient autour de lui ; sa mère avait les lèvres pincées. Plus tard, quand il sortit de son bain, récuré, éreinté, prêt à aller se coucher, elle exprima son souci qu'il se soit blessé au dos. Ils sauraient au matin, dit-elle, si c'était grave. En attendant, il était tard et Henry devait essayer de dormir le plus longtemps possible.

Le lendemain, il ne se leva pas avant le déjeuner. Sa mère lui dit de faire attention et l'aida à descendre l'escalier. Il entra dans la salle à manger appuyé sur elle, pendant que son père et sa tante déplaçaient les chaises pour faciliter son passage. Ils l'aidèrent à s'asseoir et l'encouragèrent, avec des regards attentifs, à manger et à boire afin de reprendre des forces. Sa mère l'aida à regagner son lit ; pendant plusieurs jours après cela, il prit tous ses repas dans sa chambre avec la sympathie bienveillante de toute la maisonnée.

Au cours des mois suivants, alors que Henry s'était attelé à des traductions du français, Henry senior changea peu à peu d'avis sur la guerre. Il la considérait désormais comme une cause qui méritait non seulement d'être défendue en théorie, mais qu'on se batte pour elle. Et pendant qu'il soumettait ces opinions à la table familiale, à la grande joie de Bob, qui était trop jeune pour rejoindre l'armée mais assez grand pour s'enthousiasmer, la sollicitude de sa femme envers Henry ne faisait que croître.

Henry et sa mère n'évoquaient jamais ensemble sa maladie ou ses symptômes, et Henry lui-même ne se permettait pas de réfléchir à son mal supposé. Il endossait son statut de handicapé, non pas comme un jeu ou un rôle, mais comme une chose étrange et secrète. En laissant le flou se prolonger, en permettant à la conspiration avec sa mère de suivre son cours coupable sans jamais envisager d'y mettre un terme, il vivait sa maladie de façon sincère, même quand il n'y avait pas de témoins.

Au cours de cette première année de guerre, alors qu'on recevait les premières nouvelles des cousins partis au front, parmi lesquels Gus Barker et William Temple, le frère de Minny, qui avait été promu capitaine dès le premier jour en l'honneur de son défunt père, le fait que les garçons James soient tous restés dans le civil et, pour ce qui était de Henry, dans l'oisiveté, ne put qu'être remarqué avec étonnement, même par ceux qui n'accordaient qu'une faible attention au sujet.

La mère de Henry comprenait que la maladie abstraite de son fils, son mal obscur, ne pourrait se prolonger indéfiniment si on ne lui donnait pas un nom ; il fallait, en d'autres termes, un diagnostic professionnel. Son père fut donc chargé de l'accompagner à Boston pour consulter le docteur Richardson, éminent chirurgien que rendait plus éminent encore, de l'avis de tante Kate, l'immense fortune laissée par sa femme. C'était un expert célèbre du mal de dos sous toutes ses formes.

Beaucoup de temps avait passé depuis la dernière fois où Henry s'était retrouvé seul avec son père. Au cours du voyage vers Boston, Henry senior parut très mal à l'aise, ne sachant apparemment pas s'il pouvait partager avec son deuxième fils ses vues sur les changements qui interviendraient en Amérique après la guerre – aucun autre sujet ne l'intéressait à cette époque. Il resta donc silencieux, mais pas hostile. Il ressemblait à quelqu'un dont l'esprit travaillait intensément, et qui était sur le point de parvenir à quelque magnifique conclusion. À leur arrivée, il s'avéra que Henry senior avait plus de mal à marcher à Boston qu'à Newport, comme si son assurance ou la solidité de sa jambe de bois diminuaient dans la métropole.

Le visage du docteur Richardson était illuminé par un petit sourire entendu, qui scintillait dans ses yeux clairs et dansait sur ses commissures rasées de près. Il considéra son patient en silence, sans cesser de sourire, pendant que Henry senior lui exposait en détail la longueur du voyage, le nombre de ses enfants, leur situation, et ses espoirs pour une Amérique nouvelle. Le sourire du docteur céda la place à un air renfrogné ; il attendit, le regard froid, que Henry senior en finisse. Puis, comprenant que celui-ci n'avait aucune intention d'en finir, il bondit sur ses pieds, s'approcha de son patient et lui fit signe de retirer ses vêtements du haut. Pendant que Henry obéissait et commençait lentement à se déshabiller, son père parut hésiter ; le docteur Richardson lui approcha une chaise et lui fit signe de s'asseoir. Henry était maintenant nu jusqu'à la taille ; le médecin, qui n'avait toujours pas prononcé un mot, lui fit signe de lever les bras au-dessus de la tête. Il examina minutieusement son ossature, celle des bras, celle des épaules, celle du thorax. Il lui tâta non moins méticuleusement la colonne vertébrale. Puis, il le pria de s'allonger à plat ventre sur la table d'examen, et renouvela son inspection. Enfin, ayant signalé à Henry d'enlever tous ses vêtements sauf son caleçon, il laissa courir une main professionnelle le long de ses hanches et de son pubis et répéta l'examen de sa colonne, de ses bras et de ses épaules, en appuyant fort jusqu'à ce que Henry flanche.

Celui-ci avait cru qu'on lui demanderait où était localisée la douleur et à quoi elle ressemblait, et il était prêt à répondre, mais le docteur Richardson ne lui posa aucune question ; il se contenta de le tâter et de l'examiner encore avec ses mains dures, lentement, méthodiquement, dans un silence glacial. Enfin, il s'approcha de la cuvette, versa un peu d'eau sur ses mains, les savonna et les rinça soigneusement avant de les essuyer sur une serviette. Il rendit ses vêtements à Henry et lui indiqua d'un mouvement de tête qu'il pouvait se rhabiller. Puis il se redressa de toute sa hauteur.

— Je ne vois rien qu'une bonne journée de travail ne puisse guérir. Beaucoup d'exercice, levé de bonne heure, sorti de bonne heure. Ce n'est pas la cure que je recommanderais dans la plupart des cas, mais c'est le meilleur remède pour ce jeune homme. Il est en parfaite santé, la vie devant lui. Je vais devoir vous demander de me payer, monsieur, pour cette bonne nouvelle. Votre fils va parfaitement bien. Et je ne parle pas à la légère. Ce que je vous dis là est le résultat de trente ans d'observation.

Henry se pencha pour ramasser sa veste ; le docteur Richardson lui saisit brusquement la nuque entre le pouce et l'index et serra. Henry, le visage tordu de douleur, essaya de chasser sa main, mais le docteur resserra encore sa prise. Il avait beaucoup de poigne.

— Levé de bonne heure, sorti de bonne heure, répéta-t-il. Vous n'aurez pas de meilleur conseil avant longtemps. Allez, filez.

Aujourd'hui encore, tant d'années plus tard, Henry haïssait les médecins, et il avait pris énormément de plaisir à en dresser un portrait particulièrement déplaisant dans *Washington Square*, sous la figure du docteur Sloper, dont les méthodes professionnelles s'inspiraient des manies les plus odieuses de Richardson. Il soupçonnait même que cette visite, dans toute son humiliation brutale, avait été à l'origine d'un mal de dos authentique qui lui causait encore du souci à ce jour. Il souffrait aussi de constipation – une fois de plus, il en imputa la faute au docteur Richardson – et il s'était toujours gardé par la suite de faire appel à d'autres médecins, de peur qu'ils ne lui infligent quelque nouvelle maladie.

Plusieurs fois par jour, Henry regardait les photographies envoyées par William, qu'il avait laissées sur une table au rez-de-chaussée de Lamb House, et il notait avec de plus en plus d'intérêt la place d'honneur réservée au monument dans Boston Common. Son propre nom aurait facilement pu figurer parmi les morts ou les mutilés de la guerre ; il serait maintenant un objet d'orgueil pour son frère et pour les autres survivants.

Pendant qu'il explorait les environs de Rye, tout en travaillant à un nouveau roman et en se délectant de sa nouvelle vie, se sentant chez lui comme pour la première fois, il songeait qu'il s'en était fallu de peu que les événements ne tournent autrement. Il n'était guère taillé pour la vie de soldat, mais c'était également le cas de la plupart des jeunes gens de sa génération et de son milieu, qui étaient pourtant partis se battre. Ce n'était pas la sagesse qui l'avait retenu, songeait-il à présent, mais quelque chose qui s'apparentait davantage à la lâcheté. Et, tout en arpentant les rues pavées de sa nouvelle ville, il en venait presque à remercier Dieu. Il aurait aimé que cette joie soit simple, mais elle lui venait, comme tant d'autres choses, chargée de culpabilité, de regret, et des souvenirs de ce qui était arrivé à son frère Wilky – et que ces photographies lui renvoyaient de façon aiguë.

Il se rappelait avoir enfilé sa veste ce jour-là à Boston, en observant son père pendant que celui-ci payait le médecin. Ils étaient ressortis dans la rue. Leur silence pendant le retour vers Newport avait une tonalité très différente de celui de l'aller. Son père était maintenant plongé dans une contemplation mélancolique. Ni l'un ni l'autre, pensait Henry, n'avait la moindre idée de ce qu'ils pourraient bien dire à sa mère. Plus tard elle leur avouerait qu'en les voyant revenir l'air si solennel et si inquiet, elle avait tout de suite imaginé le pire. Elle avait cru que Henry souffrait d'une maladie fatale. Elle fut donc très soulagée d'apprendre que le pronostic était bon, que ce mal de dos n'était pas dangereux en lui-même, et qu'il n'était pas le symptôme d'une maladie plus grave.

— Du repos, déclara-t-elle alors de façon péremptoire. Du repos suffira. Tu vas devoir récupérer pendant quelques jours après ce long voyage.

Henry avait jeté un regard à son père en se demandant si celui-ci dévoilerait à sa mère le véritable diagnostic du médecin, mais son père avait à ce moment précis le plus grand mal à enlever son manteau, et il fallut l'aider. Dès que le manteau fut suspendu à sa place, son père dénicha un livre et s'installa pour le lire. Henry devina alors qu'il n'avait pas l'intention de révéler à sa mère le commentaire du docteur, même plus tard, quand ils seraient seuls, dans l'intimité de la nuit. Il n'existait pourtant aucune entente tacite entre lui et Henry pour la duper. Son père, pensait Henry rétrospectivement, n'avait pas révélé la vérité à sa mère, parce que cette révélation aurait constitué une réfutation absolue de sa faculté de jugement, et donc une critique implicite de sa personne. Elle aurait également obligé sa mère à envisager que le handicap de son fils puisse se réduire à un simple besoin d'attention, ce qui aurait alors sapé le statut moral de Henry dans une maison où la maladie était un sujet trop grave pour qu'un tel jeu n'apparaisse pas comme une sorte de sacrilège – cette idée même aurait été trop perturbante pour tout le monde, y compris pour son père.

Celui-ci avait sans doute besoin de temps pour méditer l'énorme écart entre ce « levé de bonne heure, sorti de bonne heure » et le traitement que recevait Henry à la maison. Ce dernier savait pourtant que le goût de son père pour le changement pouvait se manifester de façon imprévue à n'importe quel moment ; il savait combien cette propension tendait à l'irrationnel dès lors qu'elle n'était pas canalisée. Il savait que la vue de son fils traînant tout l'été dans sa chambre, dorloté par sa mère et sa tante, pouvait le pousser à se dresser d'un seul coup, à poser son livre et à déclarer avec flamme qu'il fallait faire quelque chose au sujet de Henry.

Il adopta donc une stratégie prudente, en interrogeant d'abord William sur l'intérêt de s'inscrire à Harvard, puis son ami Sargy Perry qui s'apprêtait à le faire. Il n'évoqua pas un instant l'imprévisibilité de son père et ses conséquences potentielles. Il conserva un ton ferme pour expliquer qu'il était temps de cesser cette vie paresseuse aux frais de la famille et d'envisager une carrière. William hocha la tête.

— As-tu songé à devenir pasteur ? On aura toujours besoin de toi, surtout si tu fais tes études à Harvard, où le comportement envers les malades, avec exhortation au repentir, etc., est enseigné avec une conviction et un zèle jamais démentis.

Henry voulait bien permettre à William de plaisanter, mais pas de s'éloigner du sujet. Il était encore assez jeune pour que son avenir immédiat l'intéresse bien plus que des projets de carrière à long terme. Et son désir suprême était qu'on le laisse en paix jusqu'à la fin de l'été. Quand William prononça le mot « droit », il comprit qu'il s'agissait de la seule option raisonnable. Ses parents comptaient parmi leurs amis proches des gens dont les fils avaient choisi d'emprunter cette voie. Surtout, l'étude du droit avait un air sérieux et viril, et cela représentait un changement de cap. Cela à son tour offrirait à leur père une excitation passagère qui l'empêcherait d'en désirer une autre – du moins en ce qui concernait Henry – dans un futur proche.

À cause peut-être d'une remarque hasardeuse – ou du silence paternel, simplement –, sa mère commença à s'enquérir de son dos auprès de Henry. Un jour elle s'interrogea même à haute voix, disant que l'exercice était peut-être, tout compte fait, un meilleur remède que le repos. Il devina à son air hésitant, vaguement soucieux, que son père n'avait rien dit d'explicite ; mais le danger était à l'évidence très proche de les voir statuer sur son sort sans même le consulter. Il suffirait d'une nuit pour cela ; ses parents entamaient toujours leurs discussions sérieuses au moment d'aller au lit, et ils continuaient à voix basse jusqu'à atteindre une décision, qui était ensuite annoncée au petit déjeuner comme un fait accompli sur lequel il n'était plus possible de revenir.

Henry attendit le bon moment. Il voulait les voir ensemble. Il commencerait par évoquer la précarité de sa situation et la nécessité pour lui de prendre une décision engageant son avenir. Il laisserait entendre qu'il n'avait pas d'idée bien précise ; là, il faudrait faire très attention, car s'il laissait cette porte ouverte trop longtemps, son père serait capable de la fermer et de tirer le verrou très vite en lui proposant de rejoindre les forces de l'Union et, une fois cette idée lancée, d'en faire le pivot solennel de la discussion, à l'exclusion de toute autre possibilité. Il lui faudrait donc enchaîner rapidement, en précisant peut-être qu'il avait parlé à William – bien que ce fût aussi un risque, puisque William connaissait des moments de faveur et de défaveur, selon les aléas de la pensée paternelle. Il ne devait pas non plus ânonner qu'il souhaitait « être » avocat, étant donné que son père réagirait aussitôt en disant que son être était un cadeau précieux qu'il convenait de cultiver avec énergie, mais aussi avec sagesse et une pondération subtile. Ainsi, poursuivrait son père, tu ne peux pas « être » avocat ou « devenir » avocat. Un tel langage est une offense au plus grand don que nous a fait notre Créateur – la vie elle-même et la grâce qu'Il nous offre de transcender notre être afin d'advenir.

Non, il faudrait plutôt invoquer son désir d'étudier le droit, d'assister à des conférences, d'élargir son intellect en le confrontant à une discipline concrète. De telles paroles, prononcées avec spontanéité et sincérité, s'il parvenait à suggérer par ailleurs que cette solution miraculeuse venait tout juste de lui apparaître, résultat de cet échange avec ses parents, réussiraient peut-être à enthousiasmer son père, ravi de ce changement imprévu. Sa mère hocherait la tête pour marquer son assentiment, tout en soupesant intérieurement les conséquences de ce choix.

Il pensa aller voir sa mère en premier pour lui soumettre son plan, mais c'était impossible ; les choses étaient allées trop loin. Dans tous les cas, son père les soupçonnerait de comploter et de l'exclure. Le mal de dos devrait être évoqué, non à titre de facteur décisif ou d'obstacle majeur, mais comme une difficulté susceptible de s'aplanir et de disparaître à l'horizon par la simple force d'une décision nouvelle.

Il les trouva comme il l'avait espéré : son père en train de lire et sa mère en train de vaquer calmement dans la pièce.

— Je souhaiterais parler avec vous de ma situation, déclara-t-il.

— Assieds-toi, Harry, répliqua sa mère, en prenant place à table sur une chaise à haut dossier, les mains croisées devant elle.

— Je sais qu'il est temps pour moi de faire un choix. J'ai beaucoup réfléchi, mais peut-être pas suffisamment encore, et je viens vous voir dans l'espoir que vous pourrez m'aider à éclaircir de quelle manière je dois conduire ma vie, bref, ce que je dois faire.

— Chacun d'entre nous doit éclaircir la manière dont il doit conduire sa vie, dit Henry senior. C'est une question capitale pour nous tous.

— J'en suis conscient, répondit Henry.

Il laissa un silence. Après avoir prononcé ces mots, son père n'était plus en mesure d'infliger tout à trac un choix de carrière ou de lui suggérer de se lever de bonne heure et de sortir de bonne heure. Il avait ouvert le dialogue à la discussion plutôt qu'à la prise de décision. Une lueur d'excitation s'allumait d'ailleurs déjà dans son regard à la perspective de voir une matinée ordinaire en famille à Newport se transformer soudain en repaire de tous les possibles.

Personne n'évoqua ouvertement l'armée, mais la guerre planait au-dessus de la conversation et descendait par moments à hauteur de regard ; personne ne mentionna davantage la maladie de Henry, mais elle aussi pesait sur l'atmosphère. Henry veilla à ne rien évoquer de précis dans un premier temps et se contenta de mentionner son agitation intérieure, son ambition et son besoin d'éclaircir – il utilisa ce verbe plusieurs fois – ce qu'il pourrait bien entreprendre à présent. Puis il se tourna vers son père.

— J'ai commencé à m'intéresser à l'Amérique, dit-il. À ses traditions, à son histoire et à son avenir.

— Parfait, mais c'est là quelque chose qui concerne les Américains dans leur ensemble. Nous devons tous consacrer du temps et de l'énergie à étudier notre patrimoine.

— L'Amérique évolue, poursuivit Henry. Elle change. Ces changements sont uniques et exigent une approche sérieuse.

Il se demanda si l'adjectif « sérieux » n'était pas une erreur, dans la mesure où il pouvait laisser entendre que l'approche de son père ne l'était peut-être pas tout à fait. Son père se vexait facilement ; mais là, il avait l'esprit trop occupé pour se sentir offensé. Henry l'observa qui prenait la pleine mesure des implications de cette dernière remarque, et il vit ses traits se durcir. Il aimait cette faculté de métamorphose chez son père, et il regrettait d'en être si rarement le témoin. Il évita de croiser le regard de sa mère.

— Que souhaites-tu donc faire, dans ce cas ?

Henry senior arborait un air imposant en formulant cette question ; l'air d'un homme nanti à la fois d'une vaste fortune et d'une remarquable sévérité puritaine. Voilà, pensa Henry, à quoi devait ressembler son père à lui lorsqu'il était question de projets et d'argent.

— Je ne veux pas devenir historien. Je voudrais que mes études aient des domaines d'application plus précis. En fait, j'envisage d'étudier le droit.

— Et nous épargner à tous la prison ?

— Tu souhaites rejoindre ton frère à Harvard ? intervint sa mère.

— William dit que c'est la meilleure faculté de droit en Amérique.

— William ne saurait même pas comment enfreindre une loi, répliqua son père.

Néanmoins, plus il évoquait le sujet, plus l'idée d'un système juridique en mutation, aspect parmi d'autres d'une Amérique en mutation, séduisait Henry senior. Quand il fut suffisamment échauffé, il abandonna ses réticences initiales quant à l'étroitesse du sujet et la nature réductrice des choix en général. La pensée que ses deux fils aînés passeraient leur temps dans les bibliothèques, à ses frais, pendant qu'une guerre faisait rage au-dehors pour la survie des valeurs américaines de droits individuels et de liberté, lui traversa peut-être l'esprit, mais il ne l'autorisa pas à assombrir son enthousiasme tout neuf, du moins pas en présence de Henry. Et sa femme, par son silence bienveillant et son sourire, laissa entendre qu'elle approuvait elle aussi son projet de se rendre à Harvard pour y étudier le droit.

Libéré de la nervosité vigilante de son père et des attentions de sa mère, Henry avait désormais l'été pour lui. Son cas personnel était résolu. Ses parents pouvaient maintenant se tracasser tout à loisir pour Wilky, Bob et Alice. Quant à lui, il pouvait savourer la chaleur étouffante de sa chambre, travailler en toute liberté et lire tout ce qui lui plaisait sans crainte de voir son père surgir à sa porte pour lui signifier qu'on était en guerre, que le pays avait besoin de lui, qu'il était temps de se soumettre à la discipline, d'endosser un uniforme, de coucher à la dure et de marcher au pas.

Dans les jours suivant l'accord de principe de son père, Henry découvrit Hawthorne. Il connaissait son nom, bien sûr, comme il connaissait Emerson et Thoreau, tout en lui accordant moins d'attention qu'aux deux essayistes à cause du ton assez ennuyeux et dépouillé des nouvelles qu'il avait pu lire. C'étaient des contes moraux tout simples à propos de gens à la morale toute simple ; des contes légers, faciles, tendres et insignifiants. Sargy Perry, avec qui Henry discutait de ces sujets, était d'accord sur le fait que la littérature la plus valable, la plus riche, la plus intense était celle des pays sur lesquels avait régné Napoléon, ou qu'il avait attaqués ; ces mêmes lieux où il suffisait de se pencher pour découvrir dans la terre des pièces de monnaie romaines. Les *Twice Told Tales* de Hawthorne étaient, pour Perry et pour lui, conformes à ce qu'annonçait leur titre, c'est-à-dire des contes qui auraient pu être racontés par leur tante au sujet de sa tante à elle, sans le moindre détail sociologique ni le moindre paysage voluptueux pour égayer le propos.

Le problème serait d'ailleurs le même, à leur avis, pour quiconque tenterait d'évoquer la vie en Nouvelle-Angleterre : comment affronter à la fois la pauvreté de la vie sociale, l'absence de manières et l'omniprésence d'un code moral étouffant ? Tout cela ne pouvait que faire le malheur de n'importe quel romancier. Il n'y avait pas de souverain, pas de cour, pas d'aristocratie, pas de corps diplomatique, pas de hobereaux ; il n'y avait ni palais, ni châteaux, ni manoirs, ni vieilles maisons de campagne, ni presbytères, ni chaumières, ni ruines ensevelies sous le lierre ; pas de cathédrales, pas d'abbayes, pas de petites églises normandes, pas de romans, pas de musées, pas de tableaux, pas de société politique. Si ces choses-là manquent, pensait Henry, pour le romancier tout manque. Il n'y a pas de parfum, pas de vie à mettre en scène, seulement une indigence de sentiments illustrée par une indigence de traditions. Trollope et Balzac, Zola et Dickens seraient devenus de vieux prédicateurs amers, ou des maîtres d'école chevelus et déments, s'ils avaient été condamnés à naître en Nouvelle-Angleterre et à vivre parmi ce peuple.

Henry fut donc surpris quand Perry lui parla avec admiration de la *Lettre écarlate*, qu'il venait de terminer. Il voulait que Henry lise immédiatement ce roman, et il parut dépité quelques jours plus tard en apprenant qu'il ne l'avait toujours pas commencé. En réalité, Henry avait essayé de lire les premières pages, les avait trouvées d'une lourdeur presque risible, avant de se laisser distraire par d'autres lectures. Il essaya donc de nouveau ; au début, il crut que ce ton presque comique, avec son évocation de prisons, de cimetières et de douces fleurs morales, était dû à l'absence d'une toile de fond adéquate, c'est-à-dire d'un univers social varié. Hawthorne avait remplacé l'art par la solennité – une vertu puritaine admirablement incarnée, entre autres, par le grand-père de Henry. Cela ne le dérangeait pas, dit-il à Perry, de lire des choses sur les puritains, ni même d'avoir des ancêtres qui l'étaient, mais il s'élevait contre un roman où ces gens-là et leurs vertus, si on pouvait vraiment les appeler ainsi, s'insinuaient jusque dans le style et l'architecture de l'œuvre.

Sur l'insistance de Perry, il garda le livre encore pendant quelques jours tout en lisant, en parallèle, les nouvelles de Mérimée, qu'il s'essayait à traduire, et une pièce de Musset qui commençait à le fasciner. Par comparaison, le peu d'éclat des observations de Hawthorne, le manque d'épaisseur de ses personnages, le style lent et raide du début ne lui donnaient pas envie de passer plus de temps en sa compagnie. Il n'était donc en rien préparé à ce qui se passa quand il s'attaqua, une fois de plus, aux premières pages.

L'offensive du roman sur ses sens n'eut pas lieu tout de suite ; et quand son charme commença à opérer, il ne s'en aperçut pas immédiatement. Il n'aurait su dire à quel moment *La Lettre écarlate* se mit à briller pour lui du même éclat que les romans de Balzac, qu'il avait lus peu de temps auparavant. Parfois le soir, de retour dans sa chambre après le dîner en famille, il devait poser le livre, tant il était ahuri par la manière dont Hawthorne se permettait de négliger la Nouvelle-Angleterre, sa petitesse terre à terre, les particularismes comiques du discours, de la conduite ou du caractère de ses habitants. Hawthorne avait évité l'anecdote, il s'était abstenu de toute mesquinerie. Il se défiait même du choix et du hasard ; il avait tout misé sur l'intensité, en prenant un personnage unique, une action unique, un lieu unique, une panoplie de croyances unique et une construction romanesque unique, et en entourant le tout d'une sombre forêt symbolique, un lieu dense, immense, de péché et de tentation. Hawthorne n'avait pas tant observé la vie, pensa Henry, qu'il ne l'avait imaginée ; et il s'était trouvé une série de symboles et d'images capables de la mettre en mouvement. La pauvreté même du matériau, l'étroitesse, la frigidité de cette société, ce monde de relations avortées et de croyance uniforme, Hawthorne en avait tiré parti, il l'avait intégré à sa propre vision puissante et tordue, et il avait créé avec tout cela une histoire qui, par cette nuit d'été, retenait son lecteur captif.

La plupart des livres que Henry lisait ne pouvaient être discutés qu'avec Perry, ou éventuellement avec William. Mais cette fois, le lendemain au déjeuner, il put interroger sa famille sur Hawthorne. Son père s'anima. Il l'avait rencontré pas plus tard que six mois auparavant. Il avait fait le voyage jusqu'à Boston pour une réunion du Saturday Morning Club, où il était expressément invité, et avait découvert Hawthorne dans la compagnie. La réunion avait été un peu décevante, ajouta son père, car Frederic Hedge n'avait pu s'empêcher de pérorer et de proférer des absurdités, si bien qu'il avait été difficile d'entendre ce qu'avait à dire Hawthorne. Non qu'il eût dit grand-chose, d'ailleurs, il était très réservé, et plus que cela même : il était rustre et dénué de manières ; il aurait sans doute été plus heureux à faire les foins ou à marcher dans la forêt. Le fait le plus marquant concernant Hawthorne, se rappelait son père, était qu'à peine la nourriture servie, Hawthorne ne s'était plus intéressé à quoi que ce soit d'autre ; il avait gardé les yeux fixés sur son assiette en mangeant avec une voracité telle que personne n'avait plus osé lui poser la moindre question.

Tante Kate ajouta qu'elle avait connu, bien des années plus tôt à Boston, une des sœurs de Hawthorne, qui était une dame agréable, d'autant plus qu'elle était très limitée. Cette sœur lui avait raconté que son frère avait été transformé par le mariage ; jusque-là, il avait vécu comme un reclus, obligeant sa famille à laisser ses repas devant sa porte, qu'il fermait à clé. Il ne sortait pas pendant la journée, dit tante Kate, et il ne voyait jamais le soleil que par la petite lucarne de sa chambre. Il se promenait rarement dans Salem, sauf la nuit. À la tombée du jour, en effet, le romancier sortait et marchait des kilomètres le long de la côte, ou alors il errait dans les rues endormies. Tels étaient ses passe-temps et aussi, apparemment, ses moments de contact le plus intime avec la vie. Et, poursuivit tante Kate sur un ton sévère, la sœur lui avait confié que tous ses travaux d'écriture n'avaient jamais rapporté un sou à Nathaniel.

Henry senior interrogea alors Wilky et Bob, eux qui avaient étudié à Sanborn en même temps que Julian, le fils du romancier. Wilky, pourtant rarement à court de repartie, ne trouva rien à dire sinon que Julian était un chic type. Bob raconta que jusqu'à cet instant il avait toujours cru que Hawthorne senior était ministre, et que seules les femmes écrivaient des romans.

La mère de Henry, jusque-là silencieuse, interrompit l'éclat de rire général en disant qu'elle avait personnellement connu toutes les sœurs Hawthorne ; celles-ci lui avaient parlé d'une blessure que Nathaniel s'était faite en jouant au ballon, qui lui avait causé beaucoup de douleur et de souci pendant des années. Il avait dû rester au lit, et c'était apparemment cette réclusion, précisa-t-elle d'un ton sec, qui l'avait poussé à devenir écrivain.

Henry partit à la recherche de Perry pour parler du roman avec lui et lui raconter ce qu'il venait d'apprendre sur le compte de son auteur. Il s'avéra que Perry en savait plus long que lui : Nathaniel Hawthorne avait récemment séjourné en Europe, surtout en Angleterre et en Italie ; il n'était pas, comme le supposait le père de Henry, un ballot de la campagne, mais un artiste sérieux, qui avait beaucoup lu, beaucoup voyagé, sans doute un des esprits les plus accomplis d'Amérique. Pendant le reste de cet été-là, et tout en se préparant à entrer à Harvard, Henry et Perry lurent et relurent tous les livres de Hawthorne et se retrouvèrent presque tous les jours pour partager leurs impressions.

La guerre paraissait curieusement lointaine en ce premier été. Même la proximité d'un hôpital de campagne à Portsmouth Grove ne suffisait pas à lui donner une réalité palpable. Ils apprirent alors qu'on pouvait rendre visite aux soldats convalescents couchés sous des tentes ou des toits de fortune. On pouvait aller les voir, presque en touristes. Avec Perry, Henry fit la traversée à bord du vapeur, sans savoir ce qu'il pourrait bien trouver à leur dire, ni s'il arriverait à détourner le regard de leurs plaies et de leurs moignons. À son arrivée dans le camp, la première chose qu'il remarqua fut le silence ; Perry et lui ne savaient pas vers où se diriger ; peut-être fallait-il d'abord demander la permission d'approcher les blessés. Comme personne ne venait, ils s'adressèrent à un soldat mal rasé assis en sous-vêtements sur une souche, devant une tente, qui leur répondit d'une voix douce mais indifférente ; ses yeux étaient vidés de toute énergie. Il ne leur donna aucune information précise, seulement qu'ils pouvaient parler à qui ils voulaient et aller où bon leur semblait. À la fin de cet échange, alors qu'ils se demandaient comment prendre congé, Perry lui tendit une pièce que l'homme fit disparaître après un regard furtif pour vérifier que personne ne l'observait.

Les blessés étaient étendus, inertes, à moitié morts, observant les deux jeunes gens de Newport du coin de l'œil. Henry fut frappé en premier lieu par leur jeunesse. Ils paraissaient, pour la plupart, terriblement vulnérables. Après que Perry et lui se furent séparés pour se déplacer chacun de son côté parmi les soldats, il éprouva à leur égard une grande tendresse et un besoin impérieux de les réconforter. Il s'attendait à voir des plaies ouvertes, du sang et des bandages, mais il y avait surtout de la fièvre et des infections. Il allait là où ça lui paraissait possible, là où une paire d'yeux s'était fixée sur lui sans hostilité, là où un type semblait en état de parler, pas trop en proie à la fièvre et pas trop réticent. Il veilla à ne pas trop en dire au début, de crainte que sa voix ou son ton, s'ajoutant à ses habits et à son allure générale, ne soit pour eux l'indice d'une opulence scandaleuse, mais il apparut assez vite que ça n'avait pas d'importance, qu'à tout prendre cela ajoutait à l'accueil timide qu'il recevait de la part de chaque soldat auprès duquel il s'arrêtait.

L'un d'entre eux était plus jeune que lui ; un garçon blond aux yeux d'un bleu limpide complètement dénués de peur ou d'appréhension. Henry lui demanda poliment comment il avait contracté sa blessure, et se pencha tout contre lui pour écouter la réponse. Le garçon ne dit rien tout d'abord, se contentant de secouer la tête d'un côté à l'autre, puis soudain, comme s'il reprenait une conversation interrompue un peu plus tôt, il expliqua qu'il n'avait pas senti la balle pénétrer dans sa jambe. Il n'avait rien senti du tout ; il le répéta plusieurs fois, à croire que c'était là son principal souci. Comme la morsure d'un insecte, précisa-t-il, pas plus ; ce n'est que quand il avait baissé les bras et touché la plaie que la terrible brûlure avait commencé.

Il avait détesté l'attente, les jours passés assis à ne rien faire, l'ordre de marcher dans telle direction, puis dans telle autre, avec des rumeurs en permanence, sans que rien n'arrive. Maintenant, dit-il, l'attente était terminée et il aurait voulu être de nouveau là, à attendre.

Henry lui assura qu'il irait bientôt mieux, mais le garçon ne réagit ni par oui ni par non. Il avait appris, pensa Henry, un stoïcisme qui cadrait mal avec sa jeunesse. La souffrance aiguë avait en quelque sorte pénétré sa conscience et s'y était installée à demeure. Henry se demanda si ses parents avaient été informés de l'amputation, s'ils savaient même où était leur fils. Il voulut lui proposer de leur écrire en son nom, une lettre ou un simple message, mais il ne lui sembla pas pouvoir le faire. Si l'infection ne guérissait pas, il serait à nouveau opéré, ou bien il mourrait ; ce que Henry ne pouvait concevoir, pendant qu'il essayait de s'adresser au garçon avec douceur et naturel, c'était son attitude de bravoure calme, son acceptation murmurée du sort qui l'attendait.

À la fin, ne sachant plus quoi ajouter, il lui proposa de l'argent, que le soldat accepta avec sobriété, et lui donna son adresse à Newport, au cas où il serait dans le besoin une fois guéri. Le garçon examina les mots griffonnés sur le papier et hocha la tête, sans sourire. Henry n'osa pas lui demander s'il savait lire.

À bord du vapeur grinçant qui les ramenait lentement vers Newport ce soir-là, il prit place sur une chaise longue, à l'écart de Perry. Tout en observant la lumière déclinante et en profitant de la brise, bienvenue après la chaleur du jour, il eut la sensation de s'être impliqué, pour une fois, dans cette Amérique dont il s'était toujours préservé. Il avait écouté attentivement, mais il n'avait pas su comment réagir. Il essaya d'imaginer la vie de ce jeune homme sous la tente, luttant pour sa survie, se préparant au pire tout en espérant rentrer chez lui un jour. Il essaya d'évoquer l'instant où, le patient ayant été assommé avec la morphine et le whisky éventuellement disponibles, les bras attachés dans le dos, le bâillon dans la bouche, le chirurgien avait dégainé sa lame pendant qu'on maintenait solidement la jambe en place. Il aurait voulu serrer son jeune ami dans ses bras, l'aider maintenant que le pire était passé, le ramener dans sa famille pour qu'elle le soigne et s'occupe de lui. Mais en même temps, il avait envie d'être seul dans sa chambre, pendant que la nuit tombait au-dehors, avec un livre à portée de la main, du papier et un stylo, et la certitude que la porte resterait fermée jusqu'au matin, que personne ne viendrait le déranger. L'écart entre ces deux désirs le remplissait de tristesse et de stupeur devant le mystère du moi ; ce mystère qui consistait à posséder une conscience unique, qui ne connaissait que ses propres émotions dénudées et qui éprouvait dans une solitude absolue sa propre douleur, sa peur, sa jouissance ou son autosatisfaction.

Soudain alors, sur le bateau, dans le soir tiède, face à l'horizon où tombait un crépuscule plein de douceur, il sentit avec une acuité extrême la nature profondément réelle et distincte de ce moi ; combien ce moi se révélait intact, séparé, dès lors que le couteau entaillait la chair de quelqu'un d'autre, le gras, le muscle, les tendons, les nerfs, les vaisseaux, l'os d'un autre moi, qui souffrait le martyre et qui était un autre, un autre blessé, loin de chez lui, sous la tente. Il comprit le caractère absolu et inviolable de cette séparation ; de la même manière, le soldat ignorait tout du confort et des privilèges inhérents au fait d'être le fils de Henry James senior, préservé de la guerre.

En septembre 1862 son père fit le voyage de Boston avec Wilky. Là-bas, il l'aida, ainsi que son ami Cabot Russell, à rejoindre l'armée nordiste. Bob James, ayant menti sur son âge, s'enrôla bientôt à son tour. Wilky et Bob devinrent ainsi le centre de l'attention générale. Leurs remarques les plus triviales étaient conservées comme des trésors et répétées à tout propos ; chaque bribe d'information concernant l'un ou l'autre des cadets était transmise sans délai aux deux aînés.

À Cambridge, après avoir logé au début avec William, Henry se trouva une petite chambre carrée, au plafond bas, aux appuis de fenêtres profonds, et il entreprit de ranger ses livres selon un système de classement très raffiné. Il se promenait sur les routes de campagne autour de Cambridge, observant avec ravissement les petites maisons solitaires nichées sous les ormes immenses, dans l'herbe des collines ; il imaginait la vie à l'intérieur de ces maisons et la manière dont cette vie pourrait être rendue, modelée, mise en forme, si un jeune Hawthorne venait à passer par là.

Il retrouvait son frère au moment des repas chez Miss Upsham, au coin de Kirkland et d'Oxford Streets, où il avait plaisir à écouter les conversations, son frère volubile lui épargnant d'y prendre lui-même une part active. Il aimait les reparties sèches et spirituelles de l'étudiant en théologie ; il écoutait avec respect le vieux professeur Child, dont la voix, dès qu'on évoquait la guerre, devenait aussi sombre, aussi funeste que les innombrables ballades qu'il avait collectées au cours de sa carrière.

Pendant les cours, Henry essayait de s'intéresser dans toute la mesure du possible à la matière enseignée, mais il passait surtout son temps à observer les autres étudiants, analysant les différents types et scrutant les expressions, qui allaient du terne vaguement agréable au mémorable très remarquable. Il voulait que ses yeux réfléchissent à sa place, qu'ils déchiffrent les visages, les sourires, les grimaces, les démarches et les gestuelles pour les transformer en personnages, en tempéraments. Ses condisciples étaient pour la plupart natifs de Nouvelle-Angleterre et il devinait sans peine – devant leur mine solennelle pendant les cours, leur manque de douceur ou d'humour, leur contenance, leur démarche raide –, que leurs ancêtres étaient des gens qui montaient en chaire pour prêcher avec ferveur la différence entre le bien et le mal, et qu'eux-mêmes avaient été élevés dans des foyers où ces principes étaient solidement établis.

Pendant les cours, une ombre planait au-dessus d'eux en permanence, l'ombre de cette guerre pour laquelle ils ne s'étaient pas portés volontaires et dont ils ne parlaient jamais, sauf en cas de nouvelles fraîches et urgentes. Ils n'avaient pas l'air de jeunes hommes capables de donner facilement des ordres ou d'en recevoir, de marcher au pas ou de se faire amputer. Ils avaient foi en l'Union et en l'abolition de l'esclavage comme ils avaient foi en Dieu, mais ils croyaient tout autant à leur propre liberté et à leur statut privilégié. L'abolition était une noble cause, et ils l'incluaient dans leurs prières ; en même temps, ils prenaient des notes et lisaient d'épais volumes pour préparer leur avenir. Pour Henry, il était plus facile de les regarder que de leur parler. Sur leur physionomie, il déchiffrait une sorte de droiture puérile qui protégeait le reste de leur personnalité comme un grand mur de pierre.

Henry avait beau assister assidûment aux cours, c'est à peine s'il ouvrait un livre de droit. En revanche, il lisait Sainte-Beuve, il se faufilait dans les cours de Lowell sur la littérature anglaise et française et il écoutait Emerson quand celui-ci venait à Boston prononcer un discours contre l'esclavage. Il allait au théâtre. Il se coulait dans la vie qu'étaient capables de lui offrir Cambridge et Boston. La guerre était un bruit lointain qui devenait par moments plus fort, et quelquefois tonitruant. Un jour, à Harvard, il avait aperçu son cousin Gus Barker, qui devait être en permission ; il ne l'avait pas rattrapé, pensant qu'il le croiserait au cours des prochains jours. Mais il ne le revit pas, et quand Gus fut tué en Virginie, Henry se trouva incapable de concilier le souvenir de son cousin à la peau si blanche, au regard si brillant, au physique si vigoureux, avec l'idée d'un corps tordu, écartelé par la douleur, abandonné sur place pendant que les autres continuaient d'avancer, avant d'être enterré dans un endroit lointain où personne ne le connaissait.

Sa mère, dans la lettre où elle lui annonçait la mort de Gus, précisa qu'elle en avait également informé William. Henry se présenta ce jour-là chez Miss Upsham sans la moindre idée de ce qu'il pourrait dire à William concernant leur cousin ; quand William entra dans la salle à manger, il lui vit une expression de sombre embarras et se surprit à aller lui serrer la main, ce qui ne fit qu'aggraver leur malaise. William hocha gravement la tête. Ni l'un ni l'autre ne put prononcer un mot. Ce fut seulement quand William annonça au professeur Child que leur cousin avait été tué en Virginie par un franc-tireur que le charme fut rompu et qu'il devint possible d'évoquer la mort de Gus Barker.

— Tous ces jeunes gens condamnés, déclara le professeur Child, florissants et braves, laissant derrière eux ceux qui les aimaient pour s'allonger dans la mort sur le champ de bataille pendant que la guerre se poursuit autour d'eux.

Henry se demanda si le professeur citait de mémoire une de ses ballades ou s'il essayait de parler normalement. Il vit que William avait les larmes aux yeux.

— Les meilleurs sont partis à la guerre, reprit le professeur Child, et se sont fait faucher.

Parfois, au cours de ces repas, le professeur Child semblait tenté de dire que ceux qui étaient restés à la maison, y compris ceux qu'il voyait chaque jour chez Miss Upsham, étaient des lâches ; mais il se retenait.

Dans les mois qui suivirent, William et Henry ne prononcèrent pas une fois le nom de Gus Barker. L'un et l'autre ressentaient, pensait à présent Henry, une culpabilité qu'ils se refusaient à admettre et dont ils ne voulaient pas parler.

Quand Henry alla rendre visite à Wilky à Readville, il eut du mal à croire que ce doux compagnon de son enfance ait pu maîtriser, avec sa simple gaieté et sa sociabilité naturelle, les mystères et les rigueurs de la vie militaire. Son frère cadet était devenu soldat, puis officier, et il avait l'air de considérer tout cela comme un exercice d'amour du prochain. Il garderait toujours le souvenir des compagnons de son frère : des jeunes gens rieurs, accueillants, bronzés qui portaient les mêmes patronymes bostoniens prestigieux que ses camarades de la faculté de droit, ce qui ne les empêchait pas de s'être parfaitement adaptés à l'armée, avec une ouverture d'esprit, un plaisir à vivre au grand air et même un goût pour la plaisanterie qui allaient à l'encontre de toute leur éducation. L'hôpital de campagne de Portsmouth semblait très loin ; quand il prit congé d'eux ce soir-là pour retourner à Harvard, ce fut avec le sentiment qu'une guerre longue, ou même une guerre sanglante, était incompatible avec cette image d'ordre souverain et de bonne humeur qu'il venait de voir.

Sa mère prit l'habitude de recopier à l'intention de Henry et de William les passages les plus éclairants, les plus édifiants ou les plus alarmants de la correspondance de Wilky. En janvier, dans une lettre à ses parents, Wilky évoquait une fièvre maligne nommée malaria qui affectait les deux armées. « Il y a deux semaines, écrivait-il, nous avons enterré deux hommes de notre compagnie en l'espace de trois jours, et bien d'autres ont depuis été contaminés. » Wilky parvenait toujours à laisser entendre qu'il était à la fois impatient de se battre et impatient de rentrer, mais ce que Henry retenait par-dessus tout des lettres de son frère, c'était son idéalisme, sa foi dans la cause qu'il défendait et sa détermination à se battre pour elle. Wilky écrivit et sa mère transcrivit :

Je vais très bien et mon moral est excellent, mais j'ai parfois la nostalgie de la maison. Si la situation ne s'arrange pas d'ici fin mai, j'ai bien peur que nous ne rentrions pas, car le gouvernement va, je pense, lancer un appel aux 300 000 qui s'étaient engagés pour neuf mois et leur demander de rester trois mois de plus, parce qu'on a vraiment besoin d'eux. Et que peut-on répondre à un appel émanant d'un si haut lieu et pour une si haute cause ? Pour moi, je serai content de rester si le pays a besoin que je reste, mais ce sera en même temps un coup dur, croyez-moi.

Henry imaginait sa mère recopiant ce passage, après l'avoir soigneusement sélectionné. Il savait qu'elle avait dû hésiter avant de l'envoyer, puisqu'il suggérait si clairement où était le devoir. Elle l'avait envoyé, mais sans commentaire ; et Henry se contentait de l'idée que leur mère était aussi responsable que William ou lui de ce dispositif où Wilky et Bob représentaient la famille James dans la guerre.

William et lui ne communiquèrent pas beaucoup au cours de ces mois-là, alors même qu'ils mangeaient à la même table trois fois par jour. Si une lettre arrivait – une lettre de sa mère que William aurait, présumait-il, envie de lire, il la lui donnait simplement ; et William faisait de même. Les deux frères savouraient leur solitude, les plaisirs de l'introspection et d'une compagnie intermittente, la liberté loin des interférences parentales et du brouhaha de la vie domestique, mais, surtout, ils étaient l'un et l'autre immergés dans la lecture.

Ce fut, tout au contraire, un temps héroïque dans la vie de Wilky, dont il ne ferait plus l'expérience et dont il ne se remettrait jamais. Il s'était porté volontaire pour servir en tant qu'officier dans le 54e régiment, sous les ordres du colonel Shaw. Son départ de Boston fut un épisode glorieux, pour lequel Henry James senior fit spécialement le voyage, Oliver Wendell Holmes senior l'ayant invité à profiter de sa maison pour admirer le défilé, ce défilé qui marquerait toujours pour lui un tournant dans l'histoire de sa famille et dans l'histoire de la liberté en Amérique.

William et Henry eurent connaissance de l'événement par leur mère. Dans la lettre où elle les informait de l'arrivée de leur père, elle semblait tenir pour acquis que les deux frères auraient eux aussi le désir d'assister au triomphe de Wilky et d'être personnellement témoins de cette conjonction singulière de l'histoire familiale avec le destin du pays. L'idée qu'ils puissent ne pas vouloir y assister ne l'avait apparemment pas effleurée.

William répondit tout de suite à sa mère qu'il avait une expérience importante à mener à bien au laboratoire ce jour-là, qu'il ferait tout son possible pour assister au défilé, mais que dans le cas où ses efforts échoueraient, celui-ci devrait malheureusement avoir lieu sans lui.

Henry attendit la dernière minute pour écrire à sa mère que son dos le faisait de nouveau souffrir, qu'il avait besoin de repos, qu'il espérait être rétabli pour le 28 mai, date du défilé, qu'il promettait de faire tout son possible, mais que si l'état de son dos ne s'améliorait pas, ou s'il empirait, il ne serait pas en état d'accueillir son père et de l'accompagner chez le docteur Holmes. Il ne relut pas sa lettre avant de l'expédier.

Le matin du 28 mai, Henry ne se présenta pas au petit déjeuner chez Miss Upsham. En arrivant à l'heure du déjeuner, il apprit que William avait prévenu qu'il ne prendrait aucun repas chez elle ce jour-là. Le professeur Child et deux autres habitués, tous abolitionnistes fanatiques, se préparaient à assister au défilé et attribuaient l'absence de William à l'impatience de voir son frère, dont la décision intrépide de rejoindre le 54e régiment et le colonel Shaw faisait leur admiration. Ils étaient également persuadés, nota Henry, que lui-même avait un poste d'observation prévu d'où contempler le passage du régiment ; quand il s'éclipsa, personne ne lui demanda où il allait.

Allongé sur son lit, après avoir discrètement regagné sa chambre, Henry eut l'impression que le silence était plus profond que d'habitude, comme si tout le bruit s'était condensé sur le trajet du défilé et l'avait laissé seul ici, dans les marges jamais troublées où il n'y avait ni bruit, ni action, ni mouvement. Il s'étira, alla s'asseoir à la table, tambourina légèrement du bout des doigts sur la surface polie en prenant plaisir à l'effet assourdi du son. Il choisit sur l'étagère un volume de Sainte-Beuve et le feuilleta ; mais la sensation d'être à l'écart du cœur des événements était très puissante. Il était suspendu, comme un souffle d'air qu'on retient. C'était assez excitant ; surtout, à mesure que l'après-midi avançait, il ressentit quelque chose qui approchait du bonheur, mais qui ne ressemblait pas au bonheur du travail accompli, ou à celui du repos. C'était le fait de se trouver dans une chambre, avec un lit, un bureau, des livres, en un jour où l'air du dehors charriait le danger. Alors que le sang des autres bouillonnait, lui était calme. Si calme qu'il ne pouvait ni lire ni réfléchir, seulement jouir de la liberté que lui offrait cet après-midi, savourer aussi intensément que possible cette trahison discrète et étrange, la manière dont il s'était subrepticement soustrait au monde.

À son retour à Newport, il trouva la maisonnée dans un état d'expectative permanente. La famille remarqua à peine son arrivée et n'accorda aucun intérêt à son état de semi-exilé. Aux repas, il n'était question que de Wilky, de Bob et de leurs camarades, dont les noms, bien souvent, avaient une résonance familière. Chaque lettre était réceptionnée par sa mère, par tante Kate ou par Alice avec un cri d'émotion, mais restait scellée jusqu'au retour de Henry senior, qui commençait par la lire seul, judicieusement, posément, avant de la donner à sa femme, qui lisait à haute voix les passages qu'elle jugeait dignes d'être restitués sans délai. La lettre était ensuite remise à Henry ou à William, s'ils étaient là, puis à tante Kate et à Alice, qui la parcouraient ensemble. Henry senior relisait ensuite plusieurs fois la lettre de Wilky et, quand certains passages lui paraissaient dignes d'être reproduits dans le *Newport News*, il partait seul, d'un pas aussi vif que possible, en tout cas très décidé, afin de la remettre au directeur du journal.

Une lettre datée du 18 juillet 1863 leur apprit que Wilky entamait maintenant une période très éprouvante et qu'il serait chaque jour en réel danger. *Newport News* la reproduisit fièrement en entier :

> Cher Père, nous descendons actuellement Ediston River, en route vers le front. J'ai seulement le temps de vous dire que la bataille du 16 a fait 47 morts et blessés parmi nous. Le régiment s'est comporté avec noblesse ; et je serais prêt à donner mon bras droit pour conserver la réputation qu'il s'est taillée. Nous sommes maintenant en route vers Morris Island. La nouvelle attaque sur Fort Wagner commence demain à l'aube. J'espère et je prie Dieu que le régiment sera aussi héroïque là-bas qu'il l'a été à James Island.

Tous connaissaient Fort Wagner. C'était, leur avait expliqué solennellement Henry senior, la plus grande place forte de l'histoire. Il fallait s'en emparer, mais ce ne serait pas facile. Henry senior était très surpris par la décision d'y envoyer le 54ᵉ, un régiment composé en majorité de Noirs, dont la simple apparition répandrait la fureur parmi les confédérés. Dans les jours qui suivirent, n'ayant aucune nouvelle, il en parla avec les nombreux visiteurs anxieux qui défilaient à la maison, répétant à chacun ce qu'il avait dit au précédent jusqu'à être convaincu que son analyse était correcte, et même la seule valable.

Ils ne pouvaient rien faire sinon attendre. Ils savaient que la bataille s'était soldée par un désastre et que Fort Wagner était toujours aux mains des confédérés. Ils savaient aussi que les soldats du 54ᵉ s'étaient surpassés en bravoure. Beaucoup d'entre eux étaient morts. Mais ils ne savaient rien de Wilky. Au cours de ces jours et de ces nuits d'été brûlants, si intimement associés d'habitude à l'indolence et au plaisir, ils ne dormirent pas. Les repas se transformèrent en contrainte embarrassée ; plus le temps passait, plus il devenait évident que Wilky n'avait pas pu réchapper sain et sauf de la bataille. Si tel avait été le cas, il les en aurait informés. Ils attendaient donc avec angoisse.

Henry imaginait son frère enterré au milieu des autres cadavres, sans même un nom pour signaler le lieu de sa dernière demeure.

— Ce serait le pire pour ta mère, lui dit tante Kate. D'imaginer qu'il a peut-être survécu et qu'il va venir la surprendre d'un instant à l'autre. Elle ne cesserait jamais de l'espérer.

Personne, à aucun moment, ne mentionna la menace qui aurait été proférée par Jeff Davis dans un manifeste : que les officiers blancs du 54e du Massachusetts seraient pendus si on les capturait vivants. Lorsque tante Kate découvrit cette information dans le journal – où Henry l'avait déjà repérée – il la vit emporter le journal entier à la cuisine et le brûler dans le poêle.

Plus tard, bien sûr, ils découvriraient toute l'horreur de ce qui s'était passé à Fort Wagner, les soldats abattus par rangs entiers à chaque pas, les corps entassés, la mort du colonel Shaw sous les yeux de Wilky, la mort de son ami Cabot Russell, la première blessure de Wilky au flanc, puis la balle d'obus dans son pied. Alors qu'il gisait à terre, il fut repéré par deux brancardiers qui commencèrent à l'évacuer vers le centre de regroupement des blessés, quand soudain le brancardier qui lui faisait face eut la tête arrachée par l'explosion d'un obus. Wilky fut témoin de sa mort instantanée, atroce. L'autre brancardier prit la fuite. Wilky se réveilla le lendemain sous une tente de la Commission sanitaire, à cinq kilomètres de là. Après quelque temps il fut transféré à l'hôpital de Port Royal, qui était en réalité un champ à peine recouvert par une mince toile où s'entassaient les blessés graves et les agonisants, avec une assistance médicale minime. Wilky resta là, à demi comateux, pendant que ses blessures s'infectaient lentement, sans possibilité de prendre contact avec sa famille. Il fut sauvé par un miracle. Le père de Cabot Russell était parti en Caroline du Sud à la recherche de son fils, croyant qu'il avait été fait prisonnier. Malgré l'assurance répétée que son fils n'avait pas survécu à la bataille, il entama une quête désespérée dans les tentes, et ce fut ainsi qu'il découvrit Wilky, par un pur hasard. Il envoya immédiatement un télégramme à la famille James pour la prévenir qu'il continuait à chercher son fils, mais qu'il veillerait aussi à rapatrier Wilky. Début août, Mr Russell abandonna ses vaines recherches dans le chaos de la Caroline du Sud et accepta le verdict initial – son fils était mort. Il revint en bateau jusqu'à New York, avec Wilky sur un brancard. L'infection empirait, et il fallut retirer à bord la balle logée dans son pied. L'autre blessure, proche de la colonne vertébrale, était plus gravement infectée encore, mais il n'était pas question d'y toucher.

Quand Wilky arriva à Newport, avec Mr Russell qui ne l'avait quitté à aucun moment, il était à demi mort. Le brancard fut déposé dans le hall d'entrée ; le médecin ordonna qu'on ne le transporte pas plus loin. Tous firent cercle autour de Wilky, soulagés de le revoir enfin, et qu'il leur soit revenu vivant, mais conscients aussi qu'il n'en avait peut-être plus pour longtemps et que sa survie, désormais, importait plus que tout. Puis ils levèrent les yeux vers Mr Russell et Henry les vit, à tour de rôle, tenter de masquer tant bien que mal leur joie, ou leur préoccupation exclusive de Wilky, devant ce père brisé à peine revenu du champ de bataille où son fils était mort. Au cours de ces premières heures, pendant que William notait toutes les instructions du médecin pour s'occuper personnellement de son frère, pendant que ses parents tenaient la main de Wilky et refoulaient les visiteurs et pendant que sa tante et sa sœur faisaient le va-et-vient entre la cuisine et le hall d'entrée avec de l'eau chaude, des serviettes et des bandages propres, Henry observa Mr Russell, impressionné par sa douceur grave et ferme, et par sa douleur de ne pas pouvoir regarder le patient avec une pitié encore plus intime. Mr Russell demeura calme et plein de tact en attendant le moment de prendre congé ; ce calme et ce tact finirent par se communiquer à toute l'atmosphère ; à la fin, Henry eut le sentiment que les membres de la famille se déplaçaient avec une prudence circonspecte autour de cet homme plein de bonté qui avait été privé de son fils unique et qui restait pourtant assis bien droit, l'œil sec, à contempler leur soulagement à tous.

Moins d'un an plus tôt, Wilky et Cabot avaient vécu dans un état d'expectative heureuse, comme si la portion de terre qu'ils habitaient avait été créée et aménagée spécialement pour leur liberté et leur bonheur. À Boston, à Newport, et dans tous les villages de Nouvelle-Angleterre, ils étaient les bienvenus ; leur accent était compris, leur façon d'être appréciée. Avec le temps, leur spontanéité se tempérerait d'expérience, leur séduction changerait de forme, leurs croyances se solidifieraient. Personne ne leur avait dit, et personne n'avait pris la peine d'avertir leurs parents, qu'ils seraient détruits avant leurs vingt ans. La Nouvelle-Angleterre créée par leurs grands-parents et leurs arrière-grands-parents n'était pas un lieu de mort violente, de cris de guerre et de plaies infectées, mais un havre de sédentarité, de bienséance, de paix, de vertu. Henry, assis sur le banc de l'entrée à côté de Mr Russell, savait que l'état de choc de celui-ci ne tenait pas seulement à la disparition brutale de son fils chéri, mais au fait qu'un pacte social qu'on croyait ordonné par l'Histoire avait été cruellement brisé.

Wilky était revenu sans rien. Même son uniforme pourrissait, et il fallut le lui enlever avec mille précautions. La couverture qui le recouvrait à son arrivée avait été jetée dans un coin. Quelques jours plus tard, pendant qu'il veillait son frère, Henry remarqua sa présence et l'emporta à la cuisine. Quand il la déplia, l'odeur fut effroyable, mais si évocatrice de ce qu'avait dû être la souffrance de Wilky sur le champ de bataille qu'il ne pouvait simplement la jeter. Elle sentait le tabac et l'étrange mélange de décomposition et de sueur humaine qui avait également imprégné l'uniforme de son frère. Mais surtout, elle avait gardé l'odeur de la terre elle-même, la terre boueuse piétinée par les régiments, retournée par les fossoyeurs, la terre fétide. Il fourra la couverture dans un réduit derrière l'office et retourna dans le hall d'entrée, mais l'odeur l'avait suivi. C'était le témoignage le plus frappant de ce qu'avait enduré son frère.

La maison vivait au rythme de la souffrance de Wilky. Henry comprit qu'il avait porté une telle attention à Mr Russell en ce premier jour uniquement pour ne pas regarder son frère. Après le départ de Mr Russell, il n'avait pas eu d'autre choix que de contempler la scène dans toute son horreur. Les cheveux agglutinés de Wilky, son corps mou et en sueur. Il ne dormait pas. Couché sur le côté, il gémissait sans s'arrêter, et criait quand la douleur devenait plus intense. Parfois ces cris se transformaient en hurlements qui remplissaient la maison. Henry croyait que son frère allait mourir.

Au matin du troisième jour, sa mère déclara à la table du petit déjeuner qu'ils devaient, chacun à sa manière, partager la souffrance de Wilky. Chacun des membres de cette maisonnée, expliqua-t-elle pendant que son mari opinait de la tête, devait assumer cette douleur et en supporter une petite portion dans son propre corps. Henry jeta un coup d'œil à William et s'aperçut que son frère hochait la tête lui aussi, comme si leur mère venait de proférer un conseil éminemment sage et pragmatique. De retour dans sa chambre, Henry s'allongea sur le lit et se concentra sur la plaie infectée que Wilky avait au côté, que les docteurs avaient rouverte sans pour autant arrêter l'infection. Tous les vœux pieux du monde, pensa-t-il, ne changeraient rien à la souffrance de son frère. Il redescendit et alla s'asseoir près de Wilky qui gémissait doucement. Il s'approcha – sa tante Kate, qui était déjà à son chevet, lui sourit – et prit la main de son frère ; il la relâcha aussitôt, avec l'impression de lui avoir fait mal. Il aurait voulu voir son frère sourire, comme il avait toujours souri, mais cela paraissait inimaginable ; ce visage-là, creusé, les traits tirés, n'était capable que de se ratatiner de détresse. Henry et sa tante Kate restèrent en silence auprès de Wilky jusqu'à ce que sa mère vienne sans un mot prendre la place de sa sœur sur le banc.

La famille cachait à Bob la gravité de l'état de Wilky ; la vérité ne lui fut révélée que lorsque le patient commença à aller mieux. Bob se débrouilla pour leur envoyer une lettre confidentielle exprimant son opinion, partagée par d'autres, sur l'attaque de Fort Wagner : on avait en cette occasion négligé des points de stratégie décisifs. Les morts, écrivait-il, étaient des monuments à la folie. La lettre de Bob déplut fortement à ses parents ; elle manquait d'idéalisme et d'optimisme. D'autres suivirent, où il apparut que Bob s'ennuyait. Il avait souffert d'insolation, de dysenterie, et de manque de respect pour ses supérieurs. Ses lettres n'étaient lues que par la famille la plus proche, et sa mère exprimait sa désapprobation en refusant parfois d'en prendre connaissance – elle demandait alors à son mari de lui lire à haute voix les passages empreints d'un minimum d'élévation, s'il pouvait en trouver.

Quand les blessures de Wilky parurent enfin vouloir cicatriser, il commença à faire des cauchemars. Il poussait des hurlements comme s'il vivait à nouveau le feu du combat ou l'horreur de la retraite. La famille se relayait à son chevet pendant la nuit – dès que son état l'avait permis, il avait été transporté dans sa chambre –, mais personne ne savait comment s'y prendre pour remettre de l'ordre dans son sommeil, le convaincre qu'il n'était pas attaqué, qu'on ne lui tirait pas dessus, que ses amis ne mouraient pas autour de lui. Les cauchemars cessaient uniquement quand son agitation dans le lit devenait trop intense ; il était alors réveillé par la douleur.

Les journées ne valaient guère mieux, dans la mesure où le souvenir de ce qu'il avait vu et subi entretenait Wilky dans un état de cauchemar éveillé. Son père restait optimiste, convaincu du prompt rétablissement de Wilky, convaincu aussi que les morts de la guerre avaient gagné la félicité éternelle. Même la souffrance de Wilky, disait-il, avait réuni la famille et ne pouvait que conduire Wilky lui-même à une distinction spirituelle encore plus grande.

Henry était dans la chambre de Wilky quand son frère – qui pouvait maintenant parler tant bien que mal – demanda à leur père de prononcer un sermon. Sa voix était faible, mais son regard impatient et empreint d'une sorte d'avidité innocente quand leur père commença en déclarant que tous les mortels, les riches et les bien-portants autant que les malades et les blessés, dépendaient également de Dieu, et que notre intérêt était de devenir aussi innocents que des moutons et de nous tenir prêts à Le suivre. Il continua dans la même veine jusqu'au moment où Wilky l'interrompit, les larmes aux yeux.

— Ah, père ! c'est facile de prêcher la foi dans l'amour de Dieu. Mais là où j'étais, il était difficile d'y croire.

Henry senior se tut. Tous avaient le regard fixé sur Wilky, qui essayait de reprendre son souffle. Le père se tourna vers Henry comme pour lui demander son avis, s'il devait reprendre son sermon ou attendre de voir si Wilky avait quelque chose à ajouter. Henry ne répondit pas, mais Wilky trouva bientôt la force de poursuivre, et il ne laissa aucun doute sur le fait qu'il ne voulait plus qu'on lui prêche quoi que ce soit, même si, à l'origine, la demande émanait de lui.

— Quand je me suis réveillé, j'étais couché dans le sable, sous la tente. Tout m'est revenu petit à petit, mes blessures, ma chute, les deux hommes qui avaient essayé de me porter jusqu'à la tente, la chute de l'un d'eux, moi essayant de ramper jusqu'à l'ambulance. J'étais là, oublié, malade, affaibli d'avoir perdu tellement de sang. Et pendant que j'étais couché, en train de me demander si je reverrais jamais la maison, j'ai vu un pauvre type de l'Ohio qui avait eu la mâchoire arrachée, et il a vu que je n'étais pas loin et incapable de me lever, alors il a rampé jusqu'à moi et il m'a inondé de son sang et alors j'ai...

Wilky se couvrit le visage et commença à pleurer de façon incontrôlable. Il ne pouvait plus parler. Ses sanglots devinrent hystériques, à la fin il était agité de soubresauts dans le lit, pendant que son père et son frère le contemplaient avec impuissance. Sa mère arriva, le prit dans ses bras, le calma et leur parla doucement à tous les trois, jusqu'à ce que Wilky fût enfin rendormi.

— Quand Wilky était bébé, il avait toujours l'air de sourire dans son berceau. J'ai essayé de savoir si c'était son état habituel, ou s'il se mettait à sourire en m'entendant approcher. Mais je n'ai jamais découvert la vérité. C'est ce que je voudrais maintenant. C'est ce que j'attends – qu'il recommence à sourire.

Quand William retourna à Harvard en septembre pour reprendre ses études, Henry ne partit pas avec lui. Ses parents s'inquiétaient encore beaucoup pour Wilky. Ils furent très soulagés, en revanche, quand Bob survécut, indemne, à un nouvel assaut contre Fort Wagner, qui, par chance, avait été évacué juste avant l'attaque.

Henry resta dans sa chambre pendant que Wilky se rétablissait lentement et que Bob suivait son régiment. La réaction de sa mère à sa réclusion silencieuse se fit plus bienveillante dès lors que Wilky commença à dire qu'il voulait retourner au front, et que c'était à lui, et non aux médecins, de juger s'il en était capable. Aux repas, sa mère parlait beaucoup du sacrifice consenti par ses fils cadets et de leur bravoure, mais son ton était amer.

— Ils ont vu des choses que personne de leur âge ne devrait voir. Ils ont vu des horreurs, ils en ont subi eux-mêmes, et je ne sais pas comment ils pourront jamais reprendre une vie normale sans être hantés par des visions que nous ne pouvons même pas imaginer. J'aurais préféré qu'ils ne s'engagent pas. C'est tout ce que je peux dire. Et j'aurais préféré que cette guerre n'ait pas lieu.

Tante Kate hochait la tête, mais Henry senior gardait un air passif et lointain, comme si sa femme venait de prononcer une remarque anodine. À la fin des repas, Henry retournait très vite dans sa chambre. Sa mère commença une fois de plus à s'inquiéter pour son dos, à lui apporter des coussins et à lui recommander de lire allongé plutôt qu'assis.

Il ne sut quoi leur dire lorsque son premier texte – une nouvelle écrite dans le style français au sujet d'une femme adultère – fut accepté par une revue new-yorkaise, *Continental Monthly*. Le texte ne serait pas signé ; Henry pouvait donc se taire si tel était son souhait. Il attendit un jour ou deux puis, en découvrant son père seul dans la bibliothèque, il décida de lui révéler son secret. Une heure plus tard, son père avait lu la nouvelle et exprimé sa désapprobation quant au contenu, qui était selon lui tout sauf édifiant et qui mettait en scène les motifs les plus vils. Son père écrivit à William, qui renvoya à Henry une note moqueuse lui demandant comment il pouvait en savoir si long sur les dames françaises adultères. Enfin, son père fit le tour de Newport et répandit la nouvelle que son fils était sur le point de publier un texte dans le style français.

Wilky rejoignit son régiment, où il fut jugé en trop piteux état pour reprendre du service, si bien qu'il revint une fois de plus à la maison, très décidé à se rétablir complètement pour voir la fin de la guerre et être là au moment de la victoire. Rien ne tempérait son enthousiasme. Pendant cet interlude où Wilky attendait de retourner se battre, Henry prit l'habitude de lire auprès de son frère pendant que celui-ci dormait ou se reposait en silence. Un soir, alors qu'il s'apprêtait à remonter sans bruit dans sa propre chambre après avoir laissé Wilky paisiblement endormi, il croisa sa tante Kate dans le couloir. Elle lui murmura qu'elle lui avait laissé du gâteau et du lait dans la cuisine. Il allait lui répondre qu'il ne voulait ni l'un ni l'autre, quand il comprit à son froncement de sourcils qu'elle lui donnait l'ordre de la suivre.

Ils traversèrent la maison sur la pointe des pieds, pendant que tante Kate murmurait quelque chose au sujet de la convalescence de Wilky. Puis elle referma la porte de la cuisine.

— Il est fou de vouloir retourner à la guerre, déclarat-elle à voix haute. Comme s'il n'avait pas assez souffert déjà !

— La cause de l'Union lui inspire toujours le même enthousiasme.

Tante Kate pinça les lèvres.

— Il ne se posera jamais, après la guerre. Il est comme tous les James, sauf toi. Buté, plein d'idéalisme idiot.

Elle le dévisagea pour voir si elle avait dépassé les bornes, mais il lui sourit d'un air amusé pour lui faire comprendre qu'elle pouvait continuer, si elle le voulait.

— Ils étaient tous comme ça dans la famille de ton père. S'ils buvaient un verre, il fallait qu'ils en boivent mille. Une nuit de jeu, et ils ressortaient ruinés. Une page de théologie et alors...

Elle soupira et secoua la tête.

— La moitié d'entre eux sont morts jeunes, en laissant tes cousins orphelins, les filles Temple et ce pauvre Gus Barker. Bien sûr, leur père, le vieux William James d'Albany, était aussi riche que Mr Astor, mais les Astor étaient très rusés en affaires, la tête sur les épaules, alors que les James, après la mort de leur père, n'ont été bons qu'à jouer, à boire, à mourir jeunes et à se précipiter sur les causes stupides. Chaque fois que j'entends Wilky déclarer qu'il veut retourner se battre, je vois le nom « James » tatoué sur son front. Tous pareils, toujours prêts à faire des bêtises. Et William qui veut être peintre, et le lendemain médecin. Toi, tu es le seul à avoir pris de notre côté de la famille, le seul qui soit solide.

— Mais j'ai étudié le droit l'année dernière et ensuite j'ai changé d'avis.

— Tu n'avais aucun goût pour le droit. Tu l'as fait pour partir d'ici, et avec toute cette folie guerrière, tu avais raison. Si tu étais resté, ils t'auraient enrôlé de force, et tu serais en train de te traîner ici avec la moitié du corps amputé.

Sa voix était dure, son regard fixe, presque violent. Dans la pénombre de la cuisine elle ressemblait à un dessin de vieille femme, à la fois sage et folle. Elle se tut et le dévisagea, attendant une réponse. Comme Henry se taisait, elle reprit :

— Toi, tu es cohérent, tu sauras faire attention à toi. Au moins, nous t'avons.

Le temps que soit publiée la première histoire de son fils, Henry senior avait été repris une fois de plus par l'agitation. Sa nouvelle décision fut d'installer définitivement sa famille à Boston. Henry était ravi de quitter Newport. Il gardait désormais ses textes littéraires pour lui, ne laissant voir à sa famille que les critiques qu'il rédigeait pour les revues – *The Atlantic Monthly*, *The North American Review*, *The Nation*. À leur insu, il travaillait sérieusement chaque jour à l'histoire d'un garçon qui part pour la guerre en laissant sa mère et sa fiancée. Au début, il en avait fait une pure invention artistique, comme une de ces ballades collectionnées par le professeur Child. Il installa le personnage de la mère, orgueilleuse, ambitieuse et difficile ;

John, son fils courageux et enjoué ; et Lizzie, la fiancée innocente, jolie et séductrice. Il construisait minutieusement les scènes, l'une après l'autre, relisant chaque matin ce qu'il avait écrit la veille, effaçant et corrigeant sans cesse. Il essayait d'écrire vite, pour donner de la fluidité à sa narration. Il travaillait ainsi, dans la nouvelle maison que louait la famille sur Beacon Hill, quand se produisit un jour quelque chose qui lui causa un choc, mais ne l'empêcha pas de continuer.

« Le quatrième soir à la tombée de la nuit, écrivit-il, John Ford franchit le seuil, étendu sur un brancard, pendant que sa mère le suivait, rigide de chagrin, et que les amis se pressaient autour d'eux en silence avec le désir de les aider. »

John était trop malade pour qu'on puisse le déplacer et ses blessures étaient trop graves pour lui permettre de recevoir les visites de sa fiancée Lizzie. Tout en écrivant, Henry sentit qu'il était au plus près de ce qui occupait à ce moment-là ses jours et ses nuits : le sort de son frère. Son père ne pouvait lui reprocher d'être immoral, William ne pouvait l'accuser de décrire un monde qu'il ne connaissait pas. Soudain une image lui vint ; il retint son souffle de peur de la perdre : « Quand Lizzie se vit refuser l'accès de la chambre de John, elle s'approcha du tas de guenilles abandonné dans le vestibule et en prit une : c'était une vieille couverture militaire. Elle s'en enveloppa et sortit sur la véranda. »

Il faillit se lever pour aller chercher la couverture de Wilky dans le réduit derrière l'office ; puis il se souvint qu'ils étaient à Boston et non plus à Newport, et que la couverture avait certainement été jetée ou oubliée dans le déménagement. Il se remémora l'odeur de la couverture, son aura de bataille et d'armée : « Une odeur de terre s'attardait dans le vieux carré de laine et, avec elle, une vague odeur de tabac ; la jeune fille fut transportée, comme jamais encore, jusqu'aux champs de bataille du Sud lointain. Elle vit des hommes allongés dans les marais, fumant leur pipe, s'enroulant plus étroitement dans leurs couvertures, sous le dais lumineux du crépuscule qui éclairait aussi sa faiblesse à elle. Son esprit errait parmi ces scènes... »

Il n'avait jamais eu la sensation d'un tel pouvoir. Ce pillage de sa propre mémoire – l'exhibition d'un objet qui était si proche de lui et si profondément enfoui dans sa propre histoire que personne, en lisant la scène, ne serait en mesure d'en deviner l'origine – le laissa persuadé d'avoir accompli quelque chose d'audacieux et d'original.

8

Juin 1898

En voyant son amie la romancière se diriger vers la croisée, il ne lui dit pas que le fauteuil qu'il lui avait proposé à son arrivée était sans doute plus confortable. Elle voulait s'asseoir dos à la lumière, imitant en cela deux de ses héroïnes, qui, il s'en souvenait, choisissaient toujours une place près de la fenêtre pour être vues dans l'éclairage le plus flatteur. Il se demanda si elle en avait conscience.

Une fois assise cependant, Mrs Florence Lett cessait totalement de se soucier de son apparence. Elle ne pouvait prononcer une phrase sans y adjoindre des changements d'expression passionnés, des sourires, des grimaces, des plissements de front et des froncements de son nez parfait. Comment son visage avait-il pu résister à une telle diversité climatique ? Dans peu de temps, pensa-t-il, il y aurait un glissement de terrain, quelque chose serait bien obligé de céder. En attendant, il prenait plaisir à l'écouter évoquer son séjour en Italie, son prochain livre, sa charmante fille, la lenteur du train vers Rye, son chagrin de ne pouvoir rester que quelques heures, puis à nouveau sa merveilleuse fille de six ans, qui se faisait au même moment choyer par les domestiques dans la cuisine, l'éducation de sa fille et son héritage, avant d'en revenir à l'Italie et au suicide de la grande amie de Henry, la romancière Constance Feni-more Woolson.

— À Venise, disait-elle, on s'interroge sur votre départ abrupt et la raison pour laquelle vous n'êtes jamais revenu. C'est un artiste, leur dis-je, un très grand artiste, pas un diplomate ; mais ils se languissent de vous. Venise est triste, elle l'a toujours été, mais là elle l'est plus que jamais, et des gens qui n'ont même pas connu Constance affirment qu'elle leur manque. Pauvre Constance, je vous assure que je n'ai pas pu aller dans ces rues-là, j'en étais incapable, j'ai dû faire demi-tour, je ne sais pas ce que vous ferez, vous.

Lentement la porte s'ouvrit et la fille de Mrs Florence Lett entra sans bruit dans le salon. Voyant sa mère parler, la petite regarda autour d'elle d'un air placide. Elle portait une longue robe bleue. Henry nota aussi le bleu de ses yeux, d'une douceur intense, et son teint lumineux. En cet instant, alors qu'elle se tenait là, silencieuse, respectueuse de la conversation de sa mère, il la trouva immensément belle. Il lui ouvrit les bras et, sans réfléchir, elle s'approcha furtivement, grimpa sur ses genoux et l'embrassa.

— Nous sommes tous allés sur sa tombe bien sûr, pour-suivait sa mère. Dans certains cas, on sent que la personne est en paix, que sa présence dans la terre fait partie de la nature. Mais je n'ai pas du tout ressenti cela avec la pauvre Constance, bien que ce cimetière soit absolument parfait, elle-même l'aurait adoré, j'en suis sûre. Mais je n'ai pas le sentiment qu'elle soit en paix. Pas du tout.

Henry écoutait Mrs Florence Lett. Il n'avait rien dit à la fillette installée sur ses genoux, et il imaginait qu'après un moment elle se lèverait pour aller vers sa mère. Mais apparemment, elle se trouvait bien ; peu à peu l'étreinte des bras se relâcha et elle glissa dans le sommeil. Il igno-rait si cette aisance avec les inconnus était un aspect de son charme ; il résolut de ne pas poser la question à sa mère.

Lorsqu'elle se réveilla, la lumière déclinait dans la pièce ; la servante avait débarrassé le thé et Mrs Florence Lett avait épuisé un grand nombre de sujets. La petite lui sourit. Il était extrêmement touché par sa présence, comme si la confiance qu'elle lui témoignait était à la fois une chance et un porte-bonheur. Il lui rendit son sourire pendant qu'elle se mettait debout.

Mrs Florence Lett ne faisant aucun commentaire, il n'en fit pas davantage. Il aurait tout donné pour ne pas embarrasser la petite qui était venue vers lui si naturellement. Quand la mère et la fille furent prêtes à repartir, les domestiques vinrent la saluer et il constata alors que l'enfant leur avait fait une forte impression. Pour la première fois, elle parut intimidée et s'accrocha à sa mère, qui l'encouragea sur un ton ferme et attentif à leur offrir au moins un sourire et un petit signe de la main avant de s'en aller.

En revenant dans le séjour et en se rasseyant sur le sofa, Henry sentit planer dans l'air un résidu de sa présence angélique. Depuis son retour de Londres quelques jours plus tôt, il s'efforçait de travailler, s'obligeant à rester dans son bureau tant qu'il faisait jour, négligeant sa correspondance, n'invitant personne à le visiter. Mrs Florence Lett avait déjoué la manœuvre en annonçant sa venue par un télégramme qui laissait entendre qu'elle n'attendait pas de réponse, et en se présentant ponctuellement à la date indiquée.

Pendant qu'on allumait les lampes à Lamb House, il retourna à son bureau en repensant à ce qu'elle lui avait dit de Venise. Il avait sous les yeux une lettre de Mrs Curtis, la propriétaire du Palazzo Barbaro, dont il avait plusieurs fois accepté l'hospitalité. Elle évoquait la ville dans les mêmes termes. Elle parlait de sa tristesse, et des rues proches de l'endroit où Constance Fenimore Woolson s'était jetée par la fenêtre de sa chambre du deuxième étage.

Sa mort, comme celle de sa sœur Alice, accompagnait Henry jour après jour. Les images allaient et venaient, parfois de son corps désarticulé sous la fenêtre, parfois d'un détail, la manière dont elle bougeait les lèvres en silence quand il lui parlait, cherchant désespérément à suivre ses paroles malgré sa mauvaise ouïe. Il revoyait Constance dans la lumière de Bellosguardo, à l'époque qui avait peut-être été la plus heureuse de sa vie ; sous un parasol, habillée de blanc, comme si elle posait pour un portrait composé avec soin, elle lui souriait avec cet air qu'elle avait souvent, cet air de propriétaire prête à l'approuver avant même qu'il n'ouvre la bouche. Elle avait été, sans doute, sa meilleure amie, la personne la plus proche en dehors de sa famille. Il n'arrivait pas encore à croire qu'elle était morte.

Parmi les objets que Lady Wolseley l'avait encouragé à acheter pour Lamb House, il y avait une vieille carte du Sussex qui témoignait des changements de relations successifs entre la mer et la terre dans ce coin du littoral. Il pensait avec plaisir que Rye et Winchelsea appartenaient à un sol mouvant, à la mutation indéfinie du rivage. Les lignes du paysage n'étaient pas gravées dans la pierre mais, aimait-il à penser, ouvertes aux suggestions. Parfois, en arpentant l'espace lumineux de son pavillon d'été, ou en observant la lumière du ciel par les fenêtres du salon du premier étage, il imaginait qu'il suffirait d'un trait de plume ou d'un mot de lui pour que le fleuve change de cours, que la mer fasse irruption, ou qu'une nouvelle indentation minuscule apparaisse le long de la côte.

Rye et Winchelsea occupaient désormais une situation géographique presque absurde. Il adorait raconter à ses visiteurs la manière dont Winchelsea avait été pratiquement détruite au treizième siècle par une tempête qui avait rejeté sur le rivage une énorme masse de sable, au point de menacer l'avenir de la ville. On l'avait alors déplacée, abandonnant l'ancienne tel un fantôme, disait-il à ses invités, ou telle une vieille lignée réduite à son dernier représentant, qui n'avait plus que ses souvenirs et ses trésors ternis pendant qu'une famille d'usurpateurs triomphait à côté. Cependant le succès de cette nouvelle entreprise fut lui aussi de courte durée. Quand une bataille s'engage entre la mer et la terre, continuait-il, c'est en général la mer qui gagne et la terre qui s'efface. Rye et Winchelsea – la nouvelle Winchelsea – s'apprêtaient à devenir de grands ports, avec de grands rêves et de grands projets. Mais au cours des siècles suivants, la terre remporta finalement la partie ; une modeste plaine où paissaient à présent des moutons commença insidieusement à se former entre ces deux villes et la mer, repoussant celle-ci de manière douce mais efficace.

Si la première Winchelsea avait enduré la mort par noyade, la seconde avait subsisté, à l'abri et au sec. Henry en parlait comme s'il s'agissait d'une dure réalité qu'il fallait accepter. Cette plaine, disait-il, cet étrange ajout fait à la terre par un caprice de la nature, lui procurait une certaine satisfaction, comme s'il avait personnellement contribué à son émergence. Cela renforçait le mystère de Rye et son propre attachement à la ville – la mer qui venait autrefois lécher le pas de sa porte s'était éloignée en lui laissant la lumière marine, les mouettes et une plaine étale, prêt ambigu accordé par l'eau au Sussex et à ses habitants.

Dans ce monde dont l'océan s'était si poliment retiré, il avait fait une entrée tout aussi discrète, afin de s'y ménager un espace de travail florissant et de sommeil facile. Il était maintenant à la tête d'une maisonnée qui dépassait largement tous les rêves de ses parents dans ce domaine, et la gestion impeccable de son petit empire était pour lui un sujet de préoccupation, d'orgueil, d'inquiétude et de grande dépense.

De Londres, où ils l'avaient fidèlement servi, il avait fait venir les Smith : Mrs Smith en tant que cuisinière et son mari dans le rôle de maître d'hôtel. Sur place, il avait embauché Fanny, une servante jolie, discrète et adroite, et à Rye également il avait découvert un trésor nommé Burgess Noakes, un gnome pas joli du tout, mais qui compensait ce manque d'attrait par une ponctualité et un empressement exemplaires. Burgess était jeune, et c'était son premier véritable emploi ; il n'avait donc pas eu le temps de prendre de mauvaises habitudes ailleurs. On pouvait le former aux tâches de valet de pied et de garçon à tout faire, sans qu'il ait l'impression que les devoirs du second soient moins dignes ou moins méritoires que ceux du premier.

Henry avait parlé à la mère du garçon, qui s'était mise en quatre pour lui expliquer à quel point son fils était serviable, propre, bien élevé et mûr pour ses quatorze ans, et quelle tristesse ça allait être pour elle de se séparer de lui. Quand on fit enfin venir l'intéressé, le contraste entre sa tête de galopin et l'enthousiasme illimité de son regard le rendit tout de suite sympathique à Henry. Il n'en laissa rien paraître, et expliqua simplement à la mère – en présence du garçon – que Burgess Noakes serait pris pour une période d'essai, après quoi on pourrait, le cas échéant, discuter des conditions de son embauche.

Henry appréciait d'être un personnage connu à Rye. Quand il se promenait dans les rues, il prenait plaisir à saluer très courtoisement tous ceux qu'il reconnaissait. Il était souvent accompagné par son chien Maximilian, ou alors par l'Écossais, qui avait trouvé à se loger à Rye et qui était devenu un randonneur et un cycliste assidu, ou encore par ses invités du moment. Le fait de résider dans une petite communauté anglaise traditionnelle avait toujours fait partie de ses rêves ; il était lui-même surpris, surtout en présence d'invités américains, par sa fierté profonde d'avoir été accepté par la ville et d'avoir une si bonne connaissance de ses habitants, de sa topographie et de son histoire.

Lorsque les visiteurs arrivaient par le train, comme c'était généralement le cas, Henry allait en personne les accueillir à la gare. Burgess l'accompagnait en poussant la brouette qui servirait à transporter les bagages jusqu'à Lamb House, au sommet de la colline. Henry s'émerveillait de l'instinct social déployé par Burgess en ces occasions. Il se tenait à l'écart avec la brouette, en alerte dès que le train approchait. Il ne dérangeait jamais Henry pendant que celui-ci s'adonnait aux salutations d'usage avec son visiteur ; il négociait efficacement avec le porteur du train pour savoir quels étaient les bagages de l'invité de Mr James et s'arrangeait ensuite pour que celui-ci ait une bonne vue de ses affaires entreposées dans la brouette ; puis il gravissait la colline avec aisance, en poussant son chargement derrière Henry et son visiteur.

La maison, à sa manière discrète, était parfaite et très belle, même pour ceux qui ne la connaissaient que de l'extérieur. Son secret, cependant, c'était le jardin, intime, protégé, riche d'essences anciennes, planté avec goût et soigneusement entretenu.

Dès la signature du bail, Henry s'était réservé à temps partiel les services de George Gammon, un jardinier du cru. Chaque jour, il avait une conversation avec lui au sujet d'aménagements possibles, de nouvelles plantations et d'ajustements saisonniers ; surtout, ils évoquaient ensemble ce qui était en train de fleurir, ou qui promettait de fleurir bientôt, combien cette année différait de la précédente, et quel travail pourrait être accompli dans un avenir proche. Tous deux considéraient l'espace clos du jardin à la fois dans sa totalité et dans ses moindres détails. Henry appréciait la manière qu'avait George Gammon de laisser le silence se prolonger et d'attendre que Henry décide qu'il était temps de se remettre au travail avant de s'éloigner à son tour.

Les Smith, eux, ne se plaisaient guère à Rye. Pendant les dix années où ils avaient travaillé pour lui à Kensington, en logeant dans la partie de l'appartement réservée aux domestiques, ils avaient eu chaque jour affaire aux mêmes marchands et fréquenté les mêmes établissements. Ils connaissaient beaucoup d'autres employés de maison dans le quartier. Pour eux, ces quelques rues de Kensington formaient un village où ils se sentaient chez eux. Chaque matin, Mrs Smith se présentait devant Henry avec un air respectueux, qui se voulait également vif et intelligent, pour prendre ses instructions. Quand il travaillait, il demandait invariablement des repas simples, bien cuisinés, servis avec discrétion par Mr Smith. Quand il lui arrivait d'avoir des invités, il prévenait le couple plusieurs jours à l'avance et discutait assez longuement du menu avec Mrs Smith. Quand il partait en voyage, il ignorait quels étaient leurs agissements, mais il supposait qu'ils prenaient possession de l'appartement autant que l'audace le leur permettait et qu'ils adoptaient bien des mauvaises habitudes.

Quand il était en résidence, cependant, les Smith se montraient silencieux, attentifs, prudents et satisfaits de leur employeur, qui s'estimait lui-même peu exigeant dans l'ensemble. Ils travaillaient pour lui depuis six ans lorsque Mrs Smith, ayant appris qu'il partait à l'étranger suite à la mort de sa sœur, vint le voir au sujet d'une affaire personnelle. Après coup, il comprit combien ils avaient dû en discuter entre eux avant de s'accorder sur cette démarche. Elle tremblait en lui parlant. La requête était, de fait, inhabituelle, et la plupart des employeurs auraient refusé sur-le-champ, auraient même été choqués par son impudence ; mais Henry fut frappé par l'énergie que mettait Mrs Smith dans son discours et par son effrayante sincérité. Il comprenait aussi, bien sûr, sa détresse.

Sa sœur était malade et allait être opérée. Elle avait besoin d'un lieu de convalescence. En plus, elle ne serait pas en état de se débrouiller seule pendant ce temps, et elle n'avait personne. Comme Mr James allait s'absenter en Italie pendant plusieurs mois et que l'appartement serait selon toute vraisemblance vide, elle se demandait s'il était possible que sa sœur emménage dans la chambre d'amis afin d'y être soignée par elle-même et son mari. Elle serait bien entendu repartie avant le retour de Mr James.

Henry fut heureux, après coup, de ne pas avoir pris le temps de ruminer la question ou de demander conseil. Il se décida sur-le-champ : pourvu que son mari et elle se chargent de tous les frais annexes, dit-il à Mrs Smith, sa sœur pourrait occuper la chambre, mais il s'attendait à trouver l'appartement vide et silencieux à son retour d'Italie. Puis il observa sa cuisinière pendant que celle-ci tentait de se contenir, de le remercier, mais aussi de retourner le plus vite possible auprès de son mari avec la bonne nouvelle. Elle s'éloigna à reculons sans cesser de le remercier ; puis elle tourna les talons et s'enfuit.

Il ne fit aucune allusion à l'affaire pendant les jours précédant son départ. Il avait posé ses conditions claire-ment, il lui semblait indélicat de les préciser une fois de plus. Et il n'avait guère envie de revoir Mrs Smith dans son rôle de quémandeuse. Il partit donc pour l'Italie en pensant que la sœur de Mrs Smith ne lui occasionnerait aucune dépense, et que toute trace d'elle serait effacée à son retour.

Deux mois plus tard, en franchissant le seuil de l'appar-tement, il perçut tout de suite les signes de la présence d'une personne malade. Il nota avec intérêt que Mr Smith, venu l'accueillir dans le vestibule, ne lui en souffla pas mot. Quand il le pria, avec une impatience à peine déguisée, de bien vouloir prévenir sa femme que Mr James souhaitait la voir dans son bureau, Mr Smith parvint même à feindre de croire qu'il s'agissait là d'une requête normale susceptible d'être transmise sans souci ni crainte particu-lière.

Mrs Smith parut, l'air plus intrépide que jamais, et en pleine possession de ses moyens. Oui, reconnut-elle, sa

247

sœur était encore là. Elle avait un cancer et elle, Mrs Smith, attendait que Mr James la conseille sur la marche à suivre.

Dans un de ses romans, le personnage principal aurait répondu très sèchement à Mrs Smith, mais Henry était conscient de la présence de la sœur malade dans la chambre d'amis. Il mesurait aussi la lourde responsabilité de Mrs Smith, qu'il partageait maintenant puisque la malade se trouvait sous son toit.

— Le docteur doit-il venir ?

— Il est déjà venu, monsieur.

— Pourriez-vous lui demander de revenir, afin que je puisse lui parler ?

Le médecin se révéla morose, mais aussi plein de curiosité. Quand il voulut connaître le statut de la sœur de Mrs Smith dans la maisonnée, Henry le pria de s'en tenir à l'aspect médical du problème. Il était clair, dit alors le médecin, qu'il faudrait réopérer la dame ; après l'opération, elle aurait besoin de soins, mais il ne savait pas si ça allait être possible.

— Ça coûte, ces soins. Ça coûte cher.

En ouvrant la porte du bureau, Henry aperçut Mr Smith qui rôdait dans le couloir.

— Pourriez-vous procéder à l'intervention et me tenir informé de la suite du traitement ? demanda-t-il avec brusquerie au médecin.

— Ça coûte cher, monsieur, il faut le savoir.

Au cours des semaines suivantes, alors que la patiente subissait son opération, Henry s'aperçut que Mr Smith buvait. Il attendit une occasion – les Smith s'étaient absentés, la bonne était sortie en courses – pour aller à la cuisine, où il dénicha une bouteille de whisky entamée et quelques bouteilles vides de vin doux et de sherry. Plus tard, il vérifia les comptes, mais ne découvrit aucune preuve que ces bouteilles avaient été acquises à ses dépens. Il se sentit idiot d'avoir ainsi fouillé dans la cuisine et résolut de ne plus le faire à l'avenir. Si les Smith désiraient acheter de l'alcool, libre à eux tant que cela ne gênait pas leur travail. Mr Smith avait comme un air vitreux, surtout en début de soirée, mais peut-être était-ce dû, au moins autant qu'à l'alcool, à la pression qu'il subissait à cause de la maladie de sa belle-sœur.

Le message de l'hôpital, une fois l'opération accomplie avec succès, fut que la patiente aurait besoin de soins vingt-quatre heures sur vingt-quatre, pendant au moins un mois. À la connaissance de Henry, la sœur de Mrs Smith n'avait nul endroit où aller. Comme aucun invité n'était prévu, il pensa qu'il aurait du mal à passer chaque jour devant la chambre d'amis en la sachant disponible pendant que la sœur de Mrs Smith, déjà familière de cette chambre, souffrait ailleurs de solitude et de négligence. Et la tâche de Mrs Smith serait encore plus lourde à assumer dans ces conditions. D'ailleurs, elle était sûrement déjà en train de se cuirasser en vue d'un assaut final contre sa compassion. Henry comprit qu'il ne supporterait pas cette ambiance de veillée d'armes en attendant le moment où elle se décide-rait enfin à l'aborder avec une humilité aussi avide qu'abjecte. Il décida de l'informer sans délai qu'il était prêt à accueillir sa sœur dans la chambre d'amis et à payer les frais d'infirmière à condition que sa propre partie de l'appartement n'en soit pas perturbée, pas plus que ses habitudes. Le visage de Mrs Smith, quand il lui annonça la nouvelle, suggérait qu'elle avait plus que jamais peur de lui.

Les Smith étaient reconnaissants. Une fois la sœur réta-blie et retournée auprès de son employeur, Mrs Smith se fendit même d'un bref discours de remerciements officiel. De façon plus significative, le rôle joué par Henry auprès de la sœur semblait lier désormais son sort à celui des Smith. Si l'un ou l'autre devait un jour avoir besoin d'assistance, cela relèverait clairement de la responsabilité de leur employeur. Henry les payait raisonnablement bien, et ils n'avaient pas de frais, dans la mesure où Mr Smith portait les vieux habits de son maître et où Mrs Smith ne s'intéressait guère à la toilette. Il en déduisait qu'ils devaient économiser, en gens honnêtes et prévoyants, la plus grande partie de leurs gages en vue d'une paisible retraite.

Cette aide offerte en période de détresse n'eut pas pour effet d'améliorer la qualité du service offert par les Smith ; leur travail ne se dégrada pas non plus de façon radicale. Mrs Smith venait encore prendre ses instructions chaque matin et les exécutait ensuite de son mieux. Mr Smith semblait encore s'adonner à la boisson, mais il n'y avait pas de défaillance spectaculaire, et il fallait un examen attentif pour déceler en fin de journée une gêne dans son élocution et dans sa démarche. Cependant, un certain changement se fit jour. Mrs Smith était à présent capable de discuter avec son mari, en présence de leur employeur, d'un sujet qui n'avait aucun lien avec le service. Elle savait combien Henry chérissait le silence ; elle devait donc savoir aussi qu'ils étaient censés traiter de leurs préoccupations personnelles dans leur propre partie de l'appartement. Pour autant, Henry ne pouvait la reprendre là-dessus ; pendant ces jours où il avait offert la charité à sa sœur, la cuisinière avait remporté une bataille invisible qui l'autorisait désormais à prendre ses aises de façon subtile. Le souci et la compassion qu'il avait manifestés pour la sœur avaient réduit la distance entre lui et Mrs Smith.

Tout à son excitation, dans les mois précédant le déménagement, Henry n'avait aucun souvenir de la manière dont les Smith avaient réagi à la nouvelle. Ils n'étaient plus tout jeunes, pensait-il, la paix d'une petite ville et les commodités de Lamb House leur seraient sans doute agréables. Quoi qu'il en soit, il n'y eut pas de protestations explicites, et il veilla à ne pas les surcharger de travail ; leur tâche principale consisterait à assurer leur propre déménagement. L'un ou l'autre de ses amis avait bien remarqué les efforts de Mr Smith pour masquer son ivresse pendant le service du dîner, mais Henry pensait qu'il serait plus facile de parler à son maître d'hôtel et de le guider vers la sobriété loin des pressions bruyantes de Londres.

Dès qu'ils furent installés dans la nouvelle maison, Henry constata qu'il y avait un problème. Les Smith dormaient dans les chambres de bonne au grenier. Comme il n'y avait qu'un seul escalier, ils étaient contraints de passer par le premier étage où se trouvaient le bureau et la chambre de Henry. Leur chambre à eux était au-dessus de la sienne, et le plancher grinçait ; une lame en particulier, située juste à l'aplomb de son lit, se déboîtait apparemment chaque fois qu'un des Smith y posait le pied. Au cours des premières semaines, les Smith montèrent dans leur chambre à une heure normale, mais pas pour y trouver le sommeil ; ils marchaient de long en large, puis il y avait un moment de silence, ensuite ils recommençaient à s'agiter sans aucun égard pour le repos de leur employeur allongé sous leurs pieds. Par moments il entendait aussi leurs voix et, une fois ou deux, le bruit d'un objet lourd heurtant le plancher.

L'architecte Warren fut consulté. Le plancher était en bon état, déclara-t-il ; le fait de le remplacer ne changerait rien. Il fallait prier les Smith de marcher plus doucement ou alors il fallait déplacer leur chambre. Il y avait au rez-de-chaussée une petite pièce qui pourrait contenir leur lit, et qu'on pourrait aménager de façon adéquate en agrandissant la fenêtre et en retapissant les murs avec un papier peint raisonnable. Les Smith prirent ainsi leurs quartiers derrière l'office.

Le couple n'avait guère été adopté par les commerçants de Rye ; le boucher ne comprenait pas les notes griffonnées par Mrs Smith, et ne prenait aucun plaisir à ses remontrances quand la viande qu'il livrait à Lamb House n'était pas celle qu'elle avait commandée. Le boulanger ne faisait pas le pain qu'elle voulait ; il ne fut guère enchanté quand elle revint le voir après avoir découvert que son rival ne

251

s'en sortait pas mieux, ni pour ce pain-là, ni pour les autres. L'épicier n'aimait pas ses manières londoniennes, et ce fut bientôt Mr Smith qui dut lui apporter la liste des commandes, sa femme étant devenue indésirable dans la boutique.

Les Smith découvrirent aussi que Lamb House n'avait pas d'équivalent à Rye. On y trouvait bien quelques maisons plus petites et plus modestes qui employaient une bonne et peut-être une cuisinière à temps partiel, mais en aucun cas un couple d'un standing comparable au leur. Les maisons où ils auraient pu se faire des amis étaient les manoirs et les grandes demeures des environs, mais ces domestiques-là ne s'aventuraient pas en ville comme leurs homologues de Kensington. Les Smith déclarèrent bien vite qu'il n'y avait personne comme eux à Rye, et se privèrent du même coup de leur ration quotidienne d'échanges et de commérages. Bien vite, ils furent accueillis dans les boutiques avec froideur, voire avec hostilité, contrairement à Burgess Noakes qui était reçu affectueusement partout où il allait.

Mr et Mrs Smith se retranchèrent derrière les murs de Lamb House ; Mrs Smith s'enorgueillissait de ne jamais quitter la maison et de n'avoir jamais vu les monuments les plus connus de Rye. Elle régnait sans partage sur la cuisine, sur l'office et sur le potager. Quand elle prenait ses instructions, c'était maintenant avec un air inédit, qui témoignait d'une compétence et d'un dévouement sans faille mais n'épargnait à son employeur aucun signe de ressentiment.

À Kensington, Henry recevait souvent, et il avait toujours veillé à la qualité de son hospitalité ; mais ces soirées n'étaient que de petites distractions. À Rye, elles étaient un sujet de préoccupation important. Il envoyait de nombreuses lettres à ses amis pour les inviter à venir voir sa nouvelle résidence, et il attendait leur arrivée avec une certaine excitation. La décoration et la propreté des chambres d'amis devenaient donc essentielles, tout comme la qualité de la cuisine et du service, qui comprenait maintenant le petit déjeuner et le déjeuner. Mrs Smith n'avait pas l'habitude d'une telle multitude d'invités. Au début, Henry lui avait expliqué en détail l'identité et les goûts spécifiques de chacun, et bientôt Mrs Smith se rendit à l'évidence : il y aurait un flot continu d'invités à Lamb House, et c'était à elle qu'il incomberait de leur faire la cuisine et d'assurer leur confort.

Les entrevues matinales où il lui donnait ses instructions étaient désormais sous tension. Elle n'exprimait rien à voix haute ; tout était dans ses mimiques, ses silences et ses soupirs. Henry n'accordait aucune attention à ce changement d'attitude, se contentant de lui expliquer qui allait venir et ce qui devait être fait, sans attendre de réponse. Au bout de quelque temps, elle commença à émettre des observations acides sur la dépense que représentaient tous ces invités, ou sur l'affreux boucher, ou sur les désagréments que lui causait Burgess Noakes. Une note belligérante s'insinuait dans son ton quand de nouveaux visiteurs étaient attendus. Henry n'était pas prêt à réfréner son désir de revoir de vieux amis et des membres de sa famille, et il trouvait choquante et exaspérante cette manière qu'avait Mrs Smith d'exprimer sans détour son aversion pour les invités.

Pendant ce temps, son mari avait adopté une démarche contrôlée et des gestes raides qui passaient généralement, auprès de ces mêmes invités, pour une attitude guindée à l'ancienne, mais que Henry savait n'être que de l'ivrognerie ordinaire. Il aurait aimé pouvoir aborder la question avec les Smith, les prendre à parti comme l'avait fait autrefois Mrs Smith avec lui, demander leur aide afin que son maître d'hôtel cesse de boire. Mais il n'avait pas le courage de formuler une exigence pareille. Mrs Smith, il le savait, commencerait aussitôt à nier l'état de son mari et sa véhémence surgirait au premier plan ; il ne souhaitait pas y être confronté.

Burgess Noakes, au contraire, devenait avec le temps de plus en plus serviable. Rien ne lui échappait, et il n'oubliait rien. Il n'avait pas appris à sourire, mais il connaissait le nom, les habitudes et les besoins de chaque invité ; il savait même si un télégramme méritait que son maître soit dérangé, ou s'il fallait simplement le déposer sur le guéridon de l'entrée. Il foulait le plancher de sa chambre sous les combles avec la plus extrême discrétion.

Burgess réagissait avec indifférence au bannissement dont il était souvent l'objet à la cuisine de la part de Mrs Smith. Quand il ne s'acquittait pas de ses tâches, il disparaissait dans les profondeurs de Rye pour perfectionner son art de la boxe dans la catégorie poids coq, où il passa bientôt champion. Il paraissait cependant toujours heureux de rentrer, toujours à l'heure, apparemment fier de sa position à Lamb House et informé de tout ce qui s'y passait. Quand Henry en vint à soupçonner la cuisinière de boire avec son mari, il songea que s'il voulait un jour connaître le détail des habitudes personnelles des Smith, il lui suffirait de consulter Burgess Noakes.

La satisfaction de ses invités, leur désir de revenir à Lamb House comptaient énormément pour lui. Il aimait recevoir des lettres mentionnant des visites passées ou futures. Il ne comptait pas d'amis en ville ni dans les environs ; il n'avait aucun endroit où passer aisément quelques heures dans la soirée. Ses visiteurs en prenaient d'autant plus d'importance. Il appréciait plus que tout le moment de l'attente, juste avant une visite. Chacun était prévenu que Henry passait toujours la matinée dans son bureau. Il adorait laisser ses invités à la table du petit déjeuner et se lever pour aller travailler en sachant qu'ils les retrouverait plus tard ; dans l'intervalle, il jouirait de plusieurs heures d'isolement ou de dictée avec l'Écossais. Il aimait aussi les journées qui suivaient le départ d'un invité, la paix revenue dans la maison, comme si la visite n'avait été qu'un combat pour la solitude qu'il avait fini par remporter de haute lutte.

Sa solitude satisfaite pouvait cependant se transformer très vite en sentiment d'oppression. Par les journées grises et venteuses du premier long hiver à Lamb House, l'espace de son bureau, et la maison elle-même lui firent parfois l'effet d'une cage. Comme les Smith, il avait été soustrait à son environnement naturel. Lui avait son travail ; mais eux, il le savait, se saoulaient tranquillement et méthodiquement à la fin de chaque jour.

Il n'était pas certain de l'ampleur de l'ivrognerie de Mrs Smith. Elle s'acquittait de ses tâches sans difficulté apparente ; son art culinaire ne déméritait pas. Mais son apparence au matin devenait plus négligée et sa réaction à l'annonce de nouveaux visiteurs de plus en plus belliqueuse. Ses cheveux traînaient à proximité périlleuse des plats et des casseroles, et l'état de ses ongles n'inspirait guère confiance. Il se demandait si elle avait deviné pour quelle raison il n'y avait plus jamais de soupe au menu quand on recevait des invités, ni la moindre sauce un peu coulante. On ne pouvait plus compter sur Mr Smith pour les servir sans danger.

Le soir, le maître d'hôtel marchait à peu près droit à son entrée dans la salle à manger, mais pas en repartant vers la cuisine. Henry prit l'habitude de placer son invité d'honneur dos à la porte. Dès lors qu'on avait vu Smith trébucher ou faire un pas de travers, en effet, on ne pouvait plus en détacher son regard. Le but de Henry était d'empêcher que cela devienne un sujet de discussion à sa table, ou entre les invités en son absence. Il ne voulait pas que la rumeur de l'ivresse de ses domestiques s'ébruite à Londres ou dans son petit cercle d'amis américains.

Burgess Noakes prit l'habitude d'assister Smith, de lui tenir la porte, de l'inciter par signes à reprendre une contenance. Henry espérait que le problème se réglerait de lui-même, ou du moins qu'il ne s'aggraverait pas. Il ne voulait pas agir, car il savait en quoi consisterait cette action. Il essayait de ne pas penser aux Smith.

Un après-midi, alors qu'il était à une fenêtre du premier étage, il vit la sœur de Mrs Smith approcher de la maison. Il entendit la porte s'ouvrir et supposa qu'on l'emmenait à la cuisine. Il ne l'avait pas revue depuis l'épisode de la chambre d'amis et bien qu'il l'eût très peu côtoyée à l'époque, elle lui avait fait l'effet d'une personne solide et raisonnable. Il décida de lui parler. En descendant l'escalier, il croisa Burgess Noakes et lui demanda d'informer la sœur de Mrs Smith qu'il souhaitait la voir dès qu'elle aurait un moment, dans le grand salon.

La sœur de Mrs Smith arriva très vite, suivie par Mrs Smith. Alors que la première était l'image même de la respectabilité, la seconde était encore plus débraillée que d'habitude et affichait l'expression intrépide qui était devenue si familière à Henry.

— Je suis heureux de vous voir en si bonne forme, madame, dit-il à la sœur de Mrs Smith.

— Je vais très bien, monsieur, tout à fait remise, et je vous remercie bien de toute votre gentillesse.

Mrs Smith observait tour à tour Henry et la nuque de sa sœur avec l'air de quelqu'un qui avait supporté bien des choses.

— Êtes-vous en visite dans la région ? interrogea Henry.

— Non, monsieur, je suis maintenant mariée au jardinier du Poète Lauréat. Nous vivons dans la maison du jardinier.

— Le Poète Lauréat ?

— Mr Austen, monsieur, à Ashford.

— Bien sûr, bien sûr, Alfred Austen.

Il avait cru un instant qu'elle travaillait pour Lord Tennyson.

Il était sur le point de lui demander s'il pouvait la voir seul à seul quand il comprit qu'il avait interrompu une conversation difficile entre elle et sa sœur, et que c'était la raison pour laquelle Mrs Smith arborait cette mine offensée. Tandis que sa sœur faisait son possible pour masquer cet état de fait, Mrs Smith leur jetait à l'un et à l'autre des regards noirs.

— J'imagine que nous aurons l'occasion de vous voir davantage, dans ce cas ?

— Oh ! je ne voudrais pas vous déranger, monsieur.

— Vous ne me dérangez pas du tout, dit-il. Trouvez-vous votre sœur en bonne forme ?

Il se tut, la regarda sans détour et, voyant qu'elle baissait la tête, ne fit aucun effort pour l'aider. Elle avait parfaitement compris le sens de sa question ; il laissa se prolonger le silence, pour que ses implications leur apparaissent clairement à tous les trois. Quand il eut l'impression d'avoir atteint son but, il décida qu'on en avait assez dit pour l'instant. Il lui sourit avec chaleur et s'inclina devant elle, sans accorder la moindre attention à Mrs Smith. Il savait maintenant où trouver sa sœur en cas de besoin.

Sa propre sœur, Alice, aurait éclaté de rire devant son dilemme ; elle l'aurait obligé à lui décrire les Smith en détail. Mais ensuite elle aurait impérieusement exigé qu'il sévisse. L'autre Alice, sa belle-sœur, qui était la plus pragmatique de la famille, aurait calmement imaginé une manœuvre pour se débarrasser des Smith. Il ne pouvait cependant pas en parler avec elle, parce qu'il ne pouvait supporter l'idée de recevoir une lettre de William à ce sujet. Et à Londres il n'avait personne vers qui se tourner. Il lui semblait que tous ses amis anglais sans exception auraient congédié les Smith au premier signe d'ébriété ou de bouderie.

Il commença à avoir des conversations imaginaires avec Constance Fenimore Woolson. Elle aurait été fascinée par les scènes dans la cuisine et dans la chambre derrière l'office. Et elle aurait su quoi faire ; elle aurait trouvé un moyen de convaincre les Smith de partir sans rancune, ou alors de s'amender. Il pensa à sa grâce calme, à sa chaleur, à son aisance, à sa double faculté de curiosité et d'empathie ; et il pensa à ses derniers jours à Venise, avant qu'elle ne se jette par la fenêtre. Il soupira et ferma les yeux.

Son intimité avec Constance était connue de très peu de gens parmi ses proches. Mais William et sa femme avaient fait partie du petit groupe présent à Florence au cours des semaines pendant lesquelles Constance et lui partageaient une grande maison à Bellosguardo – où leurs relations avaient sûrement fait l'objet de maintes discussions. Ceux qui savaient continuaient de mentionner Constance dans leurs lettres, par allusions vagues et pleines de mystère, et d'exprimer leur stupeur face à sa mort. Seule une amie lui avait demandé explicitement s'il savait pourquoi elle s'était suicidée. Lily Norton était la charmante fille de son ami Charles Eliot Norton et la nièce d'une de ses Bostoniennes préférées, Grace Norton. Lily avait connu Constance en Italie et, bien qu'étant de plus de vingt ans sa cadette, elle l'admirait et s'était beaucoup attachée à elle.

Il répondit à Lily avec toute la franchise dont il était capable. Il lui expliqua qu'il n'était pas présent à Venise au moment de sa mort, comme elle le savait déjà ; il ne disposait que d'informations de seconde main. Constance était à bout, épuisée par la fièvre et la maladie, écrivit-il, mais ce n'était pas tout. Il y avait aussi ce que son amie avait toujours réussi à cacher au monde, un état de mélancolie chronique et obsédante très aggravé par la solitude. Il n'en dit pas plus ; Lily avait eu le courage de l'interroger, elle devait maintenant avoir le courage de lire la vérité.

Lily Norton n'avait plus jamais abordé le sujet, mais sa tante Grace avait confié en passant à Henry que sa nièce avait été bouleversée par la froideur et la certitude du ton de sa lettre. Quand Lily Norton accepta son invitation à Rye – il savait qu'ils seraient seuls au cours de la première journée – il se demanda si elle lui reparlerait de Constance. Ils auraient, après tout, bien d'autres sujets de conversation. Lily était devenue très européenne et elle aurait, à la manière des Européens, beaucoup de choses à dire tout en évitant avec soin les sujets dangereux. L'évocation de sa famille et de leurs connaissances communes suffirait à elle seule à meubler plusieurs heures délicieuses. L'intérêt de Henry pour les Norton, les Sedgwick, les Lowell, les Dixwell et les Darwin occuperait le temps d'un long repas, et peut-être même d'une promenade avec sa jeune amie dans les rues de la ville.

En la reconnaissant à la gare, il devina combien elle était devenue une jeune femme impressionnante et intéressante. Elle l'aperçut dès sa descente du train, mais ne sourit pas. Son regard était vif, son expression sérieuse, réservée, d'une placidité magnifique. Elle avait l'air d'une jeune duchesse, qui n'avait nul besoin d'être impérieuse pour se faire obéir. Quand elle marcha vers lui, cependant, Lily commença à sourire ; son visage s'ouvrit, comme si elle avait soudainement et impétueusement décidé qu'elle était américaine, après tout ; ou plutôt comme quelqu'un qui savait jouer habilement du contraste entre son moi construit et son moi naturel, pour le plus grand plaisir de son hôte.

Lily jeta un bref regard à Burgess Noakes, pendant que celui-ci chargeait ses bagages sur la brouette avec l'aide du porteur ; elle enregistra la scène et signifia son approbation sans un geste. Une fois dans la maison, elle promit à Henry qu'elle ne s'extasierait pas à tout bout de champ mais que tout de même la maison était très jolie et le jardin aussi, et le petit salon qu'il lui proposait pour rédiger sa correspondance aussi, et sa chambre, eh bien, elle était vraiment très, très jolie. Elle lui sourit et lui effleura l'épaule, voilà, elle avait cessé de tout admirer. Elle était très heureuse d'être là, lui dit-elle.

Pendant qu'ils prenaient le thé au jardin, il l'observa avec la plus grande attention. Elle dégageait un mélange d'esprit et de charme personnel plus remarquable encore que les femmes des générations antérieures, d'un côté ou de l'autre de la famille. On retrouvait chez elle quelque chose du visage chevalin des Norton, mais dans une version adoucie et améliorée. Elle avait les yeux de sa mère, sa manière de sourire avant de parler, et d'écouter en souriant. Mais quand elle laissait son visage reprendre son élégante gravité naturelle, Henry voyait une jeune femme dont les manières, à la fois policées et amicales, étaient nouvelles pour lui. Il se réjouissait à l'idée de passer du temps avec elle.

Il l'accompagna pour une promenade à travers la ville, fier de son allure et ravi de sa conversation, qui allait du badinage au constat le plus acéré. Elle savait qu'il l'observait, et qu'ils étaient observés à leur tour par les habitants de Rye. Il admira d'autant plus sa présence tranquille, pensive, et la facilité avec laquelle elle laissa le silence s'installer entre eux après un moment, son visage devenant alors méditatif et presque sévère, comme si la marque de ses ancêtres ne l'avait pas quittée.

Elle avait dépassé la trentaine ; il y avait chez elle un je ne sais quoi d'ironique et de distant qui confirmait ce que lui avait déjà appris sa tante Grace – que Lily ne se marierait pas. Elle disposait d'une rente personnelle, modeste mais suffisante pour lui permettre de flâner librement en Italie et en Angleterre et de retourner dans son pays natal quand l'envie l'en prendrait, comme l'avait fait en son temps Constance Fenimore Woolson. Il aurait voulu qu'elle ait une grande maison dont s'occuper, ou un nom illustre, et il sentait chez elle une sorte de tristesse de posséder moins – ou peut-être plus – que cela : son indépendance. Pendant qu'ils revenaient vers Lamb House, le ton de sa voix, sa largesse de vues, son étrange liberté de parole et certaines inflexions de son accent lui rappelèrent sa sœur Alice. Toutes deux étaient issues de foyers comparables, où les idées étaient sacrées, moins cependant que les bonnes manières, et où il existait une tension entre la communauté pieuse, disciplinée et un idéalisme prompt à faire confiance à l'esprit, quels que soient ses vacillements. Mais alors que l'agitation propre aux James avait contribué à perturber Alice, Lily avait hérité du calme des Norton, sans que cela entame en rien l'acuité de son jugement. Henry aurait donné n'importe quoi pour, rétrospectivement, offrir à sa sœur le calme de Lily, son équanimité.

Avant le dîner, il laissa Lily seule un instant au salon et alla inspecter la salle à manger. Il y trouva Burgess Noakes, son petit visage tout plissé d'inquiétude, qui lui indiqua la cause de son souci : une grande tache violette sur la nappe.

— Il faut la remplacer sur-le-champ, constata Henry.

— Elle dit que celle-ci fera l'affaire.

— Mrs Smith ?

Burgess acquiesça.

— Elle ne veut pas que je la change, monsieur.

En ouvrant la porte de la cuisine, Henry aperçut Mr Smith assis à la table, la tête posée sur ses bras repliés. Mrs Smith, debout devant le fourneau, remuait le contenu d'une marmite. À la vue de Henry, elle haussa les épaules pour lui signifier à la fois son impuissance et son détachement.

— La nappe doit être remplacée immédiatement, dit Henry en essayant de hausser le ton. Le maître d'hôtel doit reprendre son service.

Mrs Smith posa sa cuillère et s'approcha de la table. Avec une mine stoïque, elle se planta derrière son mari, l'empoigna par les épaules et le souleva. Quand il fut debout, elle le relâcha. Mr Smith parut identifier son employeur et prendre acte de sa présence incongrue dans la cuisine ; retrouvant aussitôt son air vitreux, il se mit en branle vers le buffet.

— Nous dînons dans quinze minutes, dit Henry. Je veux que tout soit en ordre d'ici là, à commencer par la nappe.

Un peu plus tard, en entrant dans la salle à manger avec Lily Norton, il constata que la nappe avait été remplacée et la table dressée à la perfection. Il plaça Lily dos à la porte. Il se demanda si Smith assurerait le service ou s'il serait remplacé par Burgess Noakes, ou peut-être par Mrs Smith elle-même. Quand Smith parut enfin avec les entrées, Henry constata qu'il tenait à peine sur ses jambes et qu'il ne voyait pour ainsi dire rien. C'était une forme étrange d'ivresse. Smith ne titubait pas, c'était plutôt le contraire, il marchait très droit, comme s'il suivait une ligne invisible ; dès qu'il s'arrêtait, il adoptait une pose rigide. Il était absolument silencieux. L'alcool semblait l'avoir transformé en bloc de bois.

Henry essaya ne pas le regarder et d'entretenir une conversation ordinaire, même quand Smith commença à verser le vin. Pour autant qu'il pût en juger, Lily Norton n'avait rien remarqué, mais il était clair à présent qu'il lui faudrait prendre ses dispositions concernant le départ des Smith. Il avait deux autres invités prévus pour le déjeuner du lendemain et un de ces amis resterait dîner le soir, avec Lily. Il agirait après leur départ ; mais il n'avait aucune idée de la manière dont il s'y prendrait.

— Imaginez, dit Lily, que je ne suis pas retournée à Venise depuis la mort de Constance. D'autres y sont allés ; ils me disent tous qu'il y a quelque chose dans cette rue, à l'endroit où elle est tombée, qui les oblige à l'éviter, à faire un détour. Et personne n'arrive à croire qu'elle se soit tuée. Cela lui ressemble si peu.

Le regard calme de Lily était posé sur lui ; puis elle baissa les yeux vers son assiette comme si une idée venait de lui traverser l'esprit.

— J'ai parlé longuement à quelqu'un qui connaissait sa sœur, dit-elle en relevant la tête. La famille s'inquiète de la disparition d'une partie de ses papiers, de ses lettres, de ses journaux et autres documents personnels. Quant à la manière dont elle a passé les dernières semaines, c'est un mystère pour tout le monde.

— C'est une bien triste affaire, dit Henry.

Smith ouvrit la porte et resta un instant incertain, comme si la pièce était plongée dans l'obscurité. Lily se retourna et le vit, planté sur le seuil ; on aurait cru à la fois un fantôme et quelqu'un qui aurait vu un fantôme. Puis il s'approcha lentement, ramassa les assiettes une à une avec des gestes stylisés, et quitta la salle à manger sans incident.

— Elle était triste, bien sûr, dit Henry. Et très seule.

Il sut au moment même où il prononçait ces mots qu'il avait parlé trop vite, de façon trop brusque.

— C'était une romancière de talent et une grande dame, répliqua Lily Norton.

— Bien sûr.

Ils attendirent en silence le retour de Smith. Henry comprit qu'il ne pouvait plus changer de sujet ; le ton de Lily Norton l'en empêchait.

— Je pense qu'elle aurait mérité une autre vie, reprit Lily. Mais cela ne lui a pas été accordé.

Il n'y avait aucune trace de résignation dans cette dernière phrase, mais plutôt une note de blâme et d'amertume. Henry comprit soudain qu'elle avait prémédité cette conversation ; c'était elle qui en manipulait les fils, d'une manière posée, délibérée. Henry se mit à guetter le retour de Smith ; ivre ou pas, il interromprait du moins cet échange tendu entrecoupé de silences qui ne l'étaient pas moins.

— Nous étions tous là avec elle l'été dernier, poursuivait Lily. Elle était si active, si pleine de rêves, de projets. Nous gardons tous le souvenir d'une femme heureuse, malgré sa disposition mélancolique. Tout cela a été pulvérisé.

— Oui, dit Henry.

Smith ouvrit la porte, suivi par Burgess Noakes. Burgess avait enfilé une veste beaucoup trop grande pour lui. Il ressemblait à un clochard. Smith, qui portait un plat de viande, paraissait sur le point de rendre l'âme ; Burgess le suivait avec d'autres plats. Lily Norton se retourna pour les observer et, en une fraction de seconde, Henry la vit saisir ce qui se passait à Lamb House. Toute sa subtilité et son sang-froid s'évanouirent d'un coup, elle parut alarmée à l'extrême et quand enfin elle se retourna vers lui, son sourire était crispé. Au même moment, Smith entreprit de la resservir en vin, mais il ne put contrôler son tremblement. Les trois autres le regardèrent, impuissants, pendant qu'il en versait quelques gouttes à côté. Il voulut se reprendre, mais ce fut encore pire, le vin se répandit directement sur la nappe. Alors il se redressa et repartit vers la cuisine de sa démarche d'échassier, abandonnant la suite du service à Burgess Noakes.

Ils mangèrent en silence – le sujet qu'il souhaitait éviter ayant été rejoint par un autre qui était inabordable. Henry savait que s'il se hasardait à interroger Lily sur sa tante ou sur ses projets personnels, elle éclaterait de rire, ou bien elle se fâcherait. Il se résigna à ne rien dire et à lui laisser l'initiative.

Lily prit enfin la parole.

— Elle n'était pas venue à Venise, je pense, pour y chercher la solitude. Ce n'est pas un endroit où être seule, en aucune saison, surtout pas en hiver.

— Oui, elle aurait peut-être mieux fait de repartir. C'est difficile à dire.

— Mrs Curtis et elle pensaient toutes les deux que vous prendriez un pied-à-terre à Venise. Je crois même qu'elles avaient fait des recherches pour votre compte.

Il comprit où son invitée voulait en venir ; il fallait à tout prix l'arrêter.

— J'ai bien peur qu'elles se soient méprises sur mon enthousiasme pour les beautés et les plaisirs de Venise. À chacune de mes visites, il est vrai, j'éprouvais le désir de conserver la merveilleuse cité en y devenant propriétaire d'un modeste point de vue. Mais ce genre de fantaisie n'a qu'un temps, hélas. Le reste est ennuyeux. Le reste s'appelle le travail, et il a ses exigences.

Lily l'observait d'un regard sombre, où se glissait toutefois un peu de compassion. Elle lui sourit.

— Oui, j'imagine, répliqua-t-elle sèchement.

Le lendemain matin, il annonça à Mrs Smith que son mari devait garder la chambre et qu'un médecin viendrait l'examiner dans la journée. Le déjeuner serait servi par Fanny avec l'aide de Burgess Noakes ; il fallait lui trouver une veste à sa taille. Il la pria ensuite de le suivre dans le jardin, sachant que Lily Norton était occupée à sa correspondance dans le petit bureau qui donnait de l'autre côté et qu'elle ne serait donc pas témoin de la scène. Il voulait observer Mrs Smith à la lumière du jour, et quand ce fut fait, il comprit qu'elle ne pourrait plus désormais officier dans sa cuisine. Elle paraissait ne s'être pas lavée ni changée depuis très longtemps.

— Je pense que votre invitée est contente de son séjour, lança-t-elle. Je pense que tout a été bien fait et qu'il n'y a pas de réclamations.

Son ton frisait l'insolence. Elle s'apprêtait à ajouter quelque chose, mais il leva la main, s'inclina légèrement et retourna à l'intérieur.

Il dénicha Burgess Noakes et lui demanda d'interroger de toute urgence les commerçants de Rye pour découvrir le nom de la sœur de Mrs Smith, épouse du jardinier d'Ashford. Burgess revint très vite avec l'information : son nom était Mrs Ticknor. Henry allait retourner dans son bureau quand Burgess lui effleura l'épaule, posa un doigt sur ses lèvres et lui fit signe de le suivre dans le jardin.

Médusé, il vit Burgess jeter des regards furtifs à gauche et à droite et se diriger ensuite vers les dépendances situées derrière la cuisine. Henry n'avait aucune idée de ce que son minuscule valet pouvait bien s'être mis en tête de lui montrer. Burgess se retourna pour vérifier que Henry le suivait ; puis il le fit entrer dans une des remises et, écartant un bout de rideau, lui révéla une énorme cache de bouteilles vides de whisky, de vin, de sherry, qui dégageaient une odeur aigre et répugnante.

À l'heure du déjeuner, Henry avait pris ses dispositions. Le médecin était prévenu, il passerait dans l'après-midi, et un télégramme urgent avait été adressé à Mrs Ticknor. Il put ainsi accueillir l'amie de Lily, Ida Higginson, qui n'avait jamais connu que l'ordre domestique le plus exemplaire de Boston, et un ami d'Eastbourne, de passage pour la journée, et leur communiquer l'illusion que son foyer était un havre de paix et d'harmonie. Lily Norton n'aurait pas l'indélicatesse de confier la vérité à qui que ce soit – sauf à sa tante Grace, que cette histoire intéresserait trop pour qu'on ait le cœur de l'en priver. Il fut heureux de ne pas s'en être ouvert à elle, ni à quiconque. Il expliqua à ses invités que le maître d'hôtel était indisposé ; il espérait qu'ils ne verraient pas d'inconvénient à être servis par la bonne avec l'aide du jeune Burgess Noakes.

À la fin du déjeuner – Mrs Smith ayant par miracle réussi une fois de plus à préparer un repas –, Burgess prévint Henry de l'arrivée de Mrs Ticknor ; Henry demanda qu'elle l'attende dans le grand salon. Il ne pourrait donc pas faire à ses invités les honneurs du jardin ; mais il se tira de cette embûche en prétendant avoir un travail urgent à finir, un roman qui paraissait sous forme de feuilleton, et que Miss Norton aurait peut-être la gentillesse de les emmener faire une promenade dans le bourg, qu'elle connaissait maintenant sur le bout des doigts.

Après leur départ innocent et joyeux, il alla rejoindre Mrs Ticknor et lui fit part de son problème. Il souligna que la situation ne pouvait durer, et qu'elle ne durerait d'ailleurs pas. Il souhaitait les congédier l'un et l'autre. Il était prêt à leur verser des indemnités généreuses. Il espérait que Mrs Ticknor pourrait leur offrir une aide provisoire, mais il n'était pas disposé à l'assister.

Mrs Ticknor ne réagit pas. Son visage ne trahissait aucune émotion. Elle demanda simplement où était sa sœur et si elle pouvait lui parler. Dans l'entrée ils croisèrent la bonne, qui faisait entrer le médecin. Henry envoya Mrs Ticknor à la cuisine. Puis il informa le médecin de la situation et demanda à la bonne de le conduire jusqu'à la chambre derrière l'office.

Au dîner ce soir-là, avec Lily Norton et son ami d'Eastbourne, la conversation porta sur des sujets politiques et littéraires. À voir Lily déployer des trésors de charme et d'intelligence, Henry s'interrogea sur son insistance à évoquer Constance la veille au soir, et sur l'insinuation qu'il avait abandonné son amie à son sort à Venise. On pouvait se demander si Lily Norton avait été abandonnée, elle aussi, ou si elle vivait dans la crainte de cette éventualité. Le fait de ne pas s'être mariée, de ne pas s'être alliée à quelqu'un qui aurait pu offrir un horizon plus vaste à sa subtilité et à sa séduction était selon lui une erreur qui deviendrait plus évidente encore avec le temps. En l'observant, il songea soudain que cet art consommé de se mettre en scène, cette façon d'accroître délibérément son propre effet, avait peut-être étouffé d'autres qualités, plus émouvantes pour un prétendant potentiel. Constance, pensa-t-il, aurait pu écrire un excellent roman sur elle.

Le médecin revint le lendemain matin et déclara le patient incurable. Mr Smith, dit-il, était dans un état d'ébriété permanente, dû à l'absorption quotidienne d'alcool pendant un grand nombre d'années. Il souffrirait énormément au moment du sevrage. Mrs Ticknor arriva avec son mari et dit à Henry que sa générosité était très appréciée, et nécessaire aussi dans la mesure où les Smith n'avaient pas un sou devant eux. Ils avaient dépensé tous leurs gages en alcool et ils étaient même endettés auprès de plusieurs fournisseurs de Rye. Mrs Ticknor lui apprit tout cela sur un ton décidé pendant que son mari restait planté à son côté, très gêné, sa casquette à la main.

Alors qu'on s'occupait de rassembler les affaires des Smith, Henry ne vit plus en eux que deux victimes intoxiquées et démoralisées, sans un mot à dire pour leur défense. Mrs Smith elle-même affronta le verdict en silence, en évitant de croiser son regard. Il savait qu'ils ne trouveraient plus de travail. Quand ils auraient épuisé ses indemnités, quand la famille ne pourrait plus s'occuper d'eux, ils seraient face à l'abîme. Les Smith, qui l'avaient si fidèlement suivi pendant tant d'années, étaient perdus. En même temps il n'avait qu'un désir : qu'ils quittent sa maison au plus vite.

Il raconta l'épisode à sa belle-sœur dans une lettre. C'était, écrivit-il, un cauchemar absolu de détresse, de dégoût et de désagrément. Il n'en parla à personne d'autre. Il savait cependant que tout Rye serait bientôt informé du sort des Smith. Ils n'étaient guère appréciés dans le bourg, mais la vitesse expéditive de leur congédiement conduirait les gens à l'examiner avec attention pendant ses promenades.

Ce renvoi et les semaines énervantes qui s'ensuivirent, où il vécut sans cuisinière et prit ses repas dans une auberge du coin, le remplirent d'un sentiment de malheur auquel seul le travail pouvait remédier. Après le petit déjeuner, il s'asseyait à la baie vitrée du salon, qui donnait au sud et recevait toute la lumière du matin, et il relisait les pages de la veille. La fenêtre surplombait la pelouse verte et lisse ; il adorait voir George Gammon au travail à l'ombre du vieux mûrier. Plus tard, en descendant se promener au jardin, il apprécierait la sensation d'être protégé du monde par les hauts murs de Lamb House.

9

Mars 1899

Rien ne lui venait plus simplement. Au cours de ce voyage à l'étranger, le premier depuis cinq ans, il n'eut à aucun moment la sensation d'une expérience neuve. À Paris, il retrouva Rosina et Bay Emmet, les filles d'Ellen Temple, la sœur de Minny. Toutes deux étaient nées après la mort de Minny et ne la connaissaient que par de rares photographies : pour ses nièces, elle était une absence, une ombre. Les deux sœurs ne se ressemblaient pas. Rosina était la plus jolie et la plus délurée des deux ; Bay était petite, un peu boulotte, plus douce et plus confiante que sa sœur. Son ambition de peintre ne faisait aucun doute, à voir l'attention avec laquelle elle observait les œuvres d'art dans les musées et les scènes de la vie quotidienne, dans la rue ; il était clair d'ailleurs qu'aux yeux des deux filles les secondes rivalisaient largement en beauté et en intérêt avec les premières.

Parfois, en les écoutant, il croyait entendre la voix de Minny Temple. Il leur enviait leur naturel, leur parfaite inconscience du fait que leur propre voix, si américaine dans son élan, n'était pas aussi originale qu'elles l'imaginaient, ni aussi vierge de complications historiques.

Il était assez vieux, à cinquante-six ans, pour déplorer certaines choses avec une conviction sans mélange ; Bay

Emmet le taquinait en disant qu'il imitait le docteur Sloper de *Washington Square* parti faire le tour de l'Europe avec sa fille malheureuse et ignare. Henry déplorait, entre autres, leur accent américain et les reprenait régulièrement sur leur prononciation pendant qu'ils se promenaient entre deux musées. Rosina ayant admiré des bijoux à une devanture parisienne, il la corrigea aussitôt.

— On dit *jew-el*, pas *jool*.

Et quand Rosina admit que les jeunes Américaines avaient tendance à avaler leurs voyelles, il ajouta :

— *Wow-els*, Rosina, pas *vowls*.

Les deux sœurs, ravies des réprimandes de leur cousin, trouvèrent vite de nouveaux outrages à infliger à son oreille délicate. Elles lui rappelaient plus que jamais leur tante défunte, qui adorait pousser toujours plus loin la malice. Elles lui résistaient, non pas en argumentant, mais en le tournant gentiment en ridicule. Elles avalaient toutes leurs voyelles et s'amusaient à employer des tournures modernes qui ne pouvaient que l'irriter. Quand Bay annonça un matin qu'elle devait remonter dans sa chambre pour se donner un coup de peigne, Henry répondit : « Où donc comptes-tu faire porter ce coup ? »

Paris était plus splendide encore que dans son souvenir, mais il sentait, sous cette splendeur, des choses qui ne lui plaisaient guère. Il n'en dit rien aux filles Emmet. Il appréciait leur sensibilité aux couleurs, aux paysages, aux matières ; il aimait leur façon innocente de lui désigner tel ou tel détail, leur plaisir candide à jouir de la beauté de la ville. Quelquefois, quand Bay Emmet se taisait et s'absorbait dans la contemplation d'une scène, s'irritant si on essayait alors de la tirer de sa rêverie, il croyait sentir la présence invisible de Constance Fenimore Woolson, sereine et introspective, aussi sensible aux ombres et à la suggestion que Minny Temple l'avait été à la lumière et aux chamarrures.

Ses petites cousines ravivaient ainsi des souvenirs anciens. Parfois, elles étaient si fascinées par tout ce qui les entourait qu'elles ne remarquaient pas l'assombrissement de son humeur. Il trouvait cette indifférence charmante, un vrai soulagement. Certains de ses vieux amis, qui réclamaient un peu trop son attention et surveillaient d'un peu trop près tous ses faits et gestes, auraient pu être encouragés à prendre exemple sur les sœurs Emmet.

En continuant sa route vers le sud, après avoir laissé les filles à leur tournée européenne, il s'aperçut d'ailleurs qu'il pouvait parfaitement se dispenser d'un grand nombre d'amitiés. Il aimait bien entretenir une correspondance sporadique avec ses amis et recevoir des nouvelles de leur vie et de leurs activités. Mais quand il s'arrêta pour la nuit à Marseille, en sachant ce qui l'attendait le lendemain, il admit intérieurement qu'il n'aurait pas été malheureux de passer près de la demeure de Paul et Minnie Bourget sans leur rendre visite. La gloire et la fortune avaient fait de Bourget le propriétaire d'un domaine de douze hectares sur la Côte d'Azur, planté en terrasses avec un parc de pins et de cèdres touffus, qui offrait plusieurs points de vue magnifiques. Elles l'avaient également doté d'un intérêt immodéré pour ses propres opinions qui, exacerbées par l'antisémitisme, avaient pris une rigidité autoritaire désagréable.

Un autre invité était présent chez les Bourget, un romancier français mineur. Henry fit tout son possible, les premiers jours de son séjour, pour éviter le sujet de Zola ou de l'affaire Dreyfus, car il pressentait que sa propre position divergerait de celle de ses hôtes. Son soutien à Zola, et même à Dreyfus, était suffisamment fort pour qu'il n'ait pas envie d'entendre les préjugés de Paul et de Minnie sur l'un et sur l'autre. Il sentait d'une certaine manière que le luxe des Bourget, leur goût exquis, le raffinement de leurs habitudes quotidiennes avaient partie liée avec la dureté haineuse de leurs opinions. Les Anglais, pensa-t-il, étaient plus tempérés dans leurs prises de position, plus ambigus quant au lien qui unissait leur situation personnelle et leurs convictions politiques.

Il avait la sensation de connaître Bourget comme s'il l'avait fait. Il connaissait sa nature et sa culture, sa race et son type, sa vanité et son snobisme, son goût pour les idées et son ambition. Mais c'était peu de chose comparé à l'effet général produit par cet homme, et par son identité profonde, qu'il révélait si facilement. Celle-ci était plus riche, plus sympathique et plus compliquée qu'on n'aurait pu s'y attendre.

En échange de toute l'attention que lui prodiguait Henry, Bourget ne remarquait rien du tout. Sa liste des attributs de Henry, s'il avait dû en dresser une, aurait été simple et inexacte. Il n'observait pas le moi caché. L'idée même d'un moi caché ne l'intéressait probablement pas, pensa Henry ; alors que son séjour chez les Bourget touchait à sa fin, cela lui fit plaisir. Son adresse à s'effacer, à se rendre invisible, même pour quelqu'un qui le connaissait depuis longtemps, lui procurait une certaine satisfaction. Il était prêt à écouter, toujours, mais pas à révéler l'esprit au travail, l'imagination, ni la profondeur du sentiment. Par moments, il le savait, sa neutralité était bien plus qu'un masque. Elle s'insinuait aussi vers l'intérieur, et c'est ainsi que, pendant qu'il continuait son voyage vers Venise, la possibilité de revoir ou non les Bourget un jour lui était déjà devenue indifférente.

Il n'avait pas oublié combien il aimait l'Italie mais il craignait d'être à présent trop vieux, trop raide, pour se laisser séduire une fois de plus, ou alors que l'Italie elle-même, sous la pression du temps et du tourisme, eût perdu son charme enchanteur. Il ne bougea pas de sa place pendant les trois heures d'arrêt forcé du train à Vintimille, qu'il passa à observer la foule guindée qui se bousculait sur le quai et se plaignait bruyamment sous la férule d'un groupe de riches Allemands. Il aurait donné cher pour se lever et franchir la frontière à pied, avec ses bagages sur une brouette poussée par Burgess Noakes. Il était dévoré d'impatience de laisser la France derrière lui et d'être effleuré enfin par les ailes de l'Italie. Les manières italiennes étaient ouvertes, pleines de fraîcheur ; tout le raffinement était caché et considéré comme une évidence. Quand enfin il fut dans son hôtel à Gênes, assis dans un fauteuil près de la fenêtre à s'imprégner de l'ambiance et à se remémorer ses souvenirs italiens, il se sentit à la fois soulagé et heureux.

En approchant de Venise à la tombée de la nuit, il sut que ni le tourisme ni le temps n'avaient réussi à en abîmer le mélange de tristesse et de splendeur. Il se rendit directement en gondole de la gare au Palazzo Barbaro, le long de canaux secondaires qu'il lui semblait vaguement reconnaître. Ces trajets en gondole s'accompagnaient toujours d'un sentiment solennel, comme si le voyageur était conduit théâtralement vers son destin. Mais ensuite, quand le bateau s'immobilisait après une dernière glissade silencieuse, l'autre Venise apparaissait – somptueuse et ravagée, avec ses palais d'une magnificence éhontée, sans commune mesure avec les besoins réels de leurs occupants.

Venise était saturée de voix anciennes, de vieilles images, de vieux échos ; elle était le refuge des secrets étranges, des fortunes rêvées, des cœurs blessés. Cinq ans plus tôt, après avoir fini de trier les affaires de son amie Constance Fenimore Woolson, il avait quitté la ville en pensant qu'il n'y reviendrait plus. D'une certaine manière, Constance et lui avaient pris de trop grands risques dans leur jeu avec Venise. Elle avait tout perdu ; lui, il avait perdu Constance. Les échos dont résonnait Venise n'avaient plus pour lui un caractère vague et historique. La cruauté qui allait de pair avec sa beauté et sa grandeur n'était plus une abstraction. Elle s'incarnait dans la mort violente de son amie. Au Palazzo Barbaro, il travaillait dans le salon mis à sa disposition par les Curtis, une pièce au plafond peint prétentieux et aux murs tendus de damas vert pâle qui s'effilochait par endroits. Ce salon donnait sur l'arrière du palais, mais il savait qu'il suffisait de traverser une enfilade de salles pour apercevoir le Grand Canal. En sortant sur le balcon, comme il l'avait fait tant de fois, il pouvait observer la coupole, les volutes et les statues de l'église Santa Maria della Salute, dont les marches majestueuses ressemblaient à la traîne d'une robe. En se tournant vers la gauche, il était ébloui par le Palazzo Dario, recouvert de plaques de marbre et de disques sculptés avec une délicatesse exquise.

Mais dans ce mouvement du regard, de la Salute au Palazzo Dario, il était retenu par les sombres fenêtres gothiques de la Casa Semitecolo ; Venise cessait alors d'être pour lui un spectacle, elle abandonnait son déguisement de fresque historique pour devenir réelle, dure, remplie d'horreur. C'était là, cinq ans plus tôt, que Constance Fenimore Woolson s'était précipitée sur le pavé.

Ils s'étaient rencontrés au début de l'année 1880 à Florence, où il écrivait *Un portrait de femme*. Il avait trente-sept ans, elle quarante. Elle était porteuse d'une lettre de recommandation de la part de Henrietta, la sœur de Minny Temple. Elle avait lu tous les écrits de Henry, qui n'avait rien lu d'elle. Il connaissait beaucoup de ces Américaines qui voyageaient en Europe avec des lettres de recommandation à son adresse. Si on devait les rassembler un jour, pensait Henry, ces lettres formeraient un épais volume, moins ennuyeux cependant que leurs accompagnatrices, parmi lesquelles beaucoup de romancières qui auraient voulu écrire *Daisy Miller* et qui tenaient absolument à l'informer qu'elles étaient sur le point de produire quelque chose d'au moins aussi bon.

Constance était sourde d'une oreille – ce qui intéressait autant Henry que cela exaspérait Constance elle-même. Cette surdité mettait en évidence une qualité qu'il n'aurait peut-être pas, sinon, remarquée aussi vite. Constance possédait une étonnante faculté d'autonomie et de réserve. Elle ne paraissait soucieuse ni de lui plaire ni de l'impressionner. Elle avait une manière peu commune, surtout développée à ce point, de vivre d'une existence tout intérieure. Il ne fut donc pas surpris, au moment de lui faire visiter la ville, d'apprendre qu'elle souhaitait éviter les touristes ; en revanche il fut fasciné par son manque d'intérêt pour la colonie anglo-américaine de Florence, et par son refus d'être présentée aux amis et connaissances de Henry dans les hautes sphères de la société florentine. Elle avait besoin de solitude le soir, lui expliqua-t-elle simplement ; elle ne pouvait pas profiter de la compagnie de beaucoup de personnes à la fois, quelles que soient leur fortune ou leur importance.

Il aurait été incapable de dire si la réaction de Constance aux églises, aux fresques et aux tableaux était originale. Mais la fraîcheur de son intelligence, de ses goûts et de ses dégoûts, ainsi que sa capacité d'étonnement, suffisaient à lui donner envie de l'accompagner tous les matins à travers la ville. Deux ans plus tard, en lisant *Un portrait de femme*, elle le complimenta sur son talent à décrire une Américaine curieuse qui vient en Italie pour la première fois et se laisse prendre en main, calmement mais fermement, par un connaisseur. Il s'était en effet servi d'elle, se contentant de l'adjoindre à ses précédents modèles, écrivant certaines scènes le jour même, après avoir passé la matinée à flâner avec sa nouvelle amie américaine. Isabel Archer voyait donc bien ce que voyait Constance Fenimore Woolson et elle aurait ressenti exactement les mêmes choses qu'elle si seulement il avait pu deviner jusqu'au bout ce que ressentait Constance.

Elle le taquinait sur son passé sans surprise ; le fait qu'il soit un natif de la famille James l'amusait beaucoup, tout comme son enfance errante entre Newport, Boston et l'Europe. Elle, la petite-nièce de James Fenimore Cooper, avait accès à une Amérique que Henry ne connaîtrait jamais. Elle avait approché la nature sauvage, dans l'Ohio et aussi en Floride. Mais au cas où – ajoutait-elle avec un sourire menaçant – il la prenait pour une sauvage, elle voulait tout de même lui faire observer qu'il était le premier de sa famille à mettre le pied en Italie, alors que son grand-oncle à elle avait vécu à Florence et avait même écrit un livre à ce sujet.

Son étrange et active indépendance s'ajoutait à cette généalogie remarquable. Elle voyait Henry le matin ; l'après-midi elle partait marcher seule pendant des heures dans les collines au-dessus de Florence, et le soir elle lisait et écrivait. Quand il la retrouvait le lendemain, elle avait toujours une expérience nouvelle à lui raconter, et un regard neuf pour aborder ce qu'il lui proposait de voir ce jour-là.

Il ne parlait pas de Constance dans ses lettres à ses parents, à sa sœur Alice ou à son frère William. À cette époque, ils étaient tous prompts à réagir au moindre indice d'aventure susceptible de conduire à un mariage. Ses lettres, il le savait, étaient analysées ligne à ligne, au cas où elles contiendraient une allusion cryptée aux inclinations de son cœur. Celui-ci, cependant, restait aussi dur qu'il parvenait à le rendre face aux assauts de la curiosité familiale.

Constance et Henry prirent par la suite l'habitude de se voir quand leurs chemins se croisaient. Ce fut le cas à Rome d'abord, puis à Paris. Entre-temps, ils restaient en correspondance, et lisaient le travail l'un de l'autre. Parfois, Henry était retenu par son propre labeur ou par d'autres échanges, mais quand enfin il se décidait à écrire à Constance, il constatait que le plaisir qu'il prenait à sa compagnie avait été attisé une fois de plus, et il se surprenait à lui écrire de nouveau sans attendre sa réponse. Après coup, il craignait de l'avoir désorientée par ce regain d'intérêt subit après un long silence ; il la savait méfiante. Constance était aussi sa lectrice la plus intelligente et, dès lors qu'il lui eut extorqué la promesse de détruire ses lettres, sa confidente la plus fine et la plus loyale. Et quand elle vint habiter à Londres – ils se connaissaient alors depuis plus de trois ans – elle devint sa meilleure amie, fidèle, réservée et secrète.

Ils n'évoquaient jamais ensemble leur vie privée, leur moi caché. Il lui parlait de son travail et de sa famille et elle répondait par des observations qui étaient personnelles dans la mesure où elles étaient le fait d'un esprit singulier et qu'elles avaient un air de confidence même quand le sujet était vague et général. Elle ne parlait pas explicitement de son travail, mais il découvrit par un concours de hasard et de déduction que chaque nouveau roman achevé entraînait chez elle un effondrement nerveux qu'elle redoutait plus que tout. L'hiver n'était pas clément avec elle ; l'obscurité et le froid l'abattaient tellement que certains jours elle restait au lit, incapable de voir quiconque, incapable de travailler et incapable, semblait-il, d'entrevoir la moindre lueur d'espoir, alors même qu'elle lui dissimulait avec une énergie farouche l'ampleur réelle de sa souffrance. Elle qui accueillait d'habitude si chaleureusement son amitié et sa compagnie pouvait s'enfermer soudain dans le silence. Il n'avait jamais connu quelqu'un qui manifestât à la fois un tel empressement et son contraire absolu. Il savait qu'il pouvait lui faire confiance, qu'il pouvait rester proche d'elle tout en gardant ses distances s'il en ressentait le besoin. Elle avait une manière abrupte de le quitter, comme si elle le croyait sur le point de la congédier et qu'elle ne pouvait supporter une telle humiliation.

Rien n'était simple avec elle ; il s'étonnait, et s'inquiétait souvent, de constater qu'il ne la connaissait pas, qu'il était incapable de deviner si cette brusquerie au moment des séparations était un aspect de sa vulnérabilité, ou de son besoin d'être seule, ou de sa peur, ou de toutes ces choses à la fois.

Un soir à Londres, au mois de février 1884, Henry avait accompagné Mrs Kemble au théâtre pour voir l'acteur italien Salvini dans *Othello*. C'était une soirée mondaine ; la plupart des spectateurs étaient plus riches que Mrs Kemble ou que son cavalier. Ils étaient aussi pour la plupart beaux et titrés – ce qui n'était le cas ni de Mrs Kemble ni de son cavalier – pourtant aucun couple n'était observé avec autant de curiosité que la grande actrice accompagnée par l'auteur d'*Un portrait de femme*.

Mrs Kemble se montrait impérieuse avec lui ; il répondait en la complimentant régulièrement sur son esprit et en l'écoutant avec une attention admirative ; il l'avait vue sur scène pour la première fois alors qu'il était un tout jeune homme. Elle savait que toutes les personnes présentes avaient envie de surprendre sa conversation, et c'est pourquoi elle passait sans cesse de la voix forte au murmure. Elle salua certains d'un signe de tête, adressa brièvement la parole à d'autres, mais ne s'arrêta pour personne. Puis elle fendit la foule jusqu'à leur loge, avec un regard qui décourageait quiconque de se joindre à eux.

Dans les secondes précédant l'extinction des lumières, Henry aperçut Constance Fenimore Woolson. C'était caractéristique de sa part de ne pas lui avoir confié, alors qu'ils s'étaient vus quelques jours plus tôt, son intention de venir au théâtre. Depuis qu'elle vivait à Londres, ils ne s'étaient jamais aventurés ensemble dans ce monde-là. Il était pris au dépourvu par cette sortie de Constance dans la vie mondaine de Londres, où personne à part elle n'aurait d'ailleurs eu l'idée de venir seul. Constance paraissait fatiguée, préoccupée, très différente de l'image d'une romancière distinguée issue d'une vieille lignée américaine et qui avait beaucoup voyagé. Vue de l'endroit où il était assis, elle aurait pu être une dame de compagnie ou une gouvernante. Il ignorait si elle l'avait aperçu.

Pendant que le grand drame de la jalousie et de la trahison se déroulait sur la scène, Henry resta préoccupé par des versions plus intimes du même thème. Il pouvait facilement feindre de ne pas l'avoir vue. Mais si elle, de son côté, l'avait repéré – et, de façon générale, il avait le sentiment que rien n'échappait à Constance – et si elle avait le plus infime soupçon qu'il faisait exprès de ne pas la reconnaître, il savait à quel point elle en serait blessée, à quel point cette blessure resterait cachée, secrète, et avec quel talent elle la ruminerait en silence tout au long de l'hiver londonien.

À l'entracte, il s'excusa auprès de Mrs Kemble et traversa la foule jusqu'à Constance qui était restée à sa place et feuilletait le texte d'*Othello*. Au moment où elle leva les yeux vers lui, il se rendit compte qu'elle était désemparée ; et quand il lui adressa la parole, il comprit qu'elle ne pouvait pas l'entendre dans le brouhaha. Il sourit et lui fit signe de le suivre. Pendant qu'ils se frayaient un chemin vers la loge de Mrs Kemble, il sut sans lever la tête que celle-ci suivait leur progression avec un regard hostile.

Quand il eut fait les présentations, Constance parut encore plus perdue que précédemment. Ce qu'il percevait chez elle, pendant qu'elle essayait de dire quelques mots à Mrs Kemble, était cela même qu'il avait senti en l'apercevant au début de la représentation : une solitude et une mélancolie annulant ses autres qualités, qu'elle avait à présent le plus grand mal à mettre en valeur. Mrs Kemble, d'un autre côté, n'avait jamais souffert de solitude et, dès l'instant où elle comprit que Henry avait formé le projet d'inviter son amie à partager la loge avec eux, elle se détourna ostensiblement et se mit observer un point quelconque à travers ses jumelles.

Il continua à fréquenter Constance au cours des deux années suivantes, où elle vécut en dehors de Londres, et à correspondre avec elle. Il la vit se donner beaucoup de mal, surtout après l'arrivée de sa sœur Alice en Angleterre, pour ne pas être un fardeau, ne pas dépendre de lui, pour mentionner régulièrement devant lui ses projets de travail et de voyage, sa fameuse indépendance. Il n'avait pas le droit de la plaindre et il n'était pas davantage autorisé à la connaître, sinon comme une série de contradictions passionnées soulignée par deux vérités essentielles : elle était infiniment intelligente, et elle était seule.

Son ouïe se détériorait ; quand il lui parlait, elle devait observer le mouvement de ses lèvres pour suivre ce qu'il racontait. Son visage prenait alors une gravité inquiète, qui devenait intense s'il évoquait en passant des projets de voyage. À cette époque, son but était le plus souvent l'Italie. Il attendait avec impatience le moment où il aurait fini un livre ou une série de nouvelles et où il serait libre. Ces projets faisaient à tel point partie de son existence qu'il les oubliait, les modifiait, ou les reprenait avec la plus grande insouciance, et sans en informer quiconque. Peu à peu, il s'aperçut que quand il en faisait part à Constance, celle-ci rentrait chez elle et commençait à les ruminer. Il nota deux ou trois fois sa surprise agacée en découvrant qu'il avait changé d'avis et qu'il n'avait pas pris la peine de la prévenir. Il en vint à comprendre que sa présence avait sur elle un effet puissant, et que tout ce qu'il pouvait dire ou écrire devenait pour elle un sujet de contemplation solitaire prolongée. Pour elle il était un mystère, plus encore qu'elle ne l'était pour lui ; mais elle consacrait plus de réflexion et d'énergie à le résoudre – ou du moins à essayer d'en deviner les propriétés – que lui ne l'avait jamais fait en ce qui la concernait.

Quand elle commença à envisager à voix haute de quitter l'Angleterre et de retourner à Florence, il voulut la persuader d'aller rendre visite à quelques amis à lui, de faire au moins quelques incursions dans la société de la ville.

— J'ai vu assez d'Américains en Amérique, dit-elle en souriant, et assez d'Anglais en Angleterre, et je ne pense pas que les Italiens s'intéresseront beaucoup à moi. Non, j'aime mieux travailler que prendre le thé, j'aime mieux marcher dans les collines que m'habiller pour le soir.

— Il y a au moins deux personnes charmantes et très sérieuses que j'aimerais vous faire connaître et qui fréquentent très peu la société. Mon intention n'est pas de vous mettre à la merci de toute la colonie anglo-américaine.

— Dans ce cas, dit-elle, rien ne me ferait plus plaisir que de les rencontrer.

En écrivant à ses amis pour leur demander d'offrir un certain réconfort social à Miss Woolson lors de son retour à Florence, Henry prenait un risque inédit, puisqu'il ne l'avait jamais présentée à qui que ce soit en Angleterre. Son vieil ami Francis Boott et sa fille Lizzie avaient selon lui mis à profit le meilleur de la réserve et du raffinement de Boston, accompagnés d'une fortune considérable, en s'installant à Bellosguardo, au-dessus de Florence. Par leurs goûts et leurs habitudes, ils étaient simples. S'ils avaient été moins simples, pensait Henry, le talent de compositeur du père et celui de peintre de la fille auraient pu les conduire à des sommets. Il leur manquait l'acier de l'ambition et du dévouement fanatique à leur art – manque qu'ils compensaient par un goût exquis et une hospitalité sélective. Il savait qu'ils ne pourraient qu'aimer une romancière américaine possédant les manières et les antécédents de Constance.

La possibilité qu'ils ne s'estiment pas mutuellement était faible. Lizzie, qui avait maintenant quarante ans, avait récemment épousé un peintre bohème, Franck Duveneck. Francis Boott, jusque-là entièrement tourné vers sa fille, aurait donc du temps et de l'énergie à consacrer à une nouvelle amie. Le véritable risque qu'encourait Henry en présentant Constance aux Boott était qu'ils s'apprécient mutuellement plus encore qu'ils ne l'appréciaient lui et qu'ils ne commencent, pendant que le soir tombait sur Bellosguardo, à discuter de son cas et à parvenir à des conclusions qui donneraient lieu à de nouvelles discussions, jusqu'au moment où Henry serait devenu l'un des sujets qui les liait.

Il ne se flattait pas. Il savait combien Constance serait prudente au début, réticente, sur ses gardes, et combien le vieux Francis Boott aurait à cœur de maintenir la conversation sur un plan général, la confinant dans la mesure du possible aux monnaies rares, au damas ancien et aux compositeurs italiens oubliés depuis longtemps. Mais il savait aussi que Lizzie Boott, qu'il avait rencontrée pour la première fois à Newport vingt-cinq ans plus tôt, nourrissait l'espoir de le voir marié. Elle le lui avait confié en personne, ainsi qu'à sa sœur Alice, avec qui elle était en correspondance régulière, tout comme Francis Boott correspondait avec William. Une fois Constance entre leurs mains, les Boott sauraient ce que nul autre ne savait : avec quelle assiduité il l'avait fréquentée et quelle importance Constance revêtait pour lui ; et ils s'interrogeraient sur le fait, étrange compte tenu de leur intimité avec Henry et sa famille, que personne ne leur en eût jamais parlé. Il n'était pas impossible qu'ils souhaitent en discuter avec Constance.

Lorsqu'elle fut installée à Florence où elle voyait, apprit-il, régulièrement Francis Boott et sa fille Lizzie, il reçut une lettre d'elle qui le surprit par sa franchise. Être avec les Boott dans leur maison de Bellosguardo était un enchantement, écrivait-elle, et pourtant, à sa troisième ou quatrième visite, une idée l'avait frappée et ne lui était plus sortie de l'esprit ; elle avait dû attendre d'avoir déballé ses livres pour en avoir le cœur net. Les pièces de la maison de Bellosguardo, écrivait-elle, étaient décrites avec précision dans *Un portrait de femme*. Le salon où on la recevait régulièrement était plein d'arrangements précis, subtils, raffinés, et il contenait les mêmes tapisseries, coffres, secrétaires, tableaux, objets de cuivre, poteries et fauteuils profonds bien rembourrés qui remplissaient dans son roman le salon de Gilbert Osmond.

Et non seulement cela, poursuivait-elle sur un ton presque accusateur, le propriétaire des lieux était lui-même décrit avec un luxe de détails. Il avait effectivement un visage fin, étroit, modelé à l'extrême, dont l'unique défaut était d'être un peu trop pointu, effet renforcé par la forme de sa barbe. Parfois, en regardant Francis s'entretenir avec Lizzie, elle avait le sentiment de voir Gilbert Osmond et sa fille Pansy. « Vous m'avez présenté deux personnages de vos livres, écrivait-elle. Je vous en suis reconnaissante, mais je m'interroge : avez-vous l'intention de me faire figurer dans le suivant ? »

Il attendit quelques semaines et, lorsqu'il lui répondit enfin, ne fit aucune référence à ses remarques concernant son roman et les Boott. Il conclut sa lettre avec froideur, dans l'espoir que Constance ne manquerait pas de la remarquer et que cette froideur, jointe au retard de sa réponse, reléguerait la question des sources de ses romans dans le royaume du non-dit, où Constance et lui occupaient en temps normal un statut de résidents privilégiés.

Il resta cependant profondément curieux de la relation de son amie avec les Boott et avec Franck Duveneck. Il lui vint une idée, celle d'un monsieur américain d'un certain âge, aisé et cultivé, qui voyagerait en Europe avec sa fille. Dans son histoire, ils se marieraient tous les deux ; la fille d'abord, le père un peu plus tard, pour conjurer sa solitude. Leurs conjoints, songea-t-il tout à coup, pourraient être deux personnes qui se connaissaient en secret, ou qui venaient de lier connaissance. Il obéissait ainsi à la suggestion de Constance – il la rapprochait de ses autres personnages, ceux du père et de la fille dans *Un portrait de femme*, curieux de voir ce qu'il en sortirait. Puis il rangea son idée, ne souhaitant pas creuser plus avant les possibles raisons pour lesquelles il avait choisi de présenter Constance aux Boott, et convaincu en outre que ce qu'il verrait en se rendant sur place, à Florence, serait plus intéressant que tout ce qu'il pouvait imaginer.

Constance avait loué sa propre maison à Bellosguardo. La Casa Brichieri-Colombi, surplombant la ville, possédait de beaux espaces intérieurs et de magnifiques jardins. Mais quand Henry arriva en décembre, après avoir fait promettre à Constance et aux Boott que personne ne serait informé de sa présence à Florence, Constance n'avait pas encore pris possession des lieux et logeait non loin de chez les Boott, dans un appartement situé sur une petite place en face de la Casa Brichieri-Colombi. Elle lui proposa la maison, qui était vide, et il accepta.

Ainsi, il s'installa dans ce qui était en réalité la future demeure de Constance. Il la voyait presque chaque jour, l'autorisant à superviser à sa place son organisation domestique, et pendant ce temps aucun de ses autres amis florentins ne savait qu'il était en ville. Les Boott, eux, le savaient, mais ils étaient préoccupés par la naissance imminente de l'enfant de Lizzie. Cela n'empêcha pas Francis Boott de grimper la colline pour lui rendre visite.

La culture exceptionnelle de Francis Boott n'avait d'égale que son aménité. Il ne semblait pas plus capable d'offenser quelqu'un que d'être offensé. À la parution d'*Un portrait de femme*, en découvrant que sa maison et sa fille avaient été ouvertement utilisées dans le roman et que le méchant de l'histoire avait ses traits à lui, il n'adressa aucun reproche à l'auteur et sembla plutôt s'en amuser. Il était infiniment respectable à Florence, comme il l'avait été à Boston et à Newport ; en tant qu'hôte et en tant qu'invité, il était irréprochable. Et toute son aménité n'effaçait pas l'impression que cette respectabilité sociale représentait d'autres titres d'éminence auxquels il croyait également, mais qu'il ne voyait aucune raison d'exhiber.

Le vieil homme, enveloppé dans un châle, avait pris place sur une chaise longue dans le grand salon de la Casa Brichieri-Colombi. Henry nota sa silhouette féline aux gestes ralentis, ses longs doigts délicats et son visage qui, malgré son goût pour la bonne chère, avait pris avec les ans un caractère curieusement ascétique.

— Nous avons beaucoup apprécié votre amie Miss Woolson, dit-il. Elle possède un charme et une intelligence rares. Lizzie et moi nous sommes entichés d'elle.

— Et elle de vous, je le crois, répliqua Henry.

— Elle a beaucoup d'esprit et de douceur, et une manière charmante de vous quitter brusquement comme si sa vie en dépendait. Nous voulons toujours qu'elle reste davantage, mais elle a du travail, mon Dieu, a-t-elle du travail !

Les yeux de Francis Boott étincelaient de malice.

— Bien entendu, nous avons parfaitement conscience qu'elle n'est notre amie qu'à cause de vous. Elle vous admire infiniment. Et elle a toute confiance en vous.

Francis Boott décroisa et recroisa les jambes ; Henry nota la beauté de ses chaussures et la finesse de ses chevilles. Il aurait voulu ramener la conversation vers Lizzie et l'événement imminent, mais il avait déjà demandé de ses nouvelles à l'arrivée de Francis. Il essaya néanmoins.

— Vous direz à Lizzie que je lui transmets toutes mes amitiés.

— Je lui dis tout, comme vous le savez, répondit Francis en souriant. Et nous nous inquiétons l'un et l'autre pour Constance. Il y a chez elle des profondeurs que nous n'avons pas vraiment eu la possibilité de sonder, mais nous nous faisons une très haute idée d'elle.

— Oui, dit Henry. Constance est quelqu'un de profond.

— Elle souffre peut-être plus que ne le mériterait une personne douée d'un tel talent, dit Francis en fronçant les sourcils. Mais il est merveilleux qu'elle vous ait rencontré et connu. Nous le pensons l'un et l'autre.

Henry le regarda d'un air inexpressif et ne répondit pas.

— Nous avons remarqué un changement chez elle ces dernières semaines, quand l'annonce de votre arrivée est devenue une quasi-certitude. Elle a commencé à s'habiller avec des couleurs plus claires, à sourire davantage, à être plus joyeuse. C'est indéniable.

Francis Boott se tut, toussa, trouva un mouchoir et goûta le thé qu'on lui avait apporté. Il donnait l'impression d'avoir délivré son message, exprimé clairement sa position. Soudain il reprit la parole, d'une voix forte, comme pour interrompre quelqu'un.

— Nous nous sommes demandé si vous étiez heureux dans cette maison.

— Oh oui, j'adore la maison.

— Avec Constance tout près, et en sachant que cette demeure est la sienne, ou qu'elle le sera très bientôt...

Francis Boott avait baissé le ton, mais sa voix restait parfaitement audible.

— Personne ne sait que vous êtes ici, bien sûr, reprit-il. Je ne pense donc pas qu'il puisse y avoir de scandale. Bellosguardo, en dépit de tout, reste une sorte de bastion.

Il tapotait l'accoudoir du bout des doigts.

— Non, le problème est le suivant : que va-t-elle faire quand vous repartirez ? Voilà ce qui nous trouble, Lizzie et moi. Pas le fait que vous soyez ici et que vous la voyiez un peu trop ; mais le contraire, si vous me comprenez.

— Je ferai de mon mieux, dit Henry.

La réponse était faible, et il le savait, mais Francis Boott lui adressa en retour un sourire presque radieux. Il ne prit donc pas la peine de la rendre plus convaincante.

— Je n'ai aucun doute là-dessus, dit le vieil homme. C'est tout ce que nous pouvons faire.

Il finit son thé et se leva pour prendre congé.

En janvier, lorsque Constance prit possession de la Casa Brichieri-Colombi, Henry déménagea à Florence même. Ses journées étaient oisives, ses après-midi et ses soirées accaparés par la société que Constance fuyait avec dédain. Les excès de la colonie l'ennuyaient et l'irritaient lui-même souvent, mais il avait appris à déguiser ce genre de réaction ; un soir, cependant, ces sentiments disparurent. Henry bavardait alors avec Eugene Lee-Hamilton, grand rapporteur de potins littéraires. En apercevant la comtesse Gamba, qui possédait de notoriété publique une cache de lettres de Byron, celui-ci raconta à Henry que la vue de la comtesse lui rappelait l'histoire d'un autre trésor caché. Claire Clairmont, la maîtresse de Byron, qui était aussi la belle-sœur de Shelley avait, lui dit Lee-Hamilton, vécu jusqu'à un âge très avancé. Elle avait passé ses dernières années recluse à Florence en compagnie d'une petite-nièce. Un Américain obsédé par Shelley, sachant qu'elle détenait des papiers ayant appartenu aux deux poètes, l'avait assiégée. À la mort de Claire Clairmont, l'homme s'était attaqué à sa petite-nièce, une dame de cinquante ans, jusqu'à ce que celle-ci lui propose de l'épouser s'il voulait voir les documents.

Lee-Hamilton racontait cette histoire d'un ton vif, comme un potin bien connu, sans s'apercevoir de l'attention dont il était l'objet, et combien le drame du récit affectait son auditeur.

Les implications et possibilités de cette histoire commencèrent à occuper l'esprit de Henry. Dès qu'il fut de retour dans son appartement, il nota dans son carnet l'image des deux vieilles Anglaises fascinantes, pauvres et discréditées, témoins d'une génération révolue, dans leur coin moisi d'une ville étrangère où elles conservaient les lettres comme un trophée. Mais en considérant le cœur de l'intrigue, il voyait bien que celui-ci revenait à l'Américain, qui débarquerait chez elles sous la double figure d'un aventurier et d'un érudit. L'histoire des trois personnages piégés dans un drame de souvenirs éventés et de dénuement extrême demanderait du temps et de la concentration. Cela ne pouvait pas se faire le matin à Florence. En plus, il ne pouvait pas situer son action dans la ville ; chacun répéterait qu'il s'était contenté de transcrire une histoire déjà connue et souvent racontée. Il la transposerait à Venise, songea-t-il, et, pendant que les invitations continuaient à affluer, il décida de se transférer là-bas, lui aussi, pour travailler à cette histoire dont les possibilités le ravissaient de plus en plus.

À Venise, il trouva à se loger dans un palais sombre et humide appartenant à son amie Mrs Bronson. Le fait que Browning eût autrefois occupé ces mêmes pièces ne suffisait pas, en dépit de la conviction contraire de Mrs Bronson, à les éclairer ni à les réchauffer. Henry prit l'habitude de dîner seul avant d'aller marcher au hasard dans les rues. Une fois les Vénitiens rentrés chez eux, à la tombée de la nuit, ils ne ressortaient plus. Venise était brumeuse, étrange, et pour la première fois de sa vie il se demanda ce qu'il faisait dans cette ville qu'il aimait tant. Il aurait pu aussi bien retourner en Angleterre. L'histoire était nette dans son esprit et il s'était suffisamment imprégné de l'ambiance des palais délabrés où il avait décidé de faire vivre ses héroïnes, ces demeures richement ornées, sombres, inhospitalières, pleines de secrets anciens, d'attachements héroïques, autrefois remplies de gaieté et de douce romance, à présent envahies par la mélancolie et les toiles d'araignée, et souvent habitées par des infirmes ou des âmes instables.

Un soir, ayant dépassé le Frari et traversé un pont pour rejoindre le Grand Canal, il vit au premier étage d'une maison une femme qui tournait le dos à une fenêtre éclairée. Elle était en pleine conversation ; quelque chose, ses cheveux, sa nuque, le fit s'arrêter dans la rue déserte. À mesure que la conversation devenait plus animée, il la vit gesticuler et hausser les épaules. Elle était, pour autant qu'il pût en juger, plus jeune que Constance, plus brune aussi, et plus large d'épaules ; ce n'était donc pas sa présence physique qui lui rappelait son amie. En s'éloignant, il se surprit à éprouver un désir intense d'être dans cette pièce où parlait la femme, d'entendre sa voix, d'écouter ce qu'elle disait. Lentement, pendant qu'il longeait les ruelles obscures à la vie dissimulée derrière les façades, il comprit : bien que son séjour à Bellosguardo n'eût duré que trois semaines, le compagnonnage de sa vie avec Constance lui manquait. Lui manquaient son mélange de brusquerie et de réticence, l'atmosphère américaine qu'elle transportait en abondance partout où elle allait, l'aura que lui conféraient ses heures de solitude, et aussi son ambition acharnée et son admiration illimitée pour lui. Lui manquaient les quelques heures quotidiennes qu'ils passaient ensemble, et le merveilleux silence qui encadrait ces heures. Il décida soit de retourner immédiatement en Angleterre, soit de repasser par Florence. Il écrivit à Constance et lui fit part de son dilemme, à moitié conscient du fait qu'elle interpréterait sa lettre comme un appel.

Constance répondit immédiatement et lui proposa d'occuper une partie du rez-de-chaussée de la Casa Brichieri-Colombi qui donnait, par une porte et trois arcades, sur le dôme et sur la ville. Il pourrait, lui écrivit-elle, y travailler en paix.

Alors que Florence s'étalait aux pieds des résidents de Bellosguardo pour leur plaisir, l'inverse n'était pas vrai. Bellosguardo demeurait isolée de la ville des palais, des églises et des musées. Y retourner le soir venu, après s'être éloigné des bords du fleuve, était comme remonter vers n'importe quel village perché de la campagne toscane.

Constance occupait les vastes appartements du premier étage, Henry le rez-de-chaussée, et ils partageaient domestiques, cuisine et jardin. Personne d'autre n'habitait la maison. Cette fois, ils n'évoquèrent même pas la nécessité de rester discrets quant à la présence de Henry. Ils n'en parlèrent à personne. Très peu de gens savaient donc qu'il vivait sous le même toit que Miss Woolson. Henry écrivit à William pour lui apprendre simplement qu'il logeait temporairement à Bellosguardo. Il écrivit à Gosse en spécifiant bien qu'il était seul et qu'il travaillait. Il évoqua dans une lettre à Mrs Curtis la beauté de Bellosguardo et de la vue qu'on avait de là-haut, qui lui donnait beaucoup de bonheur. Il ne précisa pas qu'il en jouissait grâce aux bons soins de Constance.

Il ne mentionna pas davantage le fait qu'en son absence Constance avait sombré dans une profonde mélancolie jusqu'à ne plus quitter son lit, où elle avait souffert, lui dit Francis Boott, plus qu'on ne pouvait l'imaginer. À son arrivée, Henry put en constater les séquelles, malgré les efforts de Constance pour les lui cacher. Elle se déclara contente qu'il dîne à Florence, afin qu'elle puisse rester seule le soir. Sa surdité semblait beaucoup l'irriter et quand ils passaient un moment ensemble, elle manifestait bientôt un désir urgent de se retirer.

Mais quand le temps s'adoucit et que le printemps arriva, Constance devint plus heureuse. Elle aimait la vaste demeure et le jardin qui recommençait à fleurir, et elle prenait un plaisir quotidien à contempler la vieille cité en contrebas sans jamais éprouver la tentation d'aller marcher longtemps en dehors de son petit territoire. De la sorte, elle protégeait son intimité et respectait celle de Henry ; au cours des six semaines qu'il passa auprès d'elle, ils n'apparurent pas une fois ensemble en public.

Il travaillait dur à son histoire des papiers de Shelley, de Claire Clairmont et du visiteur américain. Il pensait qu'il était peut-être inconvenant d'être revenu dans cette belle maison et ce cadre idyllique, qu'il avait peut-être fait appel à la bonté de Constance alors qu'elle n'en avait plus à donner. Elle savait qu'il repartirait, que Bellosguardo était pour lui tout au plus un répit avant de reprendre sa pleine solitude, ou sa vie londonienne, ou ses autres voyages. Mais pour elle, le printemps, cette maison et la présence stable de Henry feraient de ces quelques semaines l'époque la plus douce et la plus éblouissante de sa vie. Son bonheur, pensait Henry, tenait à l'équilibre parfait entre la distance qu'ils observaient l'un vis-à-vis de l'autre et l'absence de besoin, chez l'un comme chez l'autre, de toute autre forme de compagnie. Elle s'habillait avec soin, le plus souvent en blanc. Elle veillait au décor de la maison et à l'état du jardin, et elle gardait un œil vigilant sur la cuisine.

Un après-midi, alors qu'ils venaient de se retrouver sur la terrasse pour le thé, la Casa Brichieri-Colombi reçut la visite imprévue d'une romancière d'obédience anglaise, Miss Rhoda Broughton, que Henry connaissait depuis de nombreuses années et qui avait annoncé sa venue à Constance, sans spécifier la date. Elle exprima sa grande surprise de le trouver là et l'embrassa chaleureusement.

— Je savais que vous étiez en Italie. Des amis m'avaient dit Venise, je ne me serais jamais doutée que vous séjourniez à Florence.

Henry l'observa pendant qu'elle prenait place dans un fauteuil en osier après avoir arrangé les coussins, sans cesser un instant de parler sur ce ton décousu qui était le sien et qui poussait certains imprudents à la croire stupide.

— Et ensemble encore ! C'est merveilleux ! Je pourrais passer des années en Italie sans vous voir ni l'un ni l'autre et soudain voilà que je vous ai tous les deux.

Henry hocha la tête en souriant pendant qu'on servait un thé à Miss Broughton. Le fait qu'elle parût ne jamais écouter les autres et ne rien remarquer en dehors de son confort immédiat était, il le savait, une feinte étudiée. En réalité, aucun détail ne lui échappait. L'hypothèse de Henry était qu'elle savait déjà qu'il vivait sous le toit de Miss Woolson ; il décida de faire en sorte qu'elle reparte de la Casa Brichieri-Colombi en doutant de cette information.

Ils parlèrent de différentes personnes que Miss Broughton avait vues à Venise, et ensuite la conversation roula sur le plaisir de quitter Londres.

— J'ai toujours rêvé de vivre à Florence, dit Constance.

— Et maintenant vous y êtes, répliqua Miss Broughton. Quelle chance vous avez, tous les deux, de posséder une si belle maison.

Miss Broughton but une gorgée de thé pendant que Constance gardait le regard fixé au loin. Henry regretta de n'être pas en train d'écrire ; dans l'intimité de son bureau, il aurait tout de suite trouvé une repartie. Il fallait réfléchir vite, et il n'était pas certain de pouvoir assumer jusqu'au bout un déni franc.

— Bien entendu, risqua-t-il, je ne suis qu'un visiteur comme vous. C'est Miss Woolson qui a de la chance.

Il jeta un coup d'œil à Constance, mais sa remarque ne parut pas l'intéresser.

— Où logez-vous ? interrogea Rhoda Broughton.

— Oh, j'ai beaucoup bougé. Je suis allé à Venise, comme vous le savez déjà, et il se peut que je pousse jusqu'à Rome. Florence est une ville merveilleuse, mais la société y est trop dense pour un pauvre écrivain.

— Je ne savais même pas que vous séjourniez à Florence, répéta Rhoda Broughton.

Henry la trouva moins convaincante que la première fois, et jugea qu'on avait assez discuté de ses pérégrinations. Miss Broughton venait par bonheur de lui ménager une ouverture. Il s'inclina sèchement, comme pour suggérer que ce manque d'information n'était peut-être pas entièrement dû au hasard. Pendant que Miss Broughton assimilait lentement le sens de l'attitude de Henry, Constance changea de sujet.

Comme il ne souhaitait pas qu'on reconnaisse dans sa dernière histoire le destin de Claire Clairmont et de sa petite-nièce, et qu'il ne lui semblait pas suffisant d'avoir déplacé l'intrigue à Venise, il changea le poète anglais en pionnier de la littérature américaine. Il savait qu'il s'agissait d'une référence possible à James Fenimore Cooper ; en se concentrant sur son aventurier américain, il s'aperçut qu'il utilisait certains moments de sa propre visite à Florence, qui était elle aussi une forme d'intrusion. Tout en esquissant sa nouvelle, il commença à saisir l'ironie de la situation. S'il cherchait une vieille fille en exil, qui conservait des papiers chez elle et qui était une proche parente d'un pionnier de la littérature américaine, alors il en avait une à l'étage, quoique la sienne fît preuve d'une grande indépendance.

Il s'interrogea sur ce qui arriverait s'il abandonnait la proposition de mariage de la vieille fille ; s'il essayait plutôt de rendre le dénouement de son histoire fidèle à la vie étrange, nuancée, irrésolue et infiniment intéressante qu'il partageait avec Constance Fenimore Woolson ; s'il pouvait faire en sorte que son aventurier commence à ressentir le besoin, au moins partiel, d'une vie domestique en compagnie d'une logeuse intelligente et réservée qui était seule, mais pas disposée pour autant à se laisser envahir. Elle n'exigerait rien d'aussi évident que le mariage ; ce qu'elle voulait, c'était un lien proche, satisfaisant, non conventionnel au besoin, avec de la loyauté, de la sollicitude, de l'affection, mais aussi de la solitude et de la distance.

Un matin, après le passage de la servante qui lui apportait une lettre de Katherine Loring concernant la santé et l'état général de sa sœur Alice, il commença à parler d'Alice avec Constance.

— La vie a été dure pour elle, dit-il. La vie elle-même semble être à l'origine de sa maladie.

— La vie est dure pour nous de façon générale, répliqua Constance. L'écart est si grand.

— Vous voulez dire entre l'imagination d'Alice et ses limites ?

— Je veux dire, pour une femme, entre le fait de se servir réellement de son intelligence et les conséquences sociales de cela. Alice a fait ce qu'elle devait faire, et je l'admire.

— Elle n'a rien fait, sinon rester au lit.

— Précisément.

— Je ne comprends pas.

— Ces conséquences s'insinuent jusque dans la moelle de l'âme.

Elle lui sourit, comme si elle venait de formuler une plaisanterie.

— Je suis sûr qu'elle serait d'accord avec vous, dit Henry. C'est une chance infinie pour elle d'avoir Miss Loring.

— Un ange de sollicitude, à ce qu'il semble.

— Oui, nous avons tous besoin d'une Miss Loring.

À peine eut-il prononcé cette dernière phrase qu'il **la** regretta. La sonorité même du nom Miss Loring suggérait une vieille fille dont le seul talent était de prendre soin des autres. Il l'avait lancée comme une boutade, ou comme un signe de gratitude, ou comme une manière de réduire l'intensité de leur échange, mais il comprit, pendant que l'écho de sa remarque s'attardait dans l'air, qu'elle avait sonné comme une expression désinvolte de son propre besoin, comme si c'était cela qu'il attendait de Constance. Il se tourna vers elle, tout en préparant intérieurement une autre phrase qui en retirerait le venin, mais Constance, apparemment, n'y avait pas prêté attention. Il était pourtant certain qu'elle l'avait entendue. Elle reprit le fil de la conversation sur un ton égal.

Entre son départ de Florence et la mort de Constance, ils continuèrent à correspondre et à se rencontrer. Une fois, alors qu'ils étaient l'un et l'autre de passage à Genève – logeant sur des rives opposées du lac mais se voyant tous les jours – Alice James détecta leur familiarité. Henry est quelque part sur le Continent, écrivit-elle à William, en train de flirter avec Constance. À son retour, il trouva sa sœur plus boudeuse qu'à l'ordinaire, difficile, presque coléreuse, l'accusant de la négliger pendant qu'il faisait le joli cœur avec une dame de lettres.

Constance quitta Florence car, à ce qu'elle prétendait du moins, les sollicitations et les invasions de la société florentine devenaient trop pénibles. Elle retourna une fois de plus à Londres, où elle s'installa avec son zèle coutumier, plaçant la solitude et le travail en très bonne place sur la liste de ses besoins. Elle voyagea ensuite jusqu'en Égypte, avec son courage et son indépendance caractéristiques, en lui envoyant régulièrement de ses nouvelles sur un ton faussement ironique. Quand elle revint en Angleterre pour s'établir à Cheltenham et ensuite à Oxford, Henry écrivit à Francis Boott que l'industrie solitaire de Constance restait toujours aussi admirable.

Ils restèrent proches, régulièrement avertis de leurs activités, préoccupations et déplacements respectifs. Quand Alice James entreprit de mourir – Constance se trouvait alors à Oxford – Henry la tint informée de l'évolution de l'état de sa sœur. Au cours des premiers mois de 1892, les deux dames échangèrent quelques messages brefs, spirituels et acides. Constance resta en Angleterre un an encore après la mort d'Alice avant de se décider enfin à retourner en Italie et de s'établir à Venise.

Entre-temps, les deux romanciers avaient mis au point une méthode étrange, informelle et satisfaisante pour rester en contact. Ils se retrouvaient pour vingt-quatre heures quelque part dans la province anglaise ; ils descendaient séparément dans deux petits hôtels, partaient se promener ensemble et dînaient le soir en tête à tête. Elle pouvait, en ces occasions, se montrer brillamment difficile et combative, le suppliant d'accepter qu'elle ne partage pas son avis sur les livres du jour ou sur certaines choses qu'ils avaient vues ensemble, et toujours prompte à le taquiner sur son goût maladif pour les raffinements. Henry se demandait de quoi ils pouvaient bien avoir l'air aux yeux d'un spectateur impartial. Ils étaient tous deux des Américains ayant quitté l'Amérique depuis de longues années. Ni l'un ni l'autre n'avaient connu les compromis du mariage, ni le souci d'être parents. Ni l'un ni l'autre n'avaient jamais eu à se lever en pleine nuit pour s'occuper d'un enfant en pleurs. On aurait pu, pensait-il, les prendre pour frère et sœur. Mais ensuite il observait Constance, qui ne se lassait pas de faire jouer les remarquables rouages de son esprit, maîtresse d'une centaine de catégories dans lesquelles elle rangeait non seulement ses semblables, mais des villes entières, ses propres souvenirs et ses remarques à lui. Elle souriait, et il comprenait alors que personne, en voyant son amie drôle et charmante, à présent en pleine ébullition, ne supposerait un instant qu'elle dînait en compagnie de son frère. De la même manière qu'ils étaient un mystère l'un pour l'autre, ils resteraient un mystère pour la fine tranche de société susceptible de leur prêter attention.

Henry rencontra de nouveau Constance à Paris alors qu'elle déménageait avec toutes ses affaires d'Oxford à Venise. Les préparatifs du voyage lui avaient demandé des mois. Elle était fatiguée, désorientée, avec une douleur à l'oreille gauche qui ne lui laissait aucun répit. Elle lui fit comprendre dès son arrivée qu'elle ne pourrait pas lui parler longtemps. Il n'avait qu'à sortir seul, dit-elle, et peut-être le verrait-elle un moment dans la soirée. Mais elle n'était pas certaine de lui promettre même cela.

Malgré toutes ces mises en garde, Constance fut suffisamment rétablie le deuxième soir pour dîner avec lui. Il remarqua la lenteur de ses gestes. Elle était obligée, pour l'entendre, de tourner vers lui son oreille droite.

— J'ai reçu une lettre de Francis Boott, annonça-t-elle à brûle pourpoint. Il savait que vous deviez venir à Paris, mais il avait l'impression que vous seriez seul et que nous n'avions pas été en relation depuis longtemps.

— Oh oui, mes projets étaient encore assez vagues quand je lui ai écrit.

— Cela a dû beaucoup l'amuser, car je lui ai envoyé une lettre disant que nous nous verrions ici pendant quelques jours, alors que, dans le même temps, il recevait la vôtre affirmant que vous alliez à Paris seul. Il a donc voulu savoir si vous pouviez être à la fois seul et en ma compagnie.

— Cher Francis.

— Je vais lui répondre que le fait de me rendre en partie invisible n'est qu'un moindre aspect de mon charme.

Elle paraissait légèrement amère, presque irritée.

— Venise, bien entendu, va être magnifique, dit-il. Une fois que vous serez établie là-bas, ce sera un rêve.

Elle soupira, puis elle hocha la tête.

— La partie difficile, c'est le déménagement, mais le séjour peut se révéler plus difficile encore.

— Le grand inconvénient est qu'il n'y a pas de collines au-dessus de Venise. On est obligé d'y être ou de ne pas y être. L'avantage par rapport à Florence, c'est qu'on y trouve plus facilement à bien se loger.

— Je redoute d'y aller maintenant. Je ne sais pas pourquoi.

— J'ai toujours pensé que j'aimerais passer une partie de chaque hiver à Venise, dans la période calme où on n'y croise aucun de nos compatriotes. J'aimerais avoir ma propre tanière là-bas, mes propres habitudes, sans être l'invité de quiconque.

— C'est le rêve de toute personne qui va à Venise.

— Depuis la mort de ma sœur, dit Henry, mes soucis financiers ont beaucoup diminué. Ce ne serait donc pas impossible.

— Quoi, de louer un pied-à-terre à Venise ?

— Peut-être même deux pieds.

Elle sourit et parut pour la première fois se détendre.

— Je ne vous imagine pas sur le Grand Canal, dit-elle en s'animant.

— Non. Un endroit caché. Peu importe où, pourvu que ce soit difficile à trouver, avec beaucoup d'impasses autour.

— Venise me fait parfois peur, dit Constance. Le côté incertain, le risque de me perdre à chaque pas.

— Nous allons tous faire notre possible pour vous guider, répondit Henry.

Pendant les quelques années précédant son installation à Lamb House, ses hivers londoniens avaient été faciles ; quand il n'avait pas de visiteurs venus des États-Unis et que les Londoniens de sa connaissance respectaient son rythme de vie, celui-ci lui convenait parfaitement et le rendait peu enclin à voyager. Quelque chose dans l'énergie vibrante, distante, de la métropole elle-même le poussait à s'y accrocher, même si c'était une métropole dont les nouvelles ne lui parvenaient que de seconde main.

Il adorait les rituels du matin, les livres familiers, les heures de solitude fructueuse, le glissement discret de l'après-midi. À Londres, il dînait dehors deux ou trois fois dans la semaine et passait les autres soirées seul, las et curieusement agité après une certaine heure, mais apprenant peu à peu à s'accommoder du calme, du silence et de sa propre compagnie.

Les lettres de Constance, à présent bien établie à Venise, laissaient entendre qu'elle avait adopté de nouvelles habitudes. Elle lui parlait d'expéditions dans la lagune, de voyages en gondole où elle partait explorer les îles extérieures et les endroits reculés, cachés aux touristes. Mais elle évoquait aussi les gens qu'elle avait rencontrés dans la ville, mentionnant au passage des noms d'amis à lui, par exemple Mrs Curtis et Mrs Bronson, et d'autres noms encore, comme celui de Lady Layard, en laissant entendre qu'elle faisait maintenant partie de leur cercle, ou qu'elle était du moins régulièrement invitée chez elles et plutôt contente d'accepter leur hospitalité.

Il en vint ainsi à croire que sa vieille amie, dont il admirait tant l'attitude distante et l'autonomie, avait rejoint de son plein gré la colonie anglo-américaine en se laissant prendre en charge par les hôtesses les plus riches et les plus ambitieuses de Venise. Mais lorsqu'elle lui écrivit que Mrs Curtis et elle cherchaient consciencieusement un pied-à-terre pour lui, il devint tout à fait inquiet. Il lui était odieux que Constance discute de ses projets avec des personnes qu'elle connaissait moins bien que lui. Le ton de sa lettre – et d'une autre, signée de Mrs Curtis, cette fois – suggérait que Constance en était presque venue à divulguer leur familiarité et la fréquence de leurs contacts au cours des dix dernières années. Il savait avec quelle facilité, et à quelle vitesse, cela donnerait lieu à des erreurs d'interprétation.

Il avait toujours mené autant que possible une vie exempte de heurts. Il n'offensait personne, croyait-il, pas plus qu'il ne s'offensait facilement. Les éditeurs pouvaient l'irriter, et les agissement d'un metteur en scène du nom d'Augustin le mettaient en rage ; sa patience était souvent mise à rude épreuve par les éditeurs de revues. De la même façon, un paiement qui n'arrivait pas, qu'on lui promettait cette fois sans faute, et qui n'arrivait toujours pas, ou bien encore un livre qui n'était pas imprimé dans les délais, ou un livre qui ne se vendait pas, ou des critiques malveillantes, tout cela était capable de le tarauder, surtout à la tombée de la nuit. Mais après un certain temps, ces incidents se transformaient en contrariétés mineures, qui mobilisaient très peu de son temps ou de son énergie. Il les oubliait et n'entretenait pas de rancune.

En revanche, l'idée de Constance passant ses soirées dans les palais du Grand Canal à parler de lui, malgré toute la réticence butée dont elle s'enorgueillissait, commençait à lui causer un réel souci. Une nouvelle lettre d'elle, décrivant les autres pensionnaires de la Casa Biondetti, parmi lesquelles Lily Norton, dont le père et la tante étaient de proches amis de Henry et de William, l'emplit d'appréhension. Il travaillait à sa pièce de théâtre et vivait, comme il se plut à le raconter à Constance, une vie d'ermite à Londres. Il ne manifesta aucune intention de se rendre à Venise ou d'y louer un appartement jusqu'au moment où il fut prié de confirmer sa demande à la fois par Constance et par Mrs Curtis, qui paraissaient désormais œuvrer à l'unisson.

Par deux fois, avec l'aide de Constance, il avait pu habiter la colline au-dessus de Florence sans que personne ou presque fût informé de son lieu de séjour. La route de Bellosguardo était raide, étroite et sinueuse ; ceux qui souhaitaient s'y rendre devaient faire un effort et être équipés d'un itinéraire précis. Constance semblait à présent avoir d'autres projets pour lui à Venise. Non qu'il eût jamais pensé y vivre en secret, mais maintenant que son commerce avec Constance avait été rendu public, il imaginait déjà le carrousel social où ils seraient embarqués tous les deux. Il voyait d'ici Constance, écoutant de sa bonne oreille avec une impatience à peine déguisée les vieilles histoires de Daniel Curtis ou le récit par Mrs Bronson de ses exploits avec Browning. Il la voyait se tourner vers lui et lui communiquer d'un seul regard son mépris pour toute la compagnie. Enfin, et c'est cela qui l'inquiétait le plus, elle était déjà prête à conspirer pour son compte avec ses amis à lui, maintenant qu'elle avait rejoint leur cercle. Ces conspirations étaient bien intentionnées, mais elles interféraient avec son besoin inviolable d'organiser les choses par lui-même et de n'en faire qu'à son gré. Peu à peu, au cours des semaines suivant la réception de la lettre lui annonçant que Mrs Curtis et Constance cherchaient un appartement pour lui à Venise, il se mit à ressentir une impuissance comme il n'en avait pas connu depuis l'enfance.

En juillet, il écrivit à Mrs Curtis pour corriger l'idée erronée de Miss Woolson selon laquelle il serait à la recherche d'un logement à Venise. Il était conscient d'avoir parfois joué avec cette idée, mais il se voyait à présent contraint de se demander s'il s'était mal exprimé devant Miss Woolson en ayant l'air d'intimer qu'il envisageait effectivement d'y vivre quelque temps. De fait, poursuivit-il, il n'avait aucun projet en ce sens, ayant besoin de rester à Londres pour toutes sortes de raisons pratiques. Chaque fois qu'il venait à Venise – et il en irait certainement de même la prochaine fois – il se prenait à rêver d'y posséder un modeste pied-à-terre ; mais ce rêve, très vif tant qu'il était sur place, s'estompait une fois de retour chez lui. Il remercia Mrs Curtis pour toute sa peine et ajouta que, bien qu'il caressât l'espoir sincère de se rendre en Italie cet hiver-là, la dure expérience lui avait appris à ne pas former de résolutions trop définitives.

Il savait que cette lettre serait montrée à Constance et il imaginait sa réaction. En Angleterre, ils en étaient venus par des biais subtils à compter l'un sur l'autre. Même s'ils n'évoquaient jamais certains sujets, ils en partageaient beaucoup, y compris leurs travaux en cours et leurs relations avec les éditeurs. Il savait combien elle aimait ses confidences, quand il voulait bien lui en faire, et il croyait aussi qu'une fois seule elle en retournait longuement chaque détail. Elle saurait maintenant qu'il n'avait pas l'intention de louer un logement à Venise, mais aussi qu'il inclinait à ne pas y venir du tout cet hiver-là, malgré la promesse contraire qu'il lui avait faite. Elle serait abandonnée à ses propres ressources parmi des gens qu'elle viendrait tôt ou tard à mépriser, il le savait, en particulier les riches oisifs.

Peut-être se verraient-ils au printemps, à Genève ou à Paris ; mais il ne pensait pas qu'il irait à Venise. Il avait une image d'elle, l'examinant d'un œil critique pendant qu'il faisait son entrée dans le salon de Mrs Curtis, et croyait presque entendre ses commentaires acides, ensuite, sur sa complaisance pour la colonie anglo-américaine locale qui le considérait évidemment comme un butin de choix.

L'été céda la place à l'automne ; il n'avait aucune nouvelle de Constance. Il la supposait vexée, et aussi en plein travail, comme lui. Il observait avec tous ses correspondants de longs intervalles où il cessait de donner signe de vie. Mais le silence entre Kensington et Venise était d'un autre ordre. Elle lui écrivit fin septembre ; le ton de sa lettre était froid et distant, l'informant simplement qu'elle avait quitté la Casa Biondetti, où on s'était fort bien occupé d'elle, pour un lieu plus intime où elle pourrait être seule, la Casa Semitecolo, située non loin de là. Elle ajoutait, presque en passant, qu'elle était épuisée après avoir écrit et réécrit son dernier roman, et qu'elle n'espérait rien d'autre à présent qu'un hiver sans livres. Affectueusement vôtre, concluait-elle avant de signer de son nom. Il relut la lettre, devinant que Constance avait dû choisir chaque mot avec soin. Il prêta attention à la mention de l'hiver sans livres et la médita, mais ce ne fut que plus tard qu'il en comprit le sens funeste.

Il passa le mois de décembre en altercations avec le metteur en scène Augustin Daly, qui s'était comporté avec insolence et avait fini par lui renvoyer sa pièce intitulée

Mrs Jasper. Il y eut une abondante correspondance à ce sujet et, pendant quelques semaines, à l'approche de Noël, le désaccord avec Daly occupa une grande partie de son temps de veille. Il passa cependant un Noël et un nouvel an calmes, méditatifs, à réécrire sa pièce.

Un après-midi de janvier, alors qu'il travaillait tranquillement, Smith entra dans son bureau et posa un télégramme sur le manteau de la cheminée. Il pensa plus tard qu'il avait dû l'y laisser une heure ou plus, tant il était absorbé par l'écriture. Au moment du thé il se leva distraitement et ouvrit l'enveloppe. Le télégramme l'informait de la mort de Constance. Sa première réaction fut d'aller voir Smith et de lui demander calmement de lui servir son thé. Puis il retourna dans son bureau, ferma la porte, s'assit à sa table de travail et relut le télégramme, qui avait été expédié des États-Unis par Clara Benedict, la sœur de Constance. Il savait qu'il lui faudrait se rendre à Venise. Il se demanda à qui il convenait de demander des détails sur les circonstances de sa mort. Le thé fut apporté. Après l'avoir bu, il s'approcha de la fenêtre et se mit à observer fiévreusement la rue au-dehors comme si un détail, un mouvement ou même un son auraient pu l'aider à comprendre ce qui s'était passé, ou à effacer en lui cette compréhension à mesure qu'elle naissait.

Comment était-elle morte ? Ce qui le frappa soudain, et le figea d'épouvante, fut l'idée qu'elle n'avait peut-être pas succombé à une maladie. Elle était robuste, en parfaite santé, il ne pouvait l'imaginer terrassée par un mal physique. Elle avait fini son livre, et cela avait dû la laisser désorientée, comme toujours, en état de détresse. Elle détestait l'hiver, et l'hiver vénitien pouvait être particulièrement sombre. Glacé de peur, il pensa à son propre refus de se rendre à Venise et au fait qu'il ne le lui avait pas annoncé à elle. Cette façon de la contourner avait dû l'attrister profondément. Pendant qu'il s'attardait ainsi à la fenêtre, il songea tout à coup qu'elle avait pu se tuer. Il se mit à trembler et dut chercher le soutien d'un fauteuil où il resta assis, pétrifié, s'obligeant à repenser encore et encore aux événements de la vie de Constance au cours de cette dernière année.

Il fut interrompu un moment plus tard par l'arrivée de Smith qui lui apportait un second télégramme. Il l'ouvrit précipitamment. C'était cette fois la nièce de Constance, qui avait appris la nouvelle alors qu'elle se trouvait à Munich et qui venait d'arriver à Venise. En reposant ce télégramme de confirmation, Henry prit la décision de ne pas se rendre en Italie sur-le-champ. Il serait impuissant là-bas, et l'idée d'affronter le corps inerte de Constance, la réalité physique de son corps, et son visage mort masquant ou démasquant sa propre histoire selon la lumière, le remplissait d'horreur. Il ne voulait pas voir son cadavre, ni se tenir à côté du cercueil au moment de l'inhumation qui aurait lieu, ainsi que venait de le lui apprendre le télégramme, une semaine plus tard dans le cimetière protestant de Rome.

Il passa le reste de la journée dans son appartement et ne parla à personne de ce qui s'était produit. Il écrivit au médecin de Constance, qui était aussi un ami, en se déclarant profondément choqué. Il n'avait encore aucune certitude quant à la cause de sa mort. Ce n'était, écrivait-il, que détresse et incrédulité atroce. Il ignorait même qu'elle fût malade, et il était affreux pour lui de l'imaginer en ses derniers instants, seule, sans amis, elle qui était déjà intrinsèquement une des personnes les plus tristes et les moins heureuses qu'il lui eût jamais été donné de rencontrer. Alors qu'il finissait sa lettre, une image du visage de Constance dans toute sa vie complexe, avec ses yeux brillants, son expression si intelligente et si réceptive, lui revint. Il s'autorisa à pleurer avant de retourner à la fenêtre et de regarder tous ces êtres qui ne signifiaient rien pour lui se déplacer dans la rue, en bas.

Le lendemain matin, bien qu'il n'eût pas rêvé d'elle, il sentit que Constance – l'esprit inquiet et toujours en recherche qui avait pour nom Constance – l'avait visité pendant la nuit ; il voulut aussitôt refermer les yeux, se rendormir pour échapper à la froide réalité de son extinction. Personne, parmi les gens qu'il connaissait, n'avait lu son œuvre avec autant d'attention que Constance ; personne ne s'était donné autant de mal pour essayer de le connaître. Personne ne possédait ce mélange d'ambition et d'acuité, de fragilité et de mélancolie, d'imprévisibilité et de courage. Personne n'avait sa faculté d'empathie ; cela devint pour lui un lourd fardeau que d'imaginer cette empathie parvenue au bout de son endurance.

Il n'avait pas reçu d'autres nouvelles. À chaque heure qui passait, il imaginait un scénario différent, le déroulait jusqu'au bout et déchiffrait ses implications. Il balançait entre un refus absolu de se rendre à Rome pour l'enterrement et un départ précipité ; il envoya Smith réserver puis décommander, plusieurs fois de suite, un passage vers l'Italie. Après avoir repoussé l'échéance pendant plusieurs jours, il ouvrit le *Times* pour y apprendre que Constance avait trouvé la mort en se jetant par la fenêtre de son appartement. C'était, affirmait l'article, un suicide. Henry entreprit aussitôt de se rassurer en se persuadant qu'il n'était pas en cause. Il ne lui devait rien ; il ne lui avait fait aucune promesse. Ils n'étaient pas amants. Ils n'avaient aucun lien de sang. Il ne lui devait que son amitié, comme à tant d'autres, et ceux-ci savaient tous que quand Henry était attelé à un livre, il n'était pas disponible, il ne fallait pas le déranger. Tous ses amis savaient ne rien exiger de lui, Constance autant que les autres.

Henry écrivit à John Hay, un ami commun qui se trouvait déjà à Rome, qu'il avait voulu faire le voyage pour être présent à ses funérailles, mais qu'une fois confirmée la nature de sa mort, il s'était effondré de pitié et d'horreur et qu'il n'était plus en état de voyager. Elle avait toujours été, ajouta-t-il, une femme si peu disposée au bonheur que la moitié de l'affection qu'on éprouvait pour elle était, dans son essence, une forme d'anxiété.

Il résista à la pensée qui lui vint quant il se retrouva seul après avoir fini sa lettre. Cette pensée était d'une force écrasante, et il la tint en respect le plus longtemps qu'il put. Constance n'avait pas demandé qu'il lui accorde son temps à la légère, pas plus qu'elle n'avait autorisé à la légère ses propres émotions à se concentrer sur lui. Elle avait été suffisamment subtile et suffisamment nerveuse pour faire ses demandes en silence, mais cela ne les rendait que plus distinctes et plus intenses. Il devait à présent affronter la pensée que lui, de son côté, avait adressé à Constance des signaux puissants et subtils du besoin qu'il avait d'elle. Et chaque fois qu'il prenait conscience de leur effet, il se retirait dans le sanctuaire verrouillé de son for intérieur, dont la sécurité lui était aussi désespérément nécessaire que les attentions de Constance.

Elle avait été prise au piège d'un immense malentendu, qui concernait l'exil sédentaire et solitaire de Henry, mais aussi l'idée qu'il était un homme qui ne voulait pas – qui ne voudrait jamais – d'une épouse. L'intelligence de Constance aurait dû la mettre en garde, l'avertir que la moindre pression, ou la peur pure et simple suffiraient à le faire battre en retraite ; mais son besoin de lui et la nature de son affection avaient débordé son intelligence. Elle s'était montrée prudente cependant : elle avait reconnu à la fois les besoins de Henry et ses réticences, et elle avait été prête à leur faire de la place ; mais quand elle s'était risquée trop près, trop publiquement, il l'avait rejetée.

Il avait ses raisons de vouloir rester seul ; il avait cependant confiné son imagination aux limites de ses peurs, pas au-delà. Il avait exercé un contrôle ; sa responsabilité le faisait frémir. S'il était allé à Venise cet hiver-là, il le savait, elle ne se serait pas tuée. Si elle lui avait explicitement demandé de venir et s'il avait refusé, il serait peut-être plus facile pour lui d'éprouver une culpabilité simple. Mais ses appels appartenaient au passé ; il en serait toujours ainsi désormais. Il avait abandonné Constance. Il ignorait si ses amis de Venise percevaient cet enchaînement et s'ils l'avaient évoqué au lendemain de sa mort.

Il ne pouvait supporter l'idée que le suicide de Constance eût été prémédité. Il écrivit à Rhoda Broughton, à Francis Boott, à William, à d'autres encore, pour déclarer à chacun que le dernier geste de Constance avait été irréfléchi, une sorte de folie, un instant de démence. Il ne croyait pas entièrement à ce qu'il écrivait, même si le fait de l'écrire le rendait chaque fois plus plausible et plus définitif. Il ne fit part à personne de ses propres réserves quant à cette version de la fin de Constance. Quoi qu'il en soit, au cours des semaines qui suivirent sa mort, pendant lesquelles l'esprit de Constance continua d'effleurer l'air qu'il respirait, il sentit qu'elle était, de toutes les personnes qu'il avait connues, la plus absolument experte dans l'art de déchiffrer les non-dits. Nul besoin était de prononcer les mots à haute voix ou même de laisser ses pensées prendre forme jusqu'au bout ; le jeune fantôme de Constance savait qu'il savait qu'elle n'avait aucun penchant pour les instants de folie ou les gestes abrupts, quelle que soit la pression à laquelle elle était soumise. C'était une femme très déterminée, qui prenait ses décisions de façon prudente et rationnelle. Elle avait un manque de goût tenace pour les scènes et les démonstrations théâtrales.

Après la tombée de la nuit, quand le feu brûlait dans la cheminée, quand les lampes étaient allumées et qu'il se retrouvait seul, Henry affrontait ce qui était arrivé à son amie. Elle avait prémédité sa mort. Elle évaluait depuis quelque temps les différentes possibilités. Son dernier roman était achevé et il savait que souvent, dans ces moments-là, elle ne pensait pas pouvoir jamais écrire à nouveau. L'hiver était triste et humide à Venise, où elle oscillait entre une sombre solitude et des individus qu'elle pouvait facilement prendre en aversion.

Et lui, en vertu de quelque chose qui était caché à l'intérieur de son âme et qui résistait à Constance, à cause aussi de son respect pour les convenances et les bonnes manières, il l'avait laissée seule là-bas. Il était celui qui aurait pu la sauver, si seulement il lui avait fait signe.

Elle avait prémédité sa mort, pensa-t-il, comme elle aurait prémédité un livre, pleine de doute et de nervosité, mais aussi avec ambition et avec un courage physique inflexible. La grippe dont elle souffrait alors, ainsi que le lui avait appris son médecin, n'avait probablement qu'ajouté à sa détermination. Elle avait décidé qu'elle serait plus heureuse dans le repos, et elle était prête à s'infliger une extrême violence, à se fracasser la tête et les os contre les pavés pour atteindre son but. Sa curiosité insatiable, son honnêteté extrême, la nature pragmatique de son imagination, tout cela, tout ce qu'avait été Constance lui revenait de façon très puissante, là, dans l'hiver londonien, alors que sa mort avait cessé d'être une nouvelle, jusqu'au moment où il comprit qu'il devrait aller à Venise, à l'endroit où elle était morte, et ensuite à Rome où son corps désarticulé avait été enfoui dans la terre.

Elle lui revint avec une force palpable au cours des jours précédant son départ pour l'Italie. La femme qu'il avait tenue à distance était devenue la femme de tous les possibles, un fantasme, un objet de rêve. Ses parents étaient morts, sa sœur était morte depuis deux ans ; William était loin, et Henry lui-même se souciait très peu de la société londonienne à laquelle il avait autrefois accordé tant d'importance. Il pouvait faire ce qu'il voulait ; il aurait pu partager Bellosguardo avec Constance, il aurait pu l'encourager à dénicher deux maisons voisines dans une petite ville anglaise du littoral.

À présent, il pensait à son cadavre, et à l'appartement qu'elle avait rempli de sa passion, de ses livres, de ses souvenirs, de ses vêtements, de ses papiers. Constance préférait ces chambres à la plupart des humains ; elles représentaient son espace sacré. Il commença à imaginer celles qu'elle avait occupées à Venise, à la Casa Biondetti puis à la Casa Semitecolo, et celles d'Oxford avant qu'elle ne quitte l'Angleterre. Il se languissait de ces lieux comme s'il les avait connus et qu'il avait à présent des raisons de vouloir y retourner. En voyant la silhouette de Constance aller et venir, passer d'une pièce à l'autre, nette, précise dans ses mouvements, il comprit sa résistance initiale à se rendre à Venise juste après sa mort, ou à Rome pour ses funérailles. Pour cela, il aurait dû s'éloigner d'elle, prendre acte de leur séparation. Après une relation qui avait été si flottante, si riche de virtualités, il aurait été contraint d'affronter son absence dans ce qu'elle avait de définitif. Constance n'avait plus besoin de lui.

D'une certaine manière, ce sentiment d'avoir été brusquement et violemment rejeté le rapprochait d'elle. La perspective de voir les pièces qu'elle avait habitées à Venise, de regarder ses papiers, de s'attarder dans l'atmosphère créée par elle, devenait fascinante. Il se languissait de la compagnie de Constance ; à mesure qu'approchait le jour de son départ pour l'Italie, il pensa qu'il en avait peut-être toujours été ainsi, mais qu'il ne pouvait l'admettre que maintenant, quand cela ne portait plus à conséquence.

De Gênes, où il attendait l'arrivée de la sœur de Constance, Clara Benedict, il écrivit à Kay Bronson et le pria de lui réserver à la Casa Biondetti les chambres qu'avait occupées Constance l'été précédent, aux mêmes conditions. Il souhaitait aussi que le *padrone* cuisine pour lui comme pour Miss Woolson, car il se rappelait combien son amie avait été satisfaite de ses menus. Il ne fut pas surpris d'apprendre en retour que l'appartement était libre. Guidé par Constance, il n'avait cessé de penser que tel serait le cas. Cela faisait deux mois qu'elle était morte.

310

Le consul américain les accompagna pour briser les scellés apposés sur sa porte par les autorités. Tito, qui avait été son gondolier, les attendait en bas. Mrs Benedict et sa fille restèrent silencieuses pendant qu'on ouvrait la maison de la mort. Henry eut le sentiment qu'elles hésitaient à entrer. Il se tenait derrière elles, essayant de se persuader que l'esprit de Constance n'habitait plus ces pièces abandonnées, que celles-ci contenaient seulement ses papiers, ses affaires et ses collections, car Constance avait été une grande collectionneuse d'objets. Sa conviction qu'elle avait tout prémédité était très forte. Avec son amour du détail, elle avait tout imaginé, y compris cette scène : le consul brisant les scellés pendant que le bateau attendait en bas et que trois personnes retardaient le moment d'entrer dans sa chambre – sa sœur Clara Benedict, sa nièce Clare et son ami Henry James.

C'était là, pensa-t-il, le dernier roman de Constance. Ils jouaient tous le rôle qu'elle leur avait assigné. Il suivit du regard les deux Américaines, à présent debout dans la chambre de Constance, redoutant de s'approcher du petit balcon d'où elle avait basculé. Constance avait sûrement imaginé le visage ravagé des deux femmes et aussi l'expression de Henry James, dont elle savait qu'il les observerait avec une froide sympathie. Elle avait dû sourire devant sa faculté de rester toujours très loin de ses propres sentiments, attentif à ne rien exprimer. La scène qui se déroulait en cet instant dans cette chambre appartenait tout entière à Constance, chaque souffle, chaque nuance d'expression, chaque mot prononcé ou laissé dans le non-dit. Elle avait tout imaginé avec un intérêt savant à l'époque où elle avait déjà pris la décision de mourir. Henry en était convaincu. Ils étaient ses personnages ; elle avait écrit le scénario. Et elle savait que Henry y reconnaîtrait son art, sa signature. Cette reconnaissance faisait partie de son rêve. Peu importe ce qu'il pouvait en penser, il ressentait le projet de Constance dans toute son intensité mordante et il imaginait son petit rire triste en constatant combien il était facile de manipuler sa sœur et sa nièce, et combien délicieux de diriger les actions de son ami le romancier qui avait, paraît-il, souhaité se débarrasser d'elle.

Les Benedict ne savaient que faire ; elles embauchèrent Tito pour les conduire d'un endroit à l'autre de la ville et parlèrent bientôt de lui avec tendresse. Elles cherchaient un réconfort auprès des amis de Constance, mais en apprenant qu'on l'avait trouvée vivante et qu'elle avait agonisé en gémissant sur les pavés, elles furent inconsolables. Elles pleuraient chaque fois qu'elles entraient dans son appartement, au point que Henry finit par penser que si Constance avait pu voir ça, elle regretterait de l'avoir inclus dans sa vision. Elle n'aurait jamais été aussi dure.

La sœur et la nièce étaient impuissantes face aux questions d'ordre pratique. Elles ne voulaient pas déranger les papiers de Constance et semblaient satisfaites de tout laisser en l'état. Elles n'avaient pas l'air de croire que Constance était morte ; on eût dit que pour elles, le fait de toucher à ces affaires serait une manière de reléguer leur propriétaire dans l'oubli.

Après plusieurs jours de chagrin et de confusion, adoucis par les bons soins des amis de Constance avec force déjeuners, dîners et réunions diverses destinées à distraire la sœur et la nièce, Henry convint avec elles de se retrouver à l'appartement, dont il possédait maintenant une clé. Constance avait gardé un grand nombre de documents, du travail inachevé et inédit, des lettres, des fragments, des notes. Il n'avait touché à rien au cours de ses premières visites, mais il avait dressé mentalement une carte des lieux. Il savait que s'il devait y avoir un combat entre les Benedict et lui sur ce qu'il convenait de garder ou de détruire, il serait perdant. Pendant qu'il attendait leur arrivée, il résolut d'éviter même la plus légère escarmouche.

Il frissonna en entendant leur clé tourner dans la serrure. Leurs voix lui firent l'effet d'une intrusion. C'était la première fois qu'il entendait un échange ordinaire entre elles, une conversation qui ne fût pas centrée sur le suicide de Constance et leur propre choc. En entrant dans la chambre à coucher et en trouvant Henry debout à la fenêtre, elles redevinrent graves et silencieuses.

— J'ai oublié de vous demander si vous étiez bien logé à la Casa Biondetti, dit Mrs Benedict.

— L'appartement est agréable. Et l'atmosphère est pleine, comme il convient, de la présence de Miss Woolson.

— Je ne pense pas que je supporterais d'y dormir, dit Clare. Ici non plus, d'ailleurs.

— Cet appartement est très froid, acquiesça Mrs Benedict. Il est d'une froideur absolument terrible.

Elle soupira, et il crut qu'elle allait se remettre à pleurer. Clare et lui la regardèrent faire l'effort de se dominer. Il y avait dans la nature de Clara Benedict, il le constatait à présent, une force et une résistance égales à celles de sa sœur. En cet instant, où elle reprenait la parole de haute lutte, elle aurait pu être Constance.

— Nous devons prendre des dispositions, dit-elle. Nous n'avons pas découvert de testament, peut-être est-il enfoui sous ses papiers. Et nous devons nous occuper des détails matériels.

— Constance était un écrivain important, intervint Henry, une figure singulière des lettres américaines. Ses papiers doivent donc être traités avec délicatesse. Il peut y avoir des manuscrits inédits, une nouvelle ou deux qu'elle n'a pas terminées ou pas eu le temps d'envoyer à un éditeur. Je pense que tout cela doit être préservé avec le plus grand soin.

— Nous vous serions extrêmement reconnaissantes, dit Mrs Benedict, si vous pouviez parcourir ses papiers à notre place. Nous n'avons pas la force de le faire, ni la concentration qu'il faudrait. Je crois bien que cette chambre est l'endroit le plus triste que j'aie jamais vu.

On donna l'ordre qu'un feu fût allumé chaque matin dans le bureau de Constance et dans sa chambre, et qu'il fût entretenu jusqu'à la fin du jour. Les Benedict, constamment invitées par la colonie américaine, allaient et venaient dans la gondole de Tito. À chacune de leurs visites, Henry avait quelque chose de neuf à leur montrer, une nouvelle inédite, quelques poèmes, une lettre intéressante. Elles s'accordèrent sur le fait que même les fragments devaient être conservés, peut-être rapportés en Amérique et archivés en mémoire d'elle.

Pour sa part, il ne désirait qu'un seul souvenir de Constance. Après avoir considéré avec tristesse et indécision sa collection d'objets, il choisit finalement une petite toile, une scène tirée de l'Amérique sauvage que Constance avait tant aimée. Quand il la désigna à sa sœur et à sa nièce, elles insistèrent pour qu'il la prenne.

Il restait assis à la table de Constance du matin jusqu'à la tombée de la nuit. Chaque fois que les Benedict quittaient l'appartement, il allait à la fenêtre et les voyait monter dans la gondole, en prenant note de leur animation croissante, et ensuite il retournait à la table et s'emparait des papiers qu'il avait mis de côté. Il en portait une partie jusqu'à la cheminée de la chambre et l'autre jusqu'à la cheminée du bureau. Il les jetait aux flammes et restait debout à les regarder brûler. Quand ils étaient réduits en cendres, il s'assurait qu'on ne puisse plus les distinguer parmi les braises.

Il ne voulait pas que les billets énigmatiques et amers de sa sœur Alice à Miss Woolson fussent un jour partie d'une cache secrète de papiers que d'autres auraient la possibilité de lire. Il ne voulait même pas les lire lui-même. Dès qu'il repérait l'écriture de sa sœur, il réservait la lettre, froidement et méthodiquement, en la cachant sous d'autres documents pour que les Benedict ne la découvrent pas à l'improviste. Il reconnut aussi quelques lettres de sa propre main et les rangea à part. Les relire ne présentait pas d'intérêt pour lui. Il voulait les voir détruites. Il ne trouva ni journal intime ni testament.

En revanche, il découvrit parmi les papiers de Constance une lettre récente de son médecin évoquant ses diverses afflictions et sa mélancolie. Il la lut jusqu'au moment où il vit mentionné son propre nom. Il plaça la lettre soigneusement dans la pile de papiers à brûler sans poursuivre sa lecture. Tous ses manuscrits littéraires, y compris les brouillons, furent conservés à part pour que les Benedict les rapportent en Amérique.

Presque chaque soir il dînait avec les Benedict, en veillant à ce qu'il y ait toujours un tiers présent afin que la conversation puisse porter sur des sujets généraux et ne reste pas confinée à la raison de leur présence à Venise. Il préférait que le groupe soit nombreux, afin qu'il leur soit plus difficile d'évoquer la tâche qu'il accomplissait pour elles et les dispositions qu'ils prenaient d'un commun accord. Peu à peu il devint évident qu'elles se lassaient de Venise ; les journées vides, le temps pluvieux, la lumière chiche et la monotonie de la compagnie leur donnaient de plus en plus le sentiment qu'il fallait se préparer à repartir. Il nota aussi que leur présence, les jours passant, devenait d'un intérêt moindre pour les amis de Constance et le reste de la colonie, dont la compassion avait été intense au début, mais dont les invitations se faisaient moins pressantes maintenant que les Benedict séjournaient depuis un mois à Venise.

Lors de ces soirées, il quittait la table de bonne heure, étant entendu qu'il s'était attelé à une tâche ardue et qu'il n'était donc pas astreint aux règles de la bienséance. Les Benedict mettaient Tito à sa disposition si le trajet du retour était trop long. Bien qu'il y eût aux premiers étages de la case Biondetti plusieurs Américains, parmi lesquels Lily Norton, il était surpris de voir avec quelle facilité il parvenait chaque soir à regagner son appartement sans avoir à les saluer. Chaque soir aussi, il trouvait un feu crépitant, une lampe allumée à son chevet et une autre lampe allumée sur une table près d'une chaise longue. Les pièces n'avaient rien d'opulent, mais cette lumière leur conférait un éclat riche et chaud ; parce qu'elles n'avaient ni les proportions d'un palais ni celles d'une chambre de bonne et parce que le propriétaire, qui avait beaucoup aimé Miss Woolson, faisait tout son possible pour les rendre agréables, Henry les trouvait réconfortantes et accueillantes. Le lit haut et mou lui offrit au début un sommeil profond et sans rêve dont il se réveillait reposé, prêt à affronter le travail du jour.

Il attendait la nuit avec impatience. Il souhaitait retourner à la Casa Biondetti non parce qu'il était fatigué ou que la compagnie l'ennuyait, mais parce que l'appartement lui offrait une chaleur rayonnante qui persistait tout au long de la nuit.

Tito l'attendait toujours. Comme tous ceux qui avaient travaillé pour Constance, il l'aimait et souhaitait s'occuper convenablement de sa sœur et de sa nièce. Il observait un silence respectueux en reconduisant Henry, mais il était clair qu'il le considérait presque comme un intrus, dans la mesure où il ne l'avait jamais vu auparavant et qu'il n'était pas un membre de la famille. Henry savait que s'il voulait un compte rendu véridique de l'état d'esprit de Constance au cours des derniers mois de sa vie, Tito était le mieux placé pour le renseigner. Mais plus il faisait sa connaissance, plus il acquérait la certitude que Tito ne lui dirait rien.

Une seule fois, Tito parla de Constance en sa présence. Un soir pendant qu'ils attendaient sa fille, Mrs Benedict demanda à Henry de complimenter Tito sur son habilité, en particulier dans les virages et sur les petits canaux.

Quand Henry lui eut traduit cette phrase, Tito s'inclina solennellement et déclara à Mrs Benedict que Miss Woolson l'avait choisi non pas pour l'habileté qu'elle venait d'évoquer, que possédaient tous les gondoliers, mais parce qu'il connaissait bien la lagune et qu'il y naviguait en sécurité. Miss Woolson voulait toujours quitter la ville, partir vers la lagune. Beaucoup d'Américains, dit-il, adoraient le Grand Canal et passaient la journée à le traverser dans tous les sens, mais pas Miss Woolson. Elle aimait le Grand Canal parce qu'il conduisait aux eaux libres et solitaires, où on ne croisait jamais personne. Même en hiver elle l'adorait, dit-il. Même par mauvais temps. Aussi loin qu'il était possible d'aller. Elle avait ses endroits préférés là-bas.

Henry aurait voulu lui demander si elle avait fait de telles expéditions jusqu'à la fin, mais il comprit, à la manière dont Tito avait achevé son discours, qu'il ne livrerait aucune autre information à moins d'y être invité par Mrs Benedict. Or, quand il eut fini de traduire, celle-ci adressa au gondolier un sourire distrait et demanda à Henry ce que pouvait bien fabriquer sa fille, à son avis, pour les faire attendre si longtemps.

Après quelque temps, il commença à se réveiller la nuit. Les pensées inquiètes qui lui venaient alors le perturbaient, et il subsistait au matin un résidu de ce malaise. Par la suite, ces réveils devinrent un simple interlude, un aspect du repos plus qu'une interruption ; il n'éprouvait aucune peur, aucune inquiétude, plutôt une sensation de chaleur prolongée. Pendant cette période, il ne sentit pas du tout la présence de Constance, mais une présence spirituelle qui n'avait pas de nom. Avec le temps, le rayonnement spécial qu'il percevait au moment d'entrer dans l'appartement de la Casa Biondetti, et quand il s'y réveillait en pleine nuit, devint plus intense. Il se surprenait à l'attendre tout le jour, en se demandant si cette bonne volonté empreinte de douceur le suivrait quand il quitterait Venise pour retourner à Londres.

Ce n'était pas un fantôme, rien d'inquiet ou d'inquiétant ; c'était une ombre très douce, celle de l'aura protectrice de sa mère qui lui venait maintenant la nuit, pure et exquise tendresse féminine qui l'enveloppait et le persuadait de se rendormir dans ces pièces qui avaient été si récemment habitées par son amie, dont la mort l'emplissait encore de culpabilité et dont l'esprit triste et impassible observait sa détermination à s'asseoir chaque matin à sa table et à ranger tranquillement les lettres de son médecin et celles de Miss Loring, l'amie d'Alice, en attendant que la voie soit libre pour les mettre au feu.

Après beaucoup de négociations avec le consul américain au sujet de la succession de leur parente, et après beaucoup de tergiversations et de faux-fuyants, les Benedict supervisèrent l'empaquetage des papiers de Constance et l'emballement de ses toiles et souvenirs, qui furent laissés aux bons soins du consul en attendant que les questions juridiques soient réglées à la satisfaction de celui-ci. Le mois d'avril avait été pluvieux et froid et les deux femmes avaient dû s'aliter pour cause de rhume. Le temps qu'elles réémergent, Venise avait changé ; les journées étaient plus longues, le vent était tombé et plusieurs de leurs connaissances avaient, pour une raison ou pour une autre, quitté la ville. Leur dîner d'adieu eut de la sorte un caractère assez improvisé, et plutôt clairsemé. Henry fut prompt comme toujours à se lever de table avant vingt et une heures ; il leur serra la main, les embrassa au cas où elles en auraient eu besoin, et leur promit en les regardant droit dans les yeux qu'il se chargerait d'organiser le déménagement des dernières affaires de la Casa Semitecolo et la restitution de la clé au propriétaire.

Un matin, après le départ des Benedict, Henry s'aperçut qu'elles n'avaient rien prévu pour l'enlèvement des vêtements de Constance. Elles savaient pourtant que sa garde-robe et ses commodes étaient pleines puisqu'elles y avaient cherché un éventuel testament. Il se demanda si elles en avaient discuté entre elles, ou si cela leur causait trop de tristesse et qu'elles avaient été trop gênées à la fin pour lui en parler. Quoi qu'il en soit, elles lui avaient apparemment laissé le soin de s'occuper des effets personnels de Constance. Il attendit plusieurs jours que l'une de leurs amies vénitiennes évoque avec lui la question des vêtements. Personne ne se manifesta ; il acquit donc la certitude que les Benedict avaient abusé de sa sollicitude et pris la fuite en laissant des penderies pleines de robes et des armoires pleines de chaussures, de lingerie et autres accessoires qui semblaient n'avoir pas été dérangés.

Il ne voulait pas affronter des discussions supplémentaires concernant la succession de son amie ; il n'en parla donc pas à ses relations qui, il le savait, répandraient bien vite la nouvelle que les affaires personnelles de Constance avaient été laissés à l'appartement, ce qui leur donnerait la liberté de venir fouiner à leur guise, de lui demander la clé à toute heure et d'envahir l'intimité qu'il avait préservée pour elle après sa mort. Quand il l'avait imaginée préméditant telle ou telle scène, il n'avait pas du tout envisagé cet aspect de la situation. Le fait de jeter ses vêtements ou de les donner ne faisait sûrement pas partie de la vie posthume qu'elle s'était rêvée. Autant il avait ressenti le profond déplaisir de Constance quand il avait brûlé les lettres, autant il éprouvait une sourde tristesse et le poids sinistre de son absence en envisageant le débarras de sa garde-robe.

Il se confia à Tito qui, pensait-il, serait prêt à déménager sous sa direction ce qui subsistait des biens terrestres de son amie. Tito saurait quoi en faire. Mais quand Henry lui montra la masse de vêtements, puis les chaussures, puis la lingerie, Tito se contenta de hausser les épaules. Henry suggéra qu'un couvent pourrait avoir l'usage de ces vieux habits. Pas ceux des morts, répondit Tito, personne ne voudra des affaires d'une morte.

Henry regretta alors de n'avoir pas rendu la clé et quitté la ville ; mais s'il le faisait maintenant, il ne tarderait pas à recevoir des lettres, non seulement du propriétaire, mais de plusieurs membres de la colonie, l'interrogeant sur ce qu'il convenait de faire des vêtements.

Tito, pendant ce temps, se tenait dans l'ancienne chambre à coucher de Constance et le dévisageait intensément.

— Que pouvons-nous faire ? demanda enfin Henry.

Le haussement d'épaules, cette fois, fut presque méprisant. Henry soutint le regard de Tito et insista :

— Nous ne pouvons pas les laisser ici.

Tito ne répondit pas. Henry savait que son bateau attendait en bas. Il savait qu'il faudrait porter ces vêtements et les placer dans la gondole.

— Pouvez-vous les brûler ?

Tito secoua la tête. Il examinait intensément la penderie, comme s'il en était le gardien. Henry sentit que s'il faisait mine de vouloir la vider, Tito se jetterait sur lui et l'empêcherait de toucher aux biens de sa maîtresse. Il soupira, les yeux baissés, dans l'espoir que cette impasse où ils étaient arrivés pousserait Tito à faire une proposition. Pendant que le silence se prolongeait, Henry ouvrit la fenêtre, sortit sur le balcon et regarda le bâtiment d'en face, puis le pavé où Constance était tombée.

En se retournant il croisa le regard de Tito et vit que celui-ci souhaitait dire quelque chose. Il l'encouragea d'un geste. Tout cela, dit Tito, aurait dû être remporté en Amérique. Henry acquiesça, en ajoutant qu'il était trop tard maintenant.

Tito haussa de nouveau les épaules.

Henry ouvrit un tiroir, puis un autre, pendant que Tito l'observait avec un intérêt frisant l'alarme. Henry se retourna et lui fit face.

Se rappelait-t-il l'endroit de la lagune où il l'avait régulièrement conduite, l'endroit dont il avait parlé à Henry et où il n'y avait rien, ni personne ?

Tito hocha la tête et attendit, mais Henry se contenta de le regarder pendant qu'il méditait ce qui venait d'être dit. Tito avait l'air inquiet. Il faillit parler à plusieurs reprises, mais se contenta chaque fois d'un soupir. Enfin, comme si quelqu'un les guettait depuis la pièce voisine, il indiqua furtivement les habits, puis la porte, puis la direction de la lointaine lagune. Ils pouvaient, suggérait-il en silence, emporter les vêtements là-bas et les enfouir dans l'eau. Henry acquiesça d'un signe de tête. Ni l'un ni l'autre ne bougea. Enfin, Tito leva la main droite en écartant les doigts.

— Cinq heures, murmura-t-il. Ici.

À dix-sept heures, il trouva Tito devant la porte. Ils pénétrèrent sans un mot dans l'appartement. Henry s'était demandé si Tito emmènerait un compagnon, et si, dans ce cas, on pouvait leur faire confiance pour emporter les vêtements de Constance et les jeter dans la lagune sans plus d'atermoiements. Mais Tito arriva seul, et parvint à suggérer à Henry que le travail consistant à transporter les affaires de l'appartement à la gondole devait être accompli tout de suite, rapidement, et par eux deux.

Saisissant la première brassée de robes, de manteaux et de jupes, Tito fit signe à Henry d'en prendre une autre et de le suivre. Dès qu'il eut les robes dans les bras, Henry perçut une odeur qui lui évoqua intensément le souvenir de sa mère et de sa tante Kate. C'était une odeur caractéristique d'elles, de leur vie affairée autour de leurs penderies et de leurs armoires, de leurs éternels préparatifs de voyage, pliage, protection et empaquetage dont elles s'occupaient toujours elles-mêmes où qu'elles soient. Puis, pendant qu'il traversait la pièce avec sa brassée de tissu, il en perçut une autre, qui n'appartenait qu'à Constance, un parfum qu'elle avait porté pendant toutes les années où il l'avait connue, qui se mêlait maintenant à l'autre pendant qu'il descendait les robes jusqu'en bas de l'escalier et les déposait dans la gondole.

Ils procédèrent ainsi, de la chambre au bateau, rapides et vigilants comme s'ils se livraient à quelque contrebande, vidant peu à peu la penderie. Ils transportèrent ensuite ses chaussures et ses bas et enfin, attentifs à ne pas échanger ne fût-ce qu'un regard, la lingerie blanche qu'ils dissimulèrent dans la gondole sous les robes et les manteaux afin que nul ne puisse la voir. Ils étaient hors d'haleine lorsqu'ils remontèrent une dernière fois pour vérifier qu'ils avaient bien tout emporté. Le parfum avait ramené Constance si près de lui que Henry n'aurait pas été surpris à ce moment-là de la trouver debout dans la chambre vide. Il se sentait presque libre de lui parler ; en regardant autour de lui après que Tito fut redescendu à la gondole, il eut la sensation qu'elle était là, une présence absolue, son ancien moi pragmatique satisfait de la tâche accomplie, content de voir qu'il ne subsistait plus rien d'elle ; la chambre était pleine d'air et de poussière, mais plus encore de la sensation que s'il choisissait de s'attarder, elle serait prête à soutenir son regard plus longtemps que lui.

Alors que la lumière déclinait au-dessus de la ville, qu'un éclat rose se mêlait aux couleurs riches et pâles des palais sur le Grand Canal et que l'eau reflétait ce ciel teinté de rose et de rouge, ils prirent la direction de la lagune. Ils étaient détendus maintenant, bien que ni l'un ni l'autre ne parlât ou prît la peine de signaler qu'il était conscient de la présence de l'autre. Henry observait la lumière, jetait un regard en arrière vers la Salute, ressentait un étrange contentement. Il était fatigué, mais aussi curieux de voir où Tito l'emmènerait.

C'était comme de revoir Constance une fois de plus, loin de leurs amis, de la famille et du tourbillon social, de la retrouver dans un de leurs endroits calmes. C'était ainsi qu'ils s'étaient connus. Personne ne saurait jamais qu'il était venu là ; il était peu vraisemblable que Tito communique un jour de son plein gré cette information à l'un de leurs amis. La seule personne qui suivait leur progression était Constance elle-même, pendant que Tito guidait la gondole, derrière le Lido, vers des eaux où Henry ne s'était jamais aventuré auparavant. Ils continuèrent ainsi jusqu'à avoir les oiseaux de mer et le soleil couchant pour seule compagnie.

Au début Henry crut que Tito cherchait un lieu précis ; puis il comprit qu'il faisait en réalité des détours pour retarder l'action qu'ils devaient à présent entreprendre. Henry croisa son regard ; Tito lui fit comprendre que c'était à lui de commencer. Henry secoua la tête. Ils auraient pu aussi bien transporter le corps de Constance, pensa-t-il, la soulever, la faire glisser par-dessus bord. Tito continuait à décrire des cercles. Quand il saisit que Henry ne bougerait pas, il eut un sourire gentiment excédé et rangea sa godille ; la gondole se mit à osciller sur les eaux calmes. Avant de se pencher vers la première robe, Tito se signa. Puis il posa le vêtement à plat sur l'eau, comme si l'eau était un lit, comme si la propriétaire de cette robe devait sortir le soir et qu'elle ne tarderait pas à venir s'habiller. Les deux hommes regardèrent la couleur s'assombrir, puis la robe commencer à couler. Tito plaça une deuxième robe sur l'eau, puis une troisième, avec la même tendresse. Il continua à travailler ainsi, enchaînant les gestes paisibles et secouant la tête pendant que les robes s'éloignaient en flottant. De temps à autre il remuait les lèvres en prière. Henry l'observait mais ne faisait aucun mouvement.

La gondole oscillait si doucement que Henry n'avait pas conscience d'un déplacement, seulement d'une immobilité. Pendant que les robes sombraient, il imagina que le chargement était sous eux et coulait lentement jusqu'au lit de l'océan.

Soudain ils aperçurent une forme noire qui bougeait dans l'eau à moins de dix mètres d'eux. Tito poussa un cri.

Dans le crépuscule, on aurait cru un phoque ou un objet sombre et arrondi surgi des profondeurs. Tito empoigna la godille à deux mains comme pour se défendre. Puis Henry comprit : certaines robes étaient remontées à la surface tels des ballons noirs, après les étranges funérailles marines qu'ils venaient d'accomplir, et tendaient vers eux leurs manches et leurs ventres gonflés. Quand le bateau vira de bord, Henry nota que Venise était enveloppée de gris. La brume ne tarderait pas à descendre sur la lagune. Tito s'approcha de l'étoffe ondoyante ; Henry le regarda pendant qu'il l'enfonçait avec sa godille, repoussant le ballonnement sous la surface et l'y maintenant quelques secondes avant de tourner son attention vers une autre robe et de la repousser à son tour sous l'eau. Il travaillait avec une détermination farouche, poussant, refoulant, replongeant chaque robe avant de passer à la suivante. Enfin, il parcourut la lagune du regard pour s'assurer qu'aucune autre n'était reparue. L'eau était lisse, d'un noir bleuté. Puis une nouvelle robe enfla soudain à quelques centimètres d'eux.

— Laissez-la ! cria Henry.

Mais Tito s'en approcha et, après un dernier signe de croix, il chercha le centre de l'étoffe avec sa godille et l'enfonça. Il adressa un signe de tête à Henry pendant qu'il la maintenait sous l'eau, comme pour signifier que leur travail était accompli ; un travail difficile, mais il était accompli. Puis il récupéra sa godille et reprit sa position à l'arrière de la gondole. Il était temps de rentrer. Lentement, adroitement, il entreprit la traversée de la lagune vers la ville qui était presque plongée dans le noir.

10

Mai 1899

À mesure que Rome se modernisait, écrivit-il à Paul
Bourget, lui-même devenait plus antique. Il avait fui
Venise, les souvenirs et les échos qui imprégnaient l'atmosphère de la ville ; à son arrivée à Rome il commença par
refuser toutes les invitations et les propositions d'héber-
gement. Il descendit dans un hôtel proche de la place
d'Espagne et se surprit, au cours des premiers jours, à
marcher lentement, comme si la chaleur de l'été était déjà
là bien qu'on fût au mois de mai. Il ne gravit pas les marches, ne fit aucun pèlerinage éloigné de plus de quelques
rues de son hôtel. Il s'efforçait de ne pas provoquer les
souvenirs, et de ne pas comparer la ville qu'il avait connue
près de trente ans plus tôt à celle qu'il avait sous les yeux.
Aucune nostalgie facile ne fut autorisée à colorer la douceur assourdie de ces journées. Il n'était pas disposé à se
rencontrer lui-même sous une forme plus jeune et plus
impressionnable, ni à éprouver la tristesse de savoir qu'il
n'y aurait pas de découvertes, pas d'excitations nouvelles,
mais seulement d'anciennes découvertes, d'anciennes
excitations revisitées. Il se permettait d'aimer ces rues
comme un poème qu'il aurait mémorisé autrefois ; et les
années où il avait vu pour la première fois ces couleurs,
ces pierres et ces visages lui apparaissaient comme une

part riche et précieuse de ce qu'il était entre-temps devenu. Son regard n'était plus surpris et ravi, comme il l'avait été, mais il n'était pas pour autant blasé.

Il lui suffisait de rester assis sous l'auvent d'un café et d'observer la maçonnerie d'un mur, de voir le plâtre sortir peu à peu de l'ombre, la couleur ocre se mettre soudain à briller au soleil et son esprit à lui s'éclairer au même moment à l'idée qu'un événement aussi simple fût capable de vider son esprit de l'ombre de Venise qui le recouvrait encore. Il semblait plus facile d'être vieux ici ; aucune couleur n'était simple, rien n'était neuf, même la lumière du soleil paraissait tomber et s'attarder d'une manière qui avait été honorée par le temps.

À Venise, il avait évité les rues comprises entre le Frari et la Salute, s'en tenant autant que possible à l'autre rive du Grand Canal, de peur d'échouer par hasard dans la rue où Constance était morte. Un soir, peu avant de fuir la ville, alors qu'il rentrait tranquillement au Palazzo Barbaro, il s'était cru tout près du pont du Rialto sans mesurer le danger. Il comprit plus tard qu'il lui aurait suffi de revenir sur ses pas pour trouver sans peine le chemin du pont. Au lieu de cela, chaque nouveau coin de rue donnait sur une impasse, sur l'eau ou bien encore, de façon plus menaçante, sur une bifurcation vers la droite qui ne pouvait que le rapprocher de cette rue atroce où il espérait n'avoir plus jamais à revenir. Là, dans le silence de la nuit, il sentit qu'il était entraîné, comme si quelqu'un le guidait et qu'il était trop affaibli par la culpabilité pour résister. Il avait adoré cette Venise qui fermait de bonne heure et devenait silencieuse et vide ; il avait souvent pris plaisir à être le promeneur solitaire, celui qui se trompe facilement de chemin, se laissant mener autant par le hasard et l'instinct que par l'habileté ou le savoir ; à présent il était non seulement perdu, mais très proche du lieu de la mort de Constance. Il s'immobilisa. Devant lui, une impasse qu'il avait déjà empruntée, qui semblait conduire vers l'eau mais ne le faisait pas. Sur sa droite, une longue rue étroite. Il ne pouvait que revenir sur ses pas, et alors, en une impulsion irrésistible il s'adressa à haute voix à Constance, avec la sensation que l'esprit de son amie, si agité, si indépendant, si intrépide, continuerait d'habiter ces rues aussi longtemps que le temps lui-même. Elle ne s'était pas contentée d'une vie facile, pensa-t-il, et ce qui subsistait d'elle était encore inquiet et déraciné.

— Constance, murmura-t-il, je me suis approché autant que je le pouvais.

Il imagina la mer agitée, du côté de la lagune, le vide qui était là-bas, l'eau ouverte vers l'espace et la nuit. Il imagina le vent qui hurlait dans le vide et le chaos liquide, là où il n'y avait ni lumière ni amour, et il la vit, elle, planant au-dessus du chaos, identifiée à lui. Alors seulement il eut la présence d'esprit de rebrousser chemin, pas à pas, avec prudence et concentration, sans commettre d'erreur jusqu'à parvenir à un point de repère familier, le palais dont il était l'invité, ses livres, ses papiers, son lit chaud. Cette nuit-là, il sut qu'il lui faudrait quitter Venise dès que possible, aller vers le sud et ne plus revenir.

Le temps à Rome était parfait ; l'air lui-même était saturé de couleurs. Ses promenades quotidiennes s'étendaient maintenant jusqu'au Corso, jusqu'à Saint-Jean-de-Latran et la Villa Borghèse où l'herbe nouvelle lui arrivait aux genoux. Tout irradiait de lumière et de chaleur. La ville lui souriait et il faisait de son mieux pour ne pas maugréer en retour devant le nombre des touristes qui croisaient son chemin et l'insistance des invitations qui parvenaient à son hôtel. La première fois qu'il était venu à Rome, il avait vingt et quelques années, il était libre de faire ce qui lui plaisait, de lier connaissance avec de nouveaux amis, de flâner à sa guise, de quitter la ville par la Porta del Popolo et de cheminer vers Florence le long de la vieille route postale, dans la douceur de l'hiver, au milieu des collines quadrillées de violet, de bleu et de brun. Il était devenu semblable à la ville éternelle : bosselé par l'histoire, chargé de responsabilités et de souvenirs, observé, examiné, objet de mille demandes. Et à présent il allait devoir se montrer. Les rues de la vieille ville étaient devenues plus propres et mieux éclairées ; de la même manière, il allait devoir faire bonne figure, cacher les blessures anciennes, maquiller les vieilles cicatrices et faire son apparition à l'heure convenue, en essayant de ne pas décevoir son public et, en même temps, de protéger son histoire secrète.

Les Waldo Story et les Howe Elliott, convaincus que Henry avait passé ses premiers jours à Rome en captivité chez les autres, entreprirent de l'attirer avec gentillesse et fermeté dans leur propre cage. Les Waldo Story habitaient le vaste appartement de William Westmore Story dans le Palazzo Barberini ; ils voulaient que Henry écrive une biographie du vieux sculpteur au don incertain mais au sérieux passionné ; Maud Howe Elliott et son mari artiste n'exigeaient rien de lui, sinon qu'il leur rende visite le plus souvent possible au Palazzo Accoramboni, qu'il se mêle aux autres invités et qu'il admire la vue de leur toit-terrasse autant qu'ils l'admiraient eux-mêmes.

Ni les uns ni les autres ne vivaient à Rome pour le plaisir que Rome pouvait offrir aux solitaires ; comme ils n'avaient pas non plus de talent pour imaginer un plaisir auquel ils ne s'adonnaient pas eux-mêmes, le besoin de solitude invoqué par Henry leur parut à tous un prétexte presque scandaleux, dont il ne fallait tenir aucun compte. Après quatre ou cinq jours, il abandonna la lutte et accepta leur hospitalité respective un soir sur deux. En Angleterre, il avait suivi avec intérêt la manière dont l'héritier, à la mort de son père, avait repris la grande demeure comme si les conforts et les trésors qu'elle recelait avaient été inventés pour lui seul. À présent il pouvait observer la manière dont la nouvelle génération adaptait la ville à son propre usage ; le jeune Waldo Story passait le même nombre d'heures que son père à manier le ciseau et le burin, répondait encore moins que son père à la demande du public, gâchait avec gentillesse un nombre encore plus impressionnant de marbre pur, pendant que Maud Howe Elliott, la fille de Julia Ward Howe, marchait sur les traces de sa tante, Mrs Luther Terry, qui avait offert l'hospitalité aux artistes et aux natifs de Nouvelle-Angleterre vingt ans plus tôt au Palazzo Odescalchi.

Ces gens n'étaient ni des Romains, ni des Américains, mais leurs manières étaient parfaites et leurs habitudes bien établies. Ils collectionnaient avec un génie aimable les vieux amis et les visiteurs distingués, ayant déjà fini de collectionner toutes les antiquités susceptibles de remplir avec goût leurs palais. Le mari de Maud, John Elliott, était peintre ; comme ses compatriotes, il avait du talent mais pas de réelle ambition. John Elliott, Waldo Story et leurs amis cultivaient un style bohème dans leurs ateliers, mais ils savaient donner des ordres à leurs domestiques. À Rome, avec une rente, il était plus respectable d'être un dilettante qu'à Boston, où ce statut provoquait des froncements de sourcils. Henry n'était pas seulement un Américain de Nouvelle-Angleterre qui parlait l'italien et qui avait choisi de s'expatrier, mais un artiste qui avait écrit sur leur aura particulière, conférant une certaine importance aux drames et aux dilemmes étranges de leur présence en Europe. Ils étaient trop attachés à lui et, pensait-il, trop bien élevés pour prendre ombrage du ton de ses romans, de la sensation de défaite et de mensonge qui empoisonnait l'existence de la plupart de ses personnages américains en Europe. Ils étaient également assez respectueux du passé pour s'intéresser aux années 1870 ; Henry, qui avait connu Rome à cette époque, avait donc sa place dans l'univers précieux et raréfié auquel les avaient initiés leurs parents.

Il se retrouva ainsi, par une chaude soirée de mai de la dernière année du siècle, au milieu d'un groupe très animé sur la terrasse fleurie du toit du Palazzo Accoramboni surplombant la place Saint-Pierre. Il contemplait les derniers rayons du soleil, admirant les dômes et les toits de Rome et, au-delà, la *campagna* avec ses aqueducs encerclée par les monts Albins et Sabins. Il se contentait d'opiner en silence pendant que les autres invités poussaient des exclamations émerveillées en désignant le château Saint-Ange et la masse sombre des arbres qui délimitait le Pincio et la villa Médicis. Ils étaient jeunes pour la plupart et les couleurs de leurs tenues estivales se combinaient joliment à celles des roses précoces, des pensées et de la lavande que leurs hôtes avaient persuadées, avec l'enthousiasme caractéristique du Nouveau Monde, de s'épanouir sur leur terrasse. Les hommes présents se laissaient facilement identifier comme étant américains par la qualité de leur moustache et l'expression innocente, amicale, de leur visage. Quant aux femmes, très nombreuses, elles ne pouvaient venir que d'un seul endroit au monde : la Nouvelle-Angleterre. Henry reconnaissait leur façon caractéristique de laisser leurs hommes parler en long et en large et de confiner leurs propres remarques à quelques interruptions brèves et intelligentes, ou à des commentaires légèrement désagréables une fois que les hommes s'étaient tus. C'était, pensa-t-il en silence, un groupe où sa sœur Alice aurait été infiniment mal à l'aise, mais que tous les amis d'Alice auraient adoré.

Ils ne se lassaient pas d'admirer la vue, avec des silences occasionnels qui témoignaient de leur familiarité les uns avec les autres. Certains d'entre eux, il le savait, portaient des noms américains prestigieux, et le sentiment profond de leur propre importance se communiquait presque naturellement aux personnes avec lesquelles ils voyageaient. Ils n'avaient guère besoin d'étaler leur culture en posant des questions au célèbre écrivain ; ils avaient plutôt l'air de suggérer qu'ici, sur la terrasse d'un des plus somptueux appartements privés de la ville, ils étaient à la fois modestement disposés et étrangement imperméables à toutes les rencontres. Il fut soulagé de ce que personne ne jugeât opportun de lui demander s'il travaillait à un nouveau roman, s'il se livrait à des recherches en vue d'un autre, ou quelle était son opinion sur George Eliot. Quand il leur indiquait un monument ils l'écoutaient, sans plus, de la même façon qu'ils s'écoutaient les uns les autres.

Il nota que son groupe était observé par un jeune homme qui se tenait un peu en retrait. Puis il s'aperçut qu'il était personnellement la cible du regard de ce personnage qui différait fort des autres jeunes gens présents. Il n'avait rien de leur décontraction, de leur mélange d'assurance et de tact. Son regard était trop aigu, son attitude trop raide pendant qu'il feignait d'admirer la vue comme les autres. Il était, nota Henry, d'une beauté remarquable, blond, très grand, mais ce détail avait l'air de contribuer à son malaise, ou à sa vigilance. Tout cela faisait que personne, parmi les invités de plus en plus nombreux qui se pressaient sur la terrasse pour admirer le soleil couchant, ne s'approchait de lui ou ne lui adressait la parole. Henry fit un effort pour ne pas regarder dans sa direction. Mais quand il se retourna, le jeune homme le fixait ouvertement d'un air qui décida Henry à l'éviter autant que possible pendant le reste de la soirée. Il semblait tout à fait du genre à l'interroger sur ses projets et à avoir des opinions tranchées sur George Eliot ; mais son visage avait aussi quelque chose d'étrangement doux qui contredisait l'intensité déplacée du regard, et qui renforçait le désir d'Henry de l'éviter. Son statut d'artiste ne faisait aucun doute. En redescendant l'escalier qui reliait le toit-terrasse à l'appartement, Henry pensa qu'il ne voulait rien apprendre sur son compte, et il veilla à ne pas se tourner vers lui de toute la soirée. Il fut très soulagé de se retrouver enfin dans la rue sans lui avoir adressé la parole.

Mais quelques jours plus tard, au cours d'une réunion plus intime chez les Elliott, le jeune homme lui fut présenté comme étant le sculpteur Hendrik Andersen. Celui-ci avait abandonné l'attitude et le regard de leur première rencontre au profit d'une politesse presque ironique remplacée, quand ils furent à table, par un silence attentif, écoutant ce qu'avaient à dire les uns ou les autres, acquiesçant avec grâce, mais n'ajoutant rien. Au moment de prendre congé, il laissa soudain transparaître quelque chose de son intensité première. Il dévisagea chacune des personnes présentes avec une expression presque hostile avant de se détourner abruptement. À la porte il se retourna et répondit au regard de Henry par une rapide inclination du buste.

Ses amis romains se fréquentaient assidûment ; pendant cette période, juste avant de s'éparpiller pour l'été, ils inventaient n'importe quel prétexte pour se voir presque chaque soir. Henry se vit remettre une invitation permanente, et accepta peu à peu de laisser ces mondanités entrer dans ses habitudes. Il veillait toujours à ne pas insister sur son passé romain, à ne pas signaler trop souvent à ses hôtes combien, ou combien peu, la ville avait changé, à ne pas leur raconter comment on avait vécu dans ces mêmes appartements dans les années 1870, même s'il pensait que ce sujet pouvait intéresser la jeune génération, résidente ou en visite. Il ne voulait pas être considéré comme un fossile, mais il tenait aussi à garder le passé pour lui, comme un bien privé et précieux.

Quand Maud Elliott lui parla d'un dîner spécial qu'elle préparait, il comprit à son ton que son mari et elle, comme d'ailleurs les Waldo Story, s'intéressaient beaucoup à l'époque où leurs parents avaient été dans la force de l'âge. Elle voulait, lui dit-elle, donner un dîner en l'honneur de sa tante Annie, née Crawford, fille du sculpteur Thomas Crawford, baronne von Rabe pendant de longues années et désormais veuve. Henry ne l'avait pas vue depuis très longtemps ; mais il savait de bonne source que sa présence formidable, dure comme le silex, sa mauvaise humeur, son intelligence coriace et son esprit corrosif n'avaient rien perdu avec les années. Il nota que les Elliott dépensaient beaucoup d'énergie pour ce dîner, qui devait avoir lieu sur la terrasse, sous la tonnelle ; ils préparaient des toasts et des discours et se comportaient comme si le fait de réunir leur vieille tante et son vieil ami allait être un des sommets de la saison romaine.

La baronne – ses rares cheveux coiffés avec art et sa peau semblable à celle d'un fruit en bocal – évalua la compagnie d'un regard froid. Quand l'un des jeunes gens l'interrogea sur les changements dont elle avait été témoin à Rome, elle pinça les lèvres comme si elle avait été approchée par un contrôleur dans un train, et parla d'une voix forte.

— Je suis contre les changements. Ce n'est pas un sujet qui me concerne. J'ai toujours pensé que c'était une erreur de remarquer les changements. Je remarque ce qui est en face de moi.

— Que remarquez-vous alors ? demanda malicieusement un autre jeune homme.

— Je remarque le sculpteur Andersen, dit la baronne, en adressant un signe de tête à Hendrik Andersen, nerveusement perché sur le bord d'une chaise longue. Et je dois dire, ajouta-t-elle, qu'en dépit de mon âge avancé et de ma noble éducation, le fait de le remarquer ne me procure que de la satisfaction.

Andersen, immobile, tel un animal rare au pelage brillant, la dévisagea en retour pendant que tous les regards se tournaient vers lui.

— Et moi, dit-il, je vous remarque avec un plaisir égal, madame la baronne.

Elle le fusilla du regard.

— Ne faites donc pas l'imbécile.

Le temps que Maud lui demande de prononcer quelques mots, à la fin du repas, Henry en avait assez de la vieille dame frêle qui appréciait le vin bien plus que nécessaire et qui se sentait libre de commenter les faits et les gens avec une franchise qui le cédait de plus en plus à la brusquerie. Il commença son discours, ravi à l'idée qu'elle ne pourrait pas l'interrompre. Alors qu'il n'en avait pas eu l'intention, il évoqua la Rome qu'il avait découverte un quart de siècle plus tôt. Non qu'il souhaitât, dit-il, céder à la nostalgie ou souligner les changements, mais parce que cette soirée, qui réunissait de vieux amis et quelques nouveaux visages juste avant le début de la saison estivale, offrait l'occasion d'allumer une chandelle, de parcourir la maison, de dresser l'inventaire ; voilà ce que, dans ce contexte romain, il se proposait brièvement de faire. Personne, ayant aimé Rome dans sa jeunesse, ne pouvait souhaiter cesser de l'aimer un jour. À l'époque de son premier séjour, il n'avait pas seulement découvert les couleurs et les manières de l'Italie, mais aussi l'ombre de certaines présences dans les ateliers des artistes américains, en particulier celle de son compatriote Nathaniel Houghton qui, dix ans plus tôt, avait trouvé dans la ville une source d'inspiration qu'il avait si généreusement payée de retour. C'était à Rome, dans les maisons rivales des Terry et des Story, qu'il avait rencontré l'actrice Fanny Kemble, qu'il avait connu Matthew Arnold, qu'il avait imaginé pour la première fois certains des personnages qui peupleraient ses propres romans. Rome était le socle de leurs succès et de leurs échecs, un lieu d'exil mais aussi un refuge, un lieu de beauté et, dans le petit monde de la colonie anglo-américaine, un lieu d'intrigue inégalé. Les seuls noms des palais étaient évocateurs de noblesse, de dévouement à l'art et, bien sûr, d'hospitalité. Pour un jeune homme de Newport, dit-il, l'appartement des Story dans le Palazzo Barberini ou celui de Terry dans le Palazzo Odelscalchi, ou même le Caffé Spillmann sur la via Condotti, étaient des endroits légendaires, chéris par la mémoire, et il souhaitait lever son verre non seulement à la baronne, qu'il avait croisée pour la première fois dans les années où la beauté américaine fleurissait à Rome, mais à la ville elle-même qu'il n'avait jamais cessé d'aimer et à laquelle il espérait ne jamais cesser de rendre visite.

En se rasseyant, il s'aperçut que le sculpteur Andersen avait les larmes aux yeux ; il l'observa à nouveau pendant qu'il écoutait patiemment la baronne von Rabe comparer les mérites de son propre frère, le romancier Marion Crawford, et ceux de Mrs Humphrey Ward.

— Ils ont tous deux, un immense talent, bien sûr, disait-elle, et ils sont très aimés du public des deux côtés de l'Atlantique. Et ils traitent des sujets italiens magnifiquement, peut-être parce que ce sont des écrivains qui comprennent l'Italie, et que leurs personnages sont très raffinés. Moi et bien d'autres, nous avons beaucoup apprécié leurs livres. Ils resteront, je pense.

Sur ces mots, la baronne se tourna vers Henry comme pour le mettre au défi de la contredire. Il lui avait à l'évidence déplu et elle n'était pas sûre de s'être rendue encore suffisamment désagréable. Il soutint son regard pendant qu'elle prenait visiblement le parti d'estimer que non.

— J'ai lu plusieurs articles de votre frère William, déclara-t-elle. Puis j'ai eu l'occasion de lire un livre entier de lui, qui m'a été remis par un vieil ami qui vous connaissait tous à Boston et qui me précisait dans sa note que le style de votre frère était un modèle de clarté, de concision et de bon sens, où chaque phrase commençait et finissait pile au bon endroit.

Il continua à l'écouter en hochant la tête, comme si la baronne lui décrivait un repas plantureux qu'elle aurait dévoré. Personne ne prêtait attention à leur échange excepté Andersen qui lui souriait chaque fois qu'il croisait son regard, comme s'il comprenait parfaitement l'enjeu. Henry, disait l'expression d'Andersen, avait toute sa sympathie. Mais la baronne n'en avait pas encore fini.

— Je me souviens de vous quand vous étiez jeune et que toutes les dames se battaient pour une partie de cheval avec vous. Cette Mrs Sumner et la jeune Miss Boott et la jeune Miss Lowe. Toutes les jeunes femmes, et d'autres qui l'étaient un peu moins. Nous vous aimions toutes, et je suppose que vous nous aimiez aussi, mais vous étiez trop occupé à étudier votre matériau pour vous permettre de privilégier l'une ou l'autre. Vous étiez charmant bien sûr, mais vous étiez comme un jeune banquier occupé à ramasser nos économies. Ou comme un prêtre, à écouter le récit de nos péchés. Je me rappelle que ma tante nous mettait en garde. Il ne fallait surtout rien vous confier, disait-elle.

Elle se pencha vers lui avec un air conspirateur.

— Et à mon avis, vous avez continué jusqu'à ce jour. Je ne pense pas que vous ayez pris votre retraite. Je souhaiterais cependant que vous écriviez avec plus de clarté et je suis sûre que le jeune sculpteur, qui vous observe, je suis sûre qu'il souhaiterait la même chose.

Henry sourit et s'inclina.

— Comme vous le savez, je fais mon possible pour vous plaire.

Pendant que d'autres invités commençaient à distraire la baronne, Henry s'approcha d'Andersen.

— J'ai trouvé votre discours magnifique, déclara le sculpteur.

Henry fut surpris par son fort accent américain.

— Et je ne sais pas de quoi vous parlait la vieille dame, mais je pense que vous êtes un auditeur très patient.

— Elle parlait, dit calmement Henry, de ce qu'elle avait promis de ne pas évoquer : l'ancien temps.

— J'ai adoré ce que vous avez dit de Rome. En vous écoutant, on aurait tous eu envie de vivre à cette époque.

Andersen, jusque-là appuyé contre le mur, se redressa de toute sa hauteur. Son expression était presque solennelle, et bien qu'il fît face au salon entier, il dirigeait son attention vers le seul Henry. Il parut vouloir ajouter quelque chose, mais se ravisa. Dans la lumière tamisée de l'appartement, son apparence passa d'une vulnérabilité affichée à une beauté inexpressive, puis à une sorte d'étrange introspection. Il déglutit et ajouta dans un murmure :

— Il est évident que vous adorez Rome et que vous avez été heureux ici.

Il s'agissait presque d'une question, à en juger par la manière dont il se tut pour guetter la réaction de Henry ; celui-ci hocha simplement la tête, conscient du contraste entre la carrure du sculpteur et l'espèce de faiblesse, comme une tristesse, de son regard. Andersen reprit la parole.

— Avez-vous un endroit où vous allez, je veux dire un monument ou un tableau que vous aimez et auquel vous rendez souvent visite ?

— Je suis allé presque chaque jour au cimetière protestant qui est en lui-même, je suppose, une œuvre d'art, un monument d'importance, mais peut-être pensiez-vous à...

— Non, c'est ce que je voulais dire. Je vous ai posé la question parce que, quel que soit l'endroit, j'aimerais vous y accompagner. Même si vous avez habitude d'y aller seul, je voudrais vous demander de faire une exception pour moi.

Henry décela une grande détermination sous la timidité d'Andersen. Il avait anticipé un ton complètement différent, intense peut-être, mais aussi ironique, plus mondain, plus décontracté. La demande le toucha par sa sincérité, son absence de réserve.

— J'aimerais le faire bientôt, si possible.

— Alors disons demain à onze heures, répondit Henry avec simplicité. Nous pouvons nous retrouver à mon hôtel et partir ensemble. Vous n'êtes jamais allé au cimetière auparavant ?

— Si, mais j'aimerais y retourner et je me réjouis d'y aller demain.

Andersen le regarda un moment encore, sans sourire, après avoir noté le nom de l'hôtel. Puis il s'inclina et tourna les talons.

Au matin, il trouva Andersen nerveux et timide. Il ne dit rien en voyant paraître Henry, se contenta de s'incliner comme à son habitude. Henry n'aurait su dire à quel point Andersen était conscient de son propre charme qui, quand il souriait, se transformait en une étonnante beauté aux yeux clairs. Dans le fiacre qui les conduisait à l'ancien cimetière, côté pyramide, Andersen se montra à la fois inquisiteur, tendre et hésitant. Il avait l'accent, mais pas le calme ni l'assurance d'un Américain. Henry se demanda si son apparente indifférence à sa propre séduction, son côté impétueux et sa présence intense pouvaient tenir simplement à ses origines scandinaves. Pourtant, quand Andersen descendit de voiture et se retourna devant le portail pour l'attendre, il nota dans ses mouvements une agressivité qui appartenait à quelqu'un de plus sûr de lui que ne l'était Andersen quand il parlait ou souriait.

Le cimetière était, aux yeux de Henry, plus que n'importe quel monument, œuvre d'art ou palais de la ville, le lieu où l'art et la nature entraient en résonance parfaite. À présent, dans l'ombre qu'offraient les cyprès noirs noueux, les sentiers mille fois empruntés, les fleurs, les arbustes et les massifs soigneusement taillés, c'était un lieu de réconfort, de grande paix chaleureuse. Pendant qu'ils se dirigeaient vers la pyramide et la tombe du poète Keats, il lui sembla que la timidité et la réserve d'Andersen avaient jeté sur eux comme un sortilège qu'il ne serait pas facile de rompre dans cet endroit solennel entre tous.

Il ignorait si son compagnon connaissait l'histoire des derniers jours de Keats à Rome, ou s'il savait même que cette pierre, qui n'était gravée d'aucun nom, marquait la sépulture du poète. Henry ressentait intensément la présence d'Andersen ; il aimait marcher à côté de lui dans ce silence uniquement troublé par le chant des oiseaux, avec les chats pour seule compagnie ; et la sensation de la proximité des morts, même celle du jeune poète tragique, profondément en repos, protégé par la terre riche et chaude. L'air lui-même, le ciel limpide et les espaces clos du cimetière semblaient affirmer qu'avec le repos venait la fin du chagrin ; et ce repos lui paraissait maintenant, en ce matin de mai à Rome, imprégné d'amour ou de quelque chose qui en était proche.

Ils flânèrent au hasard, en silence. Andersen gardait les mains croisées derrière le dos, lisait chaque inscription et restait ensuite un court moment comme en prière. Henry était son guide dans la seule mesure où Andersen s'immobilisait en même temps que lui et se remettait en marche à sa suite.

— Les noms ne cessent jamais de m'intéresser, dit enfin Henry. Les tristes noms des Anglais qui sont morts à Rome.

Il soupira.

Andersen secoua la tête. Puis il se mit à observer un chat maigre et roux qui rôdait derrière Henry, queue dressée. Le chat commença à se frotter à ses mollets en ronronnant, les yeux fermés, appuyant contre lui tout le poids de son corps osseux, avant de s'éloigner avec nonchalance jusqu'à une tache de soleil où il s'installa.

— Le chat sait ce qu'il veut, dit Andersen.

Son rire inattendu, bruyant, presque aigu, donna à Henry envie de s'éloigner de lui. Il se retourna, sourit à Andersen, puis continua son chemin jusqu'à la tombe de Shelley adossée au fond du cimetière, où le chant des oiseaux vibrait avec le plus d'intensité.

À présent que le silence entre eux avait été rétabli, il sentit que la tristesse qu'il venait d'évoquer n'était rien comparée à l'accomplissement des esprits qui les entouraient. Ici, dans ce cimetière, et pendant qu'ils reprenaient une fois de plus leur flânerie, l'état de non-conscience et de non-sensibilité qui était le propre des morts lui parut plus proche du bonheur qu'il ne l'avait jamais cru possible.

Andersen devait penser que cette manière de s'attarder devant certaines tombes plutôt que d'autres, à l'exception de celle du poète Shelley, était tout à fait aléatoire. Il parut désorienté quand Henry se mit résolument en marche, alors qu'aucun chemin direct n'y conduisait, vers la tombe de Constance Fenimore Woolson, dont le nom, pensa-t-il, n'évoquerait sûrement rien à Andersen. Cette tombe avait été sa destination finale à chacune de ses visites ; à présent il regrettait presque d'être revenu, sachant qu'il serait obligé de dire quelque chose à son sujet et de s'assurer que ses paroles seraient bien comprises. Il fut soulagé quand l'attention d'Andersen fut attirée par l'ange de pierre qui surmontait la tombe de William Westmore Story et qui avait été sculpté par Story lui-même. Andersen s'approcha, toucha les ailes blanches et le visage de l'ange, puis recula pour contempler l'ensemble avec une expression soudain durcie par la concentration. Pendant que son ami faisait le tour de l'ange une deuxième fois, Henry se tourna vers la tombe de John Addington Symonds, sur sa droite. Comme à chaque visite, il pensa que les Westmore Story, les Symonds et Constance avaient aimé l'Italie, qu'ils avaient au moins cela en commun : le fait d'avoir vécu dans des lieux de grande beauté en croyant que la lumière, les paysages et les nobles maisons valaient bien toutes les années d'exil et la perte de leur pays natal. Constance, pensa-t-il, acceptait sans doute de fréquenter les autres, mais pas trop souvent ; la richesse, l'ambition sociale et l'art sans énergie des Westmore Story devaient l'ennuyer au moins autant que les obsessions sexuelles et la prose héroïque de Symonds. La pierre qui portait simplement le nom de Constance était un modèle de sobriété et de bon goût comparé à la tombe tarabiscotée des Story. Le soir, pensa-t-il avec un sourire intérieur, elle préférait sans doute rester seule. Son Amérique à elle n'était pas la leur, son Italie à elle était plus modeste et son art plus ambitieux. Mais elle aurait su les décrire dans un livre.

Il leva les yeux et vit qu'Andersen l'observait.

— Constance était une amie chère, dit-il. Je connaissais les Story bien sûr, et j'étais en contact avec le pauvre Symonds, mais Constance était une grande amie.

Andersen baissa les yeux vers la tablette et dut voir que Constance faisait partie des morts récents, car il faillit parler, mais se ravisa. Henry comprit qu'il n'aurait pas dû emmener quelqu'un qu'il connaissait si peu dans un endroit aussi intime. Plus encore, il sentit qu'il n'aurait pas dû parler du tout en cet instant, parce que le fait de prononcer à haute voix le nom de Constance lui avait fait venir les larmes aux yeux. Il se détourna pour tenter de se ressaisir, mais au même moment il se découvrit soudain embrassé par le sculpteur, ses épaules enveloppées par la poitrine d'Andersen, les mains d'Andersen posées sur les siennes, les maintenant avec fermeté. Il fut surpris par la force d'Andersen, par la taille de ses mains. Il vérifia immédiatement que personne n'était en vue avant d'autoriser l'étreinte à se poursuivre, éprouvant la présence fugitive du corps chaud et dur de l'autre homme avec le désir désespéré que cela continue, encore et encore, tout en sachant que cette étreinte était tout le réconfort qu'il recevrait jamais. Il retint son souffle le plus longtemps qu'il put, les yeux fermés, et ensuite Andersen le lâcha et ils retournèrent en silence vers l'entrée du cimetière.

Dans la voiture, en route vers l'atelier du sculpteur dans la via Margutta, il se demanda comment il pourrait décrire à Andersen la manière dont il avait vécu. En tant qu'artiste, Andersen pouvait peut-être comprendre ou imaginer que chaque livre qu'il avait écrit, chaque scène, chaque personnage était devenu un aspect de lui, avait pénétré son esprit ambitieux et compulsif, et s'y trouvait entreposé à la manière des années elles-mêmes. Sa relation avec

Constance serait difficile à expliquer ; Andersen était peut-être trop jeune pour savoir à quel point le souvenir se mélange aux regrets, et quelle quantité de chagrin on est capable de retenir à l'intérieur de soi ; que rien ne semble avoir de forme ou de sens jusqu'à être passé et perdu, et que même alors, il est possible de tout oublier, de tout écarter par la pure force de la détermination, pour le voir revenir, la nuit, sous la forme d'une douleur perçante.

Andersen proposa qu'ils commencent par déjeuner dans le petit restaurant situé au rez-de-chaussée du bâtiment où il avait son atelier. Dès son entrée dans le local, où il fut accueilli familièrement par le propriétaire et sa femme, Andersen se transforma en quelqu'un de bavard et d'animé. Henry fut surpris de découvrir tout ce que le sculpteur savait sur lui, mais plus encore par la liberté avec laquelle il lui restituait maintenant ces informations. Il s'étonna aussi de la décontraction d'Andersen quand il évoqua ensuite son propre talent, allant jusqu'à citer de mémoire les commentaires de certains admirateurs.

Il l'écouta pendant qu'on leur servait leur déjeuner et que le visage du sculpteur se métamorphosait au moins autant que sa personnalité. Ses yeux avaient perdu leur douceur et leur compassion ; son expression était concentrée. Chacune de ses remarques était immédiatement assortie d'un torrent d'explications et de réfutations. Henry crut comprendre que son silence antérieur était le fait d'une énorme retenue qui lâchait à présent. Dans la lumière chiche du restaurant, il prit un immense plaisir à regarder ce jeune visage à l'animation intense, impatient, ambitieux, avide et brut.

Henry avait imaginé que l'art d'Andersen serait minutieux, ciselé, d'une finesse exquise ; mais en voyant le sculpteur se lever de table, les joues en feu, il pensa soudain qu'il pourrait aussi bien se distinguer par un manque de discipline. Il ne savait absolument rien de lui. Les Story et les Elliott avaient beau inclure Andersen parmi leurs invités habituels, ils n'avaient glissé à Henry aucune information à son sujet. En montant vers l'atelier, Henry se rappela son premier séjour à Rome, quand il avait rendu visite à tant d'artistes qui avaient par la suite réussi ou périclité. Voilà qu'il y était de nouveau, après toutes ces années, conduit par un jeune sculpteur à l'innocence protéiforme, si hésitant par certains côtés et si excessif par d'autres, plein de contrastes et de mystère. Il regarda Andersen gravir les marches devant lui, sa forte main blanche enserrant la rampe, la merveilleuse agilité de ses mouvements, et il rêva de rester à Rome un peu plus longtemps que prévu pour venir tous les jours rendre visite à son nouvel ami.

Il régnait dans le vaste atelier une sensation de travail frénétique, en grande partie inachevé, dû à un artiste amoureux de la tradition classique, du corps classique, et dont la finalité était l'exhibition publique triomphale. Il se demanda s'il avait sous les yeux une ébauche pleine de bruit et de fureur, de disproportion rhétorique, que le sculpteur se chargerait ensuite de raffiner, avec un œil subtil et attentif aux détails. Tout en déambulant dans l'atelier pour observer les pièces, il exprima l'opinion que son ami avait beaucoup de talent, et s'ébahit aussi à haute voix de la quantité de corps et de bustes. Intérieurement, il se demandait si Andersen avait l'intention de travailler les visages, ou s'il choisirait de les laisser ainsi, dans cet état de vacuité apaisante. Il fut conduit jusqu'à l'œuvre qui paraissait la plus aboutie : un homme et une femme nus, se tenant par la main. Il s'émerveilla ouvertement de son caractère ambitieux, pendant qu'Andersen posait fièrement à côté de sa sculpture comme s'il allait être pris en photo.

Henry apprit beaucoup de choses ce jour-là sur Hendrik Andersen. Certaines informations le surprirent, en particulier celle que la famille Andersen, à son arrivée en Amérique, s'était installée à Newport dans une maison située à quelques rues seulement de celle où avaient vécu les

James, et que le sculpteur considérait encore Newport comme son foyer américain. Quand Andersen évoqua son frère aîné et la difficulté d'être le cadet, Henry put dire que lui aussi avait passé sa jeunesse dans l'ombre de son frère William. Andersen paraissait au courant, car il formula l'hypothèse que c'était peut-être cela qui les avait rapprochés, Henry et lui. Il lui posa ensuite beaucoup de questions sur ses rapports avec William et les compara, avant même que Henry en eût fini, à sa propre expérience avec son frère Andreas. La suite de la conversation révéla qu'Andersen en savait long sur la famille James. Il dit ainsi que son père à lui avait le même penchant pour l'alcool que le père de Henry dans sa jeunesse – chose qui n'avait jamais été évoquée dans la famille James mais qui avait dû être claironnée assez haut à Newport pour atteindre les oreilles de Hendrik Andersen.

— Nous sommes frères, dit Hendrik en riant, parce que nous avons tous les deux un père ivrogne et un frère aîné.

Henry l'observait avec intérêt, la couleur de ses joues, son bavardage nerveux, sa façon de sauter d'un sujet à un autre sans prêter attention à la réponse ou à l'absence de réponse de son interlocuteur. Quand Henry voulut prendre congé, il lui demanda de rester encore. Il insista jusqu'à ce que Henry accepte une promenade dans la vieille ville, peut-être suivie par des rafraîchissements. Avant leur départ, Andersen lui fit faire encore un tour de l'atelier. Henry se demanda s'il était possible qu'Andersen n'eût réellement aucun désir de créer une ressemblance singulière, individuelle. Les corps de marbre et de pierre avaient une forte présence charnelle ; fesses, ventres et hanches génériques étaient sculptés avec une assurance et un zèle considérables. Il exprima une fois de plus son admiration et son espoir de revenir à l'atelier pour contempler les pièces achevées.

Il rencontrait Hendrik Andersen presque quotidiennement, seul ou en compagnie d'autres personnes ; plus il
apprenait de choses sur lui, sur son passé et son tempérament, plus il était frappé par la ressemblance entre le sculpteur et le héros éponyme de son roman *Roderick Hudson*,
publié plus de vingt ans auparavant. Alors que la colonie
américaine de Rome ne voyait en lui que l'auteur de *Daisy
Miller*, ses plus sérieux représentants, parmi lesquels Maud
Elliott et son mari, avaient aussi lu *Un portrait de femme*.
Ils connaissaient la différence entre la première œuvre –
une nouvelle légère de ton et d'effet, destinée à séduire un
large public – et la seconde, plus subtile et plus audacieuse
dans sa construction et son matériau. Mais à sa connaissance, personne n'avait lu *Roderick Hudson*, qui mettait
pourtant en scène un sculpteur américain à Rome, un jeune
sculpteur sans le sou qui possédait tout le talent et l'indiscrétion d'Andersen, sa nature passionnée et impétueuse.
Hudson et Andersen ne laissaient personne dans l'incertitude quant à leurs ambitions et à leurs rêves. Tous deux
étaient adorés par une mère inquiète restée en Amérique ;
tous deux, une fois installés à Rome, étaient surveillés par
un homme plus âgé, un visiteur solitaire qui appréciait la
beauté, qui s'intéressait à la conduite humaine et qui gardait la passion à distance avec la plus grande fermeté. En
fréquentant Andersen et en essayant de le comprendre,
Henry avait la sensation d'être face à un de ses propres
personnages qui aurait soudain pris vie pour l'intriguer, le
désorienter et monopoliser son affection, l'obligeant à sus-
pendre tout jugement, refusant de façon subtile de lui
accorder le contrôle de ce qui pourrait se passer. Comme
Roderick Hudson, Andersen avait été pris en main par des
gens riches qui croyaient en lui ; cela lui avait permis de
ne pas compromettre son art et de ne pas flirter avec le
commerce. Son travail se présentait comme une série de
grands gestes énergiques, à l'échelle de ses rêves. Les pro-
cédés lents, sournois, qui servaient à l'élaboration d'un

roman – construire des personnages et une intrigue à travers l'action, la description et la suggestion – n'avaient aucun intérêt pour lui, pas plus que lui-même ne cherchait, par l'observation attentive et l'effort calme, à sculpter un visage vivant.

Poète, il aurait écrit des épopées homériques ; sculpteur, il entretenait Henry de ses projets, qui étaient toujours de nature monumentale.

Henry, ayant prolongé la durée de son séjour, l'écoutait la plupart du temps avec intérêt ; quand il était seul, il parvenait à équilibrer dans ses pensées le charme d'Andersen et ses défaillances d'une manière qui donnait un relief agréable à ces heures de solitude. Il s'interrogeait sur l'avenir d'Andersen. En se faisant fort, comme son personnage de Mallet dans *Roderick Hudson*, de le conseiller, de l'aider, de prendre la mesure de qui il était et de ce qu'il pouvait devenir, il espérait déguiser des désirs qui ne lui inspiraient pas beaucoup d'aise ni d'équanimité.

Le fait d'avoir publié certains livres que personne de son entourage actuel n'avait lus, ou auxquels personne ne pensait devoir faire allusion, ajoutait à son sentiment d'appartenir à l'Histoire, tout comme Andersen et ses amis appartenaient à l'avenir. Ce fut ce sentiment qui le poussa enfin à se préparer à rentrer, le cœur lourd ; mais dès qu'il eut pris ses dispositions, il ressentit une tendresse pour le sculpteur et un désir de le voir en Angleterre. Cette tendresse provenait aussi de l'impression, qui augmentait au fur et à mesure qu'il le voyait – et parfois, au cours de ces semaines, il l'avait vu deux fois par jour – que les silences du jeune homme et sa conversation intense semblaient surgir d'un besoin désespéré d'approbation et d'une solitude que la création d'œuvres monumentales ne pouvait en rien assouvir ou apaiser. Il savait aussi que son intérêt pour Andersen, sa manière de l'écouter et de l'observer comptaient beaucoup pour celui-ci, mais qu'Andersen en retour l'avait à peine regardé, ayant apparemment choisi ne pas le considérer comme quelqu'un nécessitant de l'attention. Il n'avait jamais, par exemple, fait allusion à la scène dans le cimetière protestant et il lui semblait aller de soi que la solitude du romancier était un aspect essentiel de son art. L'avait captivé chez Henry l'intérêt que celui-ci lui portait ; il s'était ouvert à l'examen attentif de l'autre homme, comme une église ouvre ses portes pour la prière. Il était à la fois désorienté et fasciné par sa propre personne. Son talent prodigieux et ses ambitions grandioses, ses origines, ses craintes et ses tribulations quotidiennes surgissaient comme autant de sujets de conversation innocents, non protégés, indisciplinés et charmants. Il parlait, mais il n'écoutait pas ; il se taisait, nota Henry, car il connaissait l'effet de son silence sur ses interlocuteurs. Et il était profondément, instinctivement conscient de la manière dont ces altérations imprévues – la douceur que pouvait prendre son regard par exemple ou, en d'autres circonstances, l'exhibition de sa puissance et de sa stature – attiraient les gens vers lui, comme elles attiraient en ce moment Henry. Mais après les avoir attirés, Andersen ne savait plus quoi faire d'eux, sinon qu'il ne voulait pas les perdre. Il exigeait leur attention, leur révérence, peut-être leur amour, et quand il était certain de posséder tout cela, il leur témoignait une douce indifférence.

Dès qu'il était question d'atteindre la gloire en tant que sculpteur, en revanche, on aurait cru un animal affamé en quête de nourriture ; il devenait impitoyable, et rien ne lui importait plus que le terrain de chasse chaotique de son atelier, où il travaillait d'arrache-pied à ses énormes statues pour les mettre en valeur, faire doucement ressortir leurs hanches, leurs aines ou leur torse, sans jamais leur permettre d'acquérir un visage, n'ayant aucun intérêt, absolument aucun, pour ce qu'un visage était susceptible de dissimuler ou de révéler. Son propre visage présentait la plupart du temps une passivité merveilleuse, une pure beauté neutre qui rendait d'autant plus intense l'intérêt que prenait Henry à le contempler et à s'attarder en sa compagnie, et qui transformait ses efforts pour se remémorer ce visage, une fois seul et séparé d'Andersen, en une entreprise d'autant plus passionnante, exaspérante et indéfinie.

Tout en se préparant à quitter la ville, il se demanda s'il n'avait pas trop insisté sur l'ennui provincial de sa vie à Lamb House. Andersen avait hoché la tête en signe d'assentiment quand il lui avait expliqué le besoin qu'il avait de cette existence et son désir d'y revenir, mais Andersen, il le savait, n'avait pas quitté Newport en quête d'ennui provincial. Il était activement admiré, à Rome, d'une manière qui n'aurait guère fait partie du quotidien à Newport ou à Rye. C'était là, pour Henry, le défi qui attendait le sculpteur dans les années à venir – la possibilité de l'échec, de l'oubli et de la solitude. La manière dont Andersen était susceptible de réagir à ce défi occupait beaucoup l'esprit de Henry. Il imaginait le visage concentré du jeune homme penché sur son travail, il lui imaginait un regard plus intérieur, une conversation plus hésitante et subtile, des sculptures à échelle réduite, complexes et délicates, travaillées avec plus de patience et d'inquiétude. Et pendant les années où cette transformation aurait lieu, il deviendrait peu à peu indifférent à Andersen de savoir qui l'admirait et à quel endroit il vivait.

Quelques jours avant son départ, les Elliott donnèrent une réception qui rassemblait une vingtaine d'amis et connaissances de Henry. Il fut attentif à arriver seul, à repartir de même, et à prendre part entre-temps à la discussion générale tout en gardant un œil distant sur Andersen. Il finit par trouver l'occasion d'un tête-à-tête avec lui, mais ils furent interrompus par l'arrivée de Maud Elliott, qui commença à insinuer des choses sur leur amitié. Elle était, pensa-t-il, issue d'une lignée douée pour l'insinuation. Sa mère, sa tante et son oncle le romancier parvenaient en règle générale à rompre le silence sur n'importe quel sujet, et rares étaient celles de leurs pensées qui n'avaient jamais été exprimées d'une manière ou d'une autre. Le sourcil haussé et la remarque à double sens étaient un trait de famille, songea-t-il encore pendant que Maud Elliott poussait Andersen à la fuite en lui demandant s'il avait jamais eu de sa vie un ami aussi attentif que Mr James. Puis, ayant acculé Henry, elle lui fit comprendre sans détour qu'il était à elle le temps qu'elle en finisse avec lui.

— Je suis sûre que sa mère voudrait le voir rentrer à Newport. Je le *sais*, plus exactement, mais nous, nous avons l'intention de le garder ici. Tout le monde se l'arrache. C'est ça qui est si charmant chez lui. Je crois savoir que vous lui avez rendu visite tous les jours dans son atelier.

— Oui, dit Henry, j'admire beaucoup son énergie.

— Et ce que nous pourrions appeler son génie, peut-être ? Vous avez dû entendre parler de lui avant de venir à Rome. Je crois sa réputation déjà bien établie.

— Non, je l'ai rencontré chez vous.

— Mais vous aviez sûrement entendu parler de lui ? Lui, en tout cas, avait entendu parler de vous.

— Non, je n'avais pas entendu parler de lui.

— Oh, je pensais que vous auriez entendu parler de lui par Lord Gower qui est passé à Rome et qui a beaucoup admiré votre ami.

— J'ignore qui est Lord Gower, répliqua Henry.

— Eh bien, disons que c'est un auteur aux talents variés et un collectionneur enthousiaste. Si enthousiaste, en réalité, qu'il a adoré notre jeune sculpteur, qu'il l'a vu chaque jour et qu'il aurait voulu le garder pour lui seul.

Sa voix n'était plus qu'un murmure confidentiel.

— On prétend qu'il souhaitait l'adopter et en faire son héritier. Il est excessivement riche. Mais Andersen n'a pas voulu de lui, ou disons qu'il n'a pas voulu être adopté, ou les deux ensemble ; il n'héritera donc pas la fortune de

Lord Gower. Peut-être attend-il une offre plus avanta-
geuse. Il n'a pas un sou à lui. Comme une de vos héroïnes,
le fait d'avoir repoussé un lord contribue peut-être à sa
valeur. Mais je crois qu'à la fin, s'il ne fait pas attention,
nous serons contraints de le comparer à Daisy Miller. Il
joue beaucoup de sa séduction, n'est-ce pas ? Quoi qu'il
en soit, je ne l'imagine pas retournant vivre en Nouvelle-
Angleterre.

— Aller passer un moment là-bas nous ferait peut-être
à tous le plus grand bien, répondit Henry en souriant.

— Mr Andersen affirme, poursuivit Maud Elliott, que
vous l'avez invité à Rye.

— Dans la mesure où vous avez été si gentille, je
devrais peut-être vous adresser la même invitation.

Le lendemain en arrivant à l'atelier d'Andersen, il découvrit une nouvelle œuvre en cours, une série de nus enguir-
landés, hommes et femmes, qui représentaient le printemps.
Andersen était au comble du bonheur, convaincu que cette
pièce trouverait rapidement un commanditaire et en pleine
forme après la dépense physique de la matinée. En se promenant dans l'atelier, Henry remarqua un buste de petite
taille qu'il n'avait pas aperçu auparavant, d'une nature plus
placide, plus modeste que les œuvres qui l'entouraient.
C'était, lui expliqua Andersen, un buste du jeune comte
Bevilacqua, pour lequel il avait reçu beaucoup de compliments. Henry voyait bien le côté maladroit et inachevé du
travail, mais aussi – peut-être à cause de sa taille et de la
qualité de la pierre – qu'on aurait pu le prendre pour une
pièce archéologique découverte sous les pavés romains. Il
eut aussitôt le désir de l'emporter avec lui, comme un souvenir de ces semaines passées ensemble, et d'en proposer
un prix non négligeable à son nouvel ami. Quand Andersen
comprit que, non content de l'admirer, Henry avait l'intention de l'acheter, il s'anima d'ambition et d'orgueil. Le fait
de vendre son travail, de poser son empreinte sur le monde

avait manifestement plus de valeur pour lui que n'importe quelle amitié. Il se mit à gambader dans l'atelier et, une fois le prix fixé, embrassa chaleureusement Henry avec une affection intense. Il promit de venir en Angleterre dès qu'il le pourrait. Il parla de la manière dont la sculpture serait emballée, et de la date possible de son arrivée en Angleterre. Henry remarqua avant tout sa totale incapacité à masquer son ravissement.

Ils dînèrent ensemble ce soir-là dans le restaurant d'Andersen, afin de fêter l'achat de la sculpture. Andersen s'était habillé pour l'occasion, et dès qu'ils furent assis et qu'une bougie eut été allumée à leur table, il adopta un ton entièrement neuf. D'un air concentré il entreprit d'interroger Henry sur son mode de vie, sur les raisons de sa présence en Angleterre, sur le fait qu'il voyageait de moins en moins, et il écouta attentivement les réponses. Henry était presque amusé par son sérieux et par l'énergie enfantine qu'il mettait dans ses questions, la même qui avait habité auparavant ses silences et ses monologues. Ce fut seulement quand Andersen essaya de lui soutirer des informations sur son père et sa mère que Henry cessa d'être amusé et qu'il ramena la conversation sur un terrain plus neutre. Quand le sculpteur commença à dire du mal de son propre père, après une légère provocation de la part de Henry, celui-ci fut presque satisfait, bien que le ton lui parût un peu trop personnel et le jeune homme trop hérissé, trop facilement disposé à évoquer des sujets qui restaient à ses yeux profondément intimes. En sortant du restaurant, il fut heureux qu'Andersen lui propose de le raccompagner jusqu'à son hôtel, en profitant de la tiédeur de la nuit et de la beauté des rues de la vieille ville. C'était leur dernière soirée en tête à tête, tous deux ayant accepté d'assister le lendemain à une grande réception chez les Story pour le dernier soir de Henry à Rome.

Il songea soudain avec étonnement que lui-même n'avait guère changé au cours des vingt-cinq ou trente ans écoulés depuis qu'il avait flâné ainsi le soir dans les rues de Rome. Il n'avait jamais évoqué ses parents ou ses ambitions avec quiconque ; sa conversation, pendant toutes ces années, était restée équilibrée et contrôlée avec finesse ; à l'époque déjà, il abordait son travail de façon cohérente et attentive. Andersen n'était pas ainsi ; il lui apparaissait soudain que son compagnon ne changerait pas plus que lui. Il resterait toute sa vie innocent et déroutant, charmant et ouvert. Quand le silence s'installa entre eux, Henry éprouva le désir de se tourner vers son ami et de lui dire qu'il devait prendre à la vie tout ce qu'elle serait prête à lui offrir, qu'il était jeune encore, qu'il devrait tout désirer et vivre de toutes ses forces. Alors qu'ils approchaient de la place d'Espagne, il fut tenté de lui montrer la fenêtre de la chambre où était mort le poète Keats, mais il savait que cette évocation de la mort et de la souffrance aurait pour seul effet de rompre le charme. Quand Andersen, à la porte de l'hôtel, recula après l'avoir embrassé, il ne put s'empêcher de le dévisager intensément pour fixer son sourire dans sa mémoire, en sachant combien il en aurait besoin quand il serait de retour en Angleterre.

En arrivant à Rye, où il fut accueilli par un Burgess Noakes souriant flanqué de sa brouette, il essaya de voir la ville avec les yeux d'Andersen. Elle lui paraîtrait toute petite, sûrement, toute décolorée. Les pièces de Lamb House ressemblaient à des corridors ou à des antichambres comparées aux salons des appartements romains, et même le jardin, qu'il avait si fièrement décrit à son nouvel ami, avait un aspect confiné, réduit. Burgess défit ses bagages pendant que Henry reprenait possession de sa maison en se demandant de quoi elle aurait l'air aux yeux de Hendrik Andersen.

Il ne lui écrivit pas, bien qu'il composât en pensée de nombreuses lettres où il lui expliquait combien il restait présent dans ses pensées, et combien satisfaisant, maintenant qu'il était réinstallé et que le beau temps était revenu, lui apparaissait l'après-midi anglais et combien magnifique, maintenant qu'il s'était réhabitué à ses proportions, son jardin fermé. Il savait que rien de tout cela n'était susceptible d'intéresser beaucoup Andersen, mais il peinait à trouver un ton et un sujet qui soient à la fois chaleureux et sobres.

Après l'arrivée du buste cependant, une fois que celui-ci eut été déballé et qu'on lui eut construit un socle idéal dans la niche de la cheminée de la salle à manger, il put enfin écrire à Andersen pour exprimer son ravissement et faire l'éloge du charme de la sculpture, en sachant que ces compliments feraient plaisir à son ami – il avait l'impression, pendant qu'il lui écrivait, de voir Andersen lisant sa lettre. Henry lui-même était content de lui parler de son buste, de lui raconter à distance comment il l'avait déballé, soulevé, mis à nu, et qu'il l'avait maintenant sans cesse sous les yeux comme un compagnon admirable et bien-aimé ; dire à Andersen que sa sculpture était vivante, humaine, sympathique, sociable et ajouter qu'il y serait attaché toute sa vie était plus facile que dire à Andersen qu'il accompagnait tout le jour ses pensées ; qu'il lui arrivait parfois de s'interrompre dans son travail pour se demander quelle était la cause de cet étrange sentiment de bonheur ou d'anticipation heureuse qui le saisissait à l'improviste, et de s'apercevoir que c'était le souvenir rayonnant du temps passé à Rome et l'espoir qu'Andersen viendrait lui rendre visite à Rye.

Andersen lui répondit peu de temps après. De son écriture maladroite, avec son orthographe approximative, il annonça qu'il avait en effet l'intention de venir. Malgré la brièveté de la lettre et son style rudimentaire, Henry reconnut la voix pressée, indisciplinée, sérieuse, nerveuse, sincère de son ami. Il s'aperçut qu'il avait serré la lettre contre lui et qu'il ne voulait plus s'en séparer ; il se força à la ranger. Mais il ne put s'empêcher de regarder son jardin à la dérobée en carrant la grande silhouette d'Andersen dans un fauteuil, sous le vieux mûrier tentaculaire, et en les imaginant installés tous les deux dans la lumière langoureuse. Dans la salle à manger où il dînait seul, il plaçait Andersen face à lui et leur permettait de s'attarder ensemble avec un dernier verre de vin avant de monter au salon. Peu importe si la conversation d'Andersen était éparpillée ou fanfaronne. Il voulait qu'il vienne avant la fin de l'été, pour partager avec lui les longues soirées claires, pour éloigner toute autre compagnie et profiter seul de son ami, et pour donner à Andersen l'occasion de voir la vie à une échelle réduite.

Il serait facile, pensa-t-il, de rénover le petit atelier qui faisait partie de sa propriété et qui donnait sur Watchbell Street. En écrivant à Andersen pour convenir de la date de son arrivée, il imagina que le jeune homme, voyant combien Henry travaillait bien dans le pavillon pendant les mois d'été, découvrait que l'atelier pourrait convenir à ses propres travaux pendant une partie de l'année. Il en dénicha une clé et alla inspecter les lieux ; il lui parut possible, moyennant une étroite collaboration entre Andersen et l'architecte Warren, de le transformer en un lieu de travail modeste et élégant pour un sculpteur. Il imaginait son propre bonheur solitaire à s'atteler à la création en sachant que non loin de là, Andersen travaillait la pierre. Il n'ignorait pas qu'il se laissait emporter et que cette image de leur industrie conjointe appartenait au domaine de l'improbable, mais cette vision lui permettait de vivre ses jours avec une certaine douceur et de former plus facilement d'autres projets.

À l'approche de l'échéance, et bien qu'Andersen eût prévu qu'il ne resterait que trois jours, de passage entre Rome et New York, Henry s'aperçut qu'il redoutait au moins autant que son départ le moment où il l'accueillerait à la descente du train, tout en se demandant comment le distraire au mieux pendant son séjour à Rye. Voilà ce que ressentaient les autres, pensa-t-il ; voilà ce qu'avait dû ressentir son père dans la période suivant sa rencontre avec sa mère, ou encore William lorsqu'il attendait qu'Alice devienne sa femme. Il se demanda si cet état de confusion ensorcelée le touchait plus profondément en raison de son âge, de la brièveté du séjour d'Andersen et du caractère impossible de ses divagations. En se promenant dans Rye ou en parcourant la campagne estivale à bicyclette, il observait des personnes au hasard en se demandant si elles avaient jamais fait l'expérience de cette tendre expectative, de ce resserrement voluptueux du moi dans l'attente de l'arrivée d'un autre.

La décision d'Andersen de rester si peu de temps était non seulement un coup dur au regard de ses rêveries, mais une répétition, dans une version plus intense, du sentiment de fatalité qui accompagnait chez lui le désir et l'attachement. Comme pour conjurer la douleur que lui apporterait une déception renouvelée, il repensa à l'épisode avec Paul Joukovsky à Paris, vieux de plus de vingt ans. Cette nuit lui était revenue très souvent, dans tous ses détails. Elle continuait à vivre en lui, avec son caractère dramatique et irrémédiable. Il se revoyait tournant dans les rues brumeuses, persuadé qu'il s'en irait bientôt, qu'il s'éloignerait de ce quartier pour retrouver le triste sanctuaire de son appartement. Pourtant il s'était approché, de plus en plus près. Il s'était tenu sur le trottoir pendant que la nuit tombait et que la brume se transformait en pluie ; le simple fait d'y penser maintenant le remplissait de peur, mais aussi d'excitation à l'idée de ce qui aurait pu se produire. Il avait attendu, il avait levé les yeux vers le carré de lumière qui composait la fenêtre de Paul, en se retenant désespérément de traverser la rue et de signaler sa présence. Pendant des heures, il avait prolongé sa veillée silencieuse qui s'était achevée en défaite. Pendant des années, elle était revenue le tourmenter à l'improviste, comme elle le tourmentait à présent.

Burgess Noakes, à cette époque, était déjà bien accoutumé aux visiteurs, surtout pendant les mois d'été. Et le reste du personnel, depuis le départ des Smith, se tenait prêt en permanence à recevoir le modeste défilé de parents et de vieux amis qui se présentaient à Lamb House. Burgess Noakes n'était pas curieux par nature ; il acceptait les événements comme ils venaient. Mais avant l'arrivée de Hendrik Andersen, il prit l'habitude d'arriver devant Henry, l'air embarrassé et cherchant ses mots, pour l'interroger sur les habitudes et les préférences de Mr Andersen.

Le jour où il devait accueillir le jeune homme à la gare, Henry vit Burgess Noakes rôder autour de la salle où il prenait son petit déjeuner et plus tard devant la porte de son bureau. Il nota aussi que Noakes s'était habillé avec soin, qu'il s'était fait couper les cheveux et que ses gestes étaient plus vifs que d'habitude. Il sourit à l'idée que ses rêves, ses espoirs vagues et inquiets s'étaient incarnés de façon palpable dans la maisonnée. À dix-neuf heures, il trouva Noakes au garde-à-vous devant la porte, sa brouette à côté de lui comme un canon prêt à tirer.

Andersen commença à parler avant même sa descente du train. Il tint à lui montrer plusieurs personnes avec lesquelles il avait partagé son compartiment et quand le train repartit, il agita longuement la main dans leur direction. Burgess Noakes, après avoir pris le contrôle des bagages d'Andersen et les avoir empilés sur la brouette, ne quittait plus Henry du regard, l'examinant d'un air placide sans accorder la moindre attention au visiteur. Une fois de retour à Lamb House, il l'évita comme s'il craignait d'être mordu.

Andersen fit le tour de la maison en jetant sur ce qu'il voyait un regard indifférent, comme si tout cela lui était familier. Même le buste du comte Bevilacqua dans la salle à manger n'eut droit qu'à une inspection superficielle. Le voyage semblait l'avoir déstabilisé ; il ne voulait ni se

retirer dans sa chambre, ni se changer, ni prendre un rafraî-
chissement, ni s'asseoir au jardin, ni s'asseoir où que ce
soit. On aurait cru qu'il venait d'être relié au réseau électrique et que tous ses voyants s'allumaient en même temps.
Il n'était que bourdonnements et lumières clignotantes,
pendant qu'il entretenait Henry de son travail, des personnes qu'il avait l'intention de voir à New York pour son
travail, de ce que ces personnes pourraient lui dire concernant son travail, et de ce qu'elles lui avaient déjà dit. Les
noms des galeristes, des collectionneurs et des édiles muni-
cipaux succédaient à ceux des millionnaires et des dames
de la bonne société. Paris, New York, Rome et Londres
furent mentionnées tour à tour comme des villes où l'on
professait beaucoup d'admiration pour sa personne et où
l'on attendait ses œuvres.

Henry, depuis son retour d'Italie, était plongé chaque
jour dans la contemplation attentive de plusieurs projets,
en sachant qu'au moins deux d'entre eux exigeraient un
effort considérable. Au début, ce serait aussi incertain et
aussi délicat que de souffler du verre ; il espérait discerner
un motif avant que la buée ne s'efface. Ensuite le travail
lui-même serait d'une rigueur bien supérieure à tout ce
qu'il avait pu entreprendre jusque-là. Tout en écoutant
Andersen, il éprouva une satisfaction sournoise à l'idée
qu'il connaissait, lui, la difficulté et la honte de l'échec.
Pour l'instant, il préférait se taire, dans l'espoir que son
ami se calmerait ; il s'efforça donc de ne pas l'interrompre
ou de ne pas rivaliser avec lui, et de se contenter du bonheur de le voir enfin, même si Andersen lui-même ne semblait pas encore s'apercevoir qu'il était arrivé.

Le lendemain matin, découvrant qu'Andersen n'était
pas levé, Henry prit son petit déjeuner et se dirigea vers
le pavillon pour entamer le travail de la matinée. L'Écossais ne parut pas remarquer ses hésitations, son besoin de
se faire répéter des phrases entières, pas plus qu'il ne fit

de commentaire quand Henry commença soudain à dicter aussi vite que la machine était capable de le suivre, de manière à éliminer tout ce qui aurait pu le distraire, par exemple la possibilité que son visiteur soit encore au lit, ou à ses ablutions, ou attablé devant un petit déjeuner très tardif, ou sur le point d'apparaître. Il avait déjà constaté que quand il recevait des invités, il lui était facile de disparaître vers son lieu de travail et de s'y découvrir une concentration farouche, attentive à la moindre phrase, comme pour mieux les exclure ou prendre plaisir à la pensée qu'il les verrait bientôt, ou les deux. Il travaillait avec une vigueur et un sérieux accrus, pour se prouver, semblait-il, qu'il en était capable. Il œuvra ainsi toute la matinée jusqu'au moment où il s'aperçut qu'il avait épuisé l'Écossais et qu'il aurait maintenant toutes les chances de trouver Andersen quelque part dans sa maison ou dans son jardin, en train de l'attendre.

À Rome, il avait remarqué que son compagnon s'habillait exactement comme ses amis, d'une manière qui n'était jamais trop décontractée ni trop narcissique. Cette fois, quand il se leva pour le saluer – il était au premier étage, dans un coin du salon – Henry nota tout de suite son costume noir, sa chemise blanche et son nœud papillon du même bleu clair que ses yeux. Andersen ressemblait à un homme qui avait passé une grande partie de la matinée à se préparer pour cette entrevue.

Au cours du déjeuner, il devint de plus en plus évident qu'il allait pleuvoir et que toute excursion à pied ou à bicyclette était provisoirement exclue. L'espace d'un instant, Henry se demanda ce que faisait Andersen quand il pleuvait à Rome ; puis il se rappela que les jours de pluie étaient rares, et que, quel que fût le temps, Andersen travaillait dans son atelier. Quand Henry évoqua les jours de pluie à Newport, Andersen parla tout de suite du souvenir affreux qu'il en avait, de la sensation d'être pris au piège dans une maison trop petite, de passer sa journée à guetter le ciel pour voir s'il allait s'éclaircir jusqu'au moment où on comprenait que non et que, d'ailleurs, la nuit n'allait pas tarder à tomber. Aujourd'hui encore, dit-il, ce souvenir le faisait frémir. Il rit.

Alors qu'ils finissaient de déjeuner, la pluie commença à fouetter les vitres de Lamb House, grandes claques liquides qui rendaient la salle à manger lugubre et le jardin inhospitalier. Henry vit l'humeur d'Andersen chuter de façon perceptible. Si lui-même avait été seul, il aurait passé un excellent après-midi à lire – un seul volume était capable de le transporter sans encombre jusqu'à l'heure du dîner et au-delà – mais le jeune homme, à sa connaissance, ne lisait pas et il était de tout façon inimaginable qu'il eût fait tout ce voyage pour se plonger dans un livre le temps d'un après-midi.

La veille au soir, Henry avait mentionné l'atelier vide de Watchbell Street. Andersen se déclara une fois de plus empressé de le voir, si seulement on pouvait lui dénicher un parapluie. Henry aurait aimé que l'atelier soit à quelque distance, afin que l'excursion prenne du temps et exige des préparatifs. En réalité, il n'était qu'à quelques pas de la maison, et lorsque Burgess Noakes apparut avec les parapluies, en regardant à présent Andersen comme s'il voulait faire son portrait, tous trois se dirigèrent à grands pas vers la bâtisse abandonnée, dont Henry tenait la clé à la main.

Il ne savait pas – mais il aurait dû s'en douter – que le toit du vieil atelier fuyait à deux ou trois endroits. Lorsqu'il eut ouvert la porte, tous trois s'immobilisèrent sur le seuil pendant que l'eau tombait à grosses gouttes sur le sol cimenté. La lumière était rare et démoralisante, l'endroit contenait pas mal de débris entassés dans les coins, ainsi que plusieurs vieux vélos qui, associés au bruit de la pluie, contribuaient d'une certaine manière à l'ambiance désastreuse. Aucun des trois ne semblait disposé à s'aventurer à l'intérieur et ils restèrent en silence près de la porte.

Henry avait évoqué cet endroit comme un atelier possible, particulièrement pendant les mois d'été quand la chaleur romaine était intenable, et en hiver pour entreposer du travail destiné à être montré aux galeristes londoniens. Dans son état actuel, il ressemblait à une remise humide pour vélos rouillés et Henry savait que son ami, tout occupé à ses succès futurs dans les grandes capitales du monde, possédait une imagination ambitieuse qui n'avait aucune pitié pour des endroit pareils. Même Burgess Noakes, dont le regard bondissait avec une rapidité démente du trajet d'une goutte d'eau à son employeur, et de son employeur à l'invité, semblait partie prenante d'un complot destiné à empêcher Hendrik Andersen de jamais remettre les pieds à Rye.

Henry et Andersen passèrent l'après-midi en bavardages décousus, et, quand la pluie cessa enfin, leur promenade dans le bourg et la campagne environnante eut quelque chose de décousu elle aussi. L'esprit d'Andersen était absorbé par son voyage et son projet de séjour à New York, et Henry sentait que si son ami avait pu s'éclipser pour Londres sans provoquer une rupture dramatique de leurs bonnes relations, il l'aurait fait sur-le-champ.

Alors qu'ils attendaient au salon que le dîner soit servi, Andersen recommença à parler de ses ambitions. En l'entendant dire que son vrai désir était de concevoir une métropole, Henry se surprit malgré lui à demander avec une légère exaspération s'il comptait réaliser une maquette. Andersen, tout à son exposé, ne parut pas envisager une possible intention sarcastique ou juste malicieuse, et il répliqua que non, pas du tout, il avait en tête une vraie métropole, avec des immeubles et des monuments grandioses, une ville qui inclurait le meilleur de l'architecture et de la statuaire de chaque civilisation. Ce serait une aventure d'harmonie et d'intelligence, qui permettrait à l'humanité de se rassembler symboliquement, où tous les épisodes de l'histoire culturelle seraient représentés, où les princes, les potentats, les artistes et les philosophes se réuniraient, où serait exhibé le meilleur de tous les accomplissements humains.

Pendant qu'Andersen discourait avec excitation, les derniers rayons du soleil tombèrent sur la brique ancienne du mur du jardin ; sa texture usée, sa nuance de vieux roux associée au vert des plantes grimpantes, très brillant après la pluie, offrirent à Henry leur réconfort, tandis qu'il hochait régulièrement la tête à l'intention d'Andersen. Au moment de passer dans la salle à manger, il choisit de s'accorder la place face aux portes-fenêtres, pour voir la lumière du crépuscule le céder peu à peu aux ombres sous les arbres. Son ami parlait à présent du soutien qui lui serait nécessaire pour réaliser son projet et de celui dont il bénéficiait déjà. Ce serait facile, disait-il, de continuer toute sa vie à faire des sculptures semblables à celles que Henry et d'autres avaient pu admirer ; mais lui voulait profiter de sa jeunesse pour s'embarquer dans un projet collectif qui exigerait plusieurs années et qui marquerait l'histoire de l'humanité.

— L'humanité, s'entendit répondre Henry, est une grande affaire.

— Oui, et l'humanité est faite de beaucoup de fausses divisions et de faux conflits. Ses réussites n'ont jamais encore été rassemblées en un seul lieu qui soit non pas un musée mais une ville vivante, où la beauté et l'intelligence pourraient s'épanouir.

L'esprit de Henry était encore en partie occupé par le travail du matin. Il avait découvert un personnage de fiction qui l'intéressait, un journaliste sérieux, sensible, intelligent, talentueux, à qui on soumettait un projet comparable à celui que lui avaient proposé les Story à Rome – écrire la biographie de leur père, en ayant à sa disposition tous les documents disponibles. Il avait ce matin même décrit l'arrivée de ce personnage à Lamb House, après la mort d'un écrivain très semblable à lui ; le journaliste entrait dans le bureau, celui-là même où Henry était occupé à dicter cette scène, et prenait possession des papiers et des lettres qui s'y trouvaient. Mais ce journaliste imaginaire était également aussi proche de lui qu'il pouvait se le permettre ; il s'était donc embarqué dans l'aventure consistant à mettre en scène son propre moi venant hanter l'espace qu'il quitterait à sa mort. En cet instant précis, alors qu'Andersen parlait toujours, il eut pendant une fraction de seconde la vision de ce personnage, ce journaliste, arpentant les ruelles mal éclairées de Venise, semblant fuir quelque chose ; mais il la repoussa, ne sachant pas de quelle manière il pourrait s'en servir. Personne, en lisant cette histoire, ne devinerait qu'il jouait avec des éléments vitaux, qu'il se masquait et se démasquait lui-même.

Elle aurait la forme superficielle d'un conte fantastique, mais pour lui, étant donné la manière dont il l'avait travaillée – en évoquant sa propre mort et en imaginant un personnage qui lui semblait encore plus réel maintenant que la nuit tombait – elle détenait un pouvoir étrange. Cela lui donna une idée pour la suite – mais une partie de lui frissonnait encore devant sa propre audace. Comparée à la métropole inventée par Andersen, son histoire représentait à la fois tout et rien. Dans ses détails et ses dialogues, son mouvement lent, son mystère, elle contrastait vivement avec l'abstraction, avec la grisaille et la bêtise des grands concepts. Mais elle contrastait de façon solitaire, minuscule, non protégée, à peine présente ; elle occuperait une toute petite place dans la bibliothèque monumentale d'une ville où la lecture solitaire ne figurait pas dans le rêve somptueux de son ami.

— Plus que tout, poursuivait Andersen, nous devons faire connaître l'existence de ce projet.

— Certainement.

— Je me demandais, puisque vous êtes familiarisé avec mon travail, si vous aviez songé à lui consacrer un article ?

— J'ai bien peur de n'être qu'un simple raconteur d'histoires.

— Vous avez pourtant écrit des articles dans des revues.

— Oui, mais désormais je me consacre à l'humble métier de la fiction. C'est la seule chose que je sache faire, hélas.

— Mais vous connaissez des rédacteurs en chef influents ?

— La plupart de ceux avec lesquels j'ai travaillé sont sérieusement morts ou sérieusement occupés à jouir de leur retraite.

— Mais à supposer qu'une revue soit intéressée, seriez-vous prêt à écrire quelque chose sur mon travail et mes projets ?

Henry hésita.

— Je crois pouvoir trouver à New York quelqu'un que cela intéresserait, insista Andersen.

— Peut-être devrions-nous laisser la critique d'art aux critiques d'art.

— Mais si une revue veut une description de mon travail ?

— Je ferai ce que je pourrai pour vous, dit Henry avec un sourire.

Il se leva de table. Dehors, il faisait déjà nuit.

Le lendemain après son petit déjeuner, Henry s'assit au jardin pour attendre l'arrivée de McAlpine. Le ciel était dégagé, sans un nuage ; il déplaça son fauteuil dans le coin du jardin qui recevait à cette heure les rayons du soleil. Andersen dormait sans doute encore, et il avait de toute façon prévenu qu'il souhaitait prendre son petit déjeuner dans sa chambre. Quand l'Écossais arriva, ils se dirigèrent ensemble vers le pavillon et se mirent immédiatement au travail. Henry avait relu les pages dactylographiées de la veille avant de se coucher, et il avait apporté ses corrections ; il mit moins d'une heure à dicter la fin de sa nouvelle. Pendant que la lumière poursuivait sa course à travers le jardin et que la chaleur s'installait, il en commença une autre dont la portée était encore plus réduite que la précédente, avec un effet si insignifiant, si minuscule, qu'il en devenait presque insolent. Il dictait avec son mélange habituel d'assurance et d'hésitation, s'interrompant un instant avant de s'élancer de nouveau, s'approchant de la fenêtre comme pour trouver dans le jardin le mot ou l'expression qu'il cherchait, du côté des arbustes peut-être, ou des plantes grimpantes ou des fleurs, si nombreuses à la fin de l'été, avant de se retourner d'un air décidé vers la fraîcheur du bureau avec en tête l'expression correcte, ainsi que la phrase suivante qui lui permettrait de conclure le paragraphe.

Lorsqu'ils s'assirent pour déjeuner, la journée était devenue caniculaire. Andersen portait un costume blanc, et il avait même prévu un canotier, comme s'il pensait aller faire un tour en barque. Ils discutèrent de l'emploi du temps de l'après-midi, et quand Andersen apprit qu'ils étaient tout près de la mer et qu'il était très facile de se rendre à la plage à vélo, il affirma que son plus grand désir était de se baigner et de marcher ensuite pieds nus dans le sable. Son enthousiasme était merveilleux, dans la mesure où il lui fit oublier pendant toute la durée du repas les projets destinés à lui assurer la gloire. Après le repas, chacun partit enfiler une tenue plus adaptée au cyclisme et à la natation, et ils se mirent en route, sur deux bicyclettes bien huilées choisies par Burgess Noakes dans la remise derrière la cuisine. Ils descendirent à petite vitesse la colline aux pavés ronds et empruntèrent la route de Winchelsea dans la brise fraîche, salée. Andersen, qui avait ficelé son costume de bain et sa serviette sur son porte-bagages, était d'excellente humeur. Il se mit à pédaler durement sur le plat et ensuite dans la descente à Udimore, jusqu'à la mer.

Ils laissèrent leurs bicyclettes et prirent à pied le chemin sablonneux qui serpentait à travers les dunes ; Henry nota la brume de chaleur qui diluait les contours et laissait l'horizon à peine visible. L'exercice et la proximité de la mer avaient, semblait-il, transformé l'humeur d'Andersen. Il était complètement calmé. En arrivant enfin au bord de l'eau, il s'immobilisa, le regard tourné vers le large, les yeux plissés contre la lumière ; il entoura les épaules de Henry d'un geste bref et affectueux.

— J'avais oublié tout ça, dit-il. Je ne suis pas très certain de savoir où je suis. Je pourrais nager jusqu'à Bergen, je pourrais nager jusqu'à Newport. Si mon frère était là maintenant...

Il se tut et secoua la tête, l'air incrédule.

— Si je ferme les yeux et que je revois cette étendue de plage et cette lumière, je suis en Norvège, j'ai cinq ou six ans ; mais Newport peut ressembler à ça aussi, en été. C'est l'air, la brise marine. Je pourrais être à la maison.

Ils se mirent en marche en suivant la ligne que la mer traçait sur le sable. Les vagues étaient douces et il n'y avait presque personne sur la plage. Puis, pendant que Henry regardait vers le large, Andersen enfila son costume de bain et, laissant Henry surveiller ses affaires, il se transforma en une version animée de ses propres sculptures, avec son torse blanc et lisse, ses jambes et ses bras musclés.

— Elle doit être froide, lança-t-il. Je le sens rien qu'à la voir.

Henry l'observa qui entrait dans l'eau et sautait pour éviter les vagues ; puis Andersen plongea et s'éloigna en quelques brasses puissantes. Par moments, il disparaissait sous les vagues, et se laissait ensuite porter vers le rivage en agitant la main vers Henry qui restait debout, tout habillé, à jouir de la chaleur du soleil.

Quand Andersen se fut séché et rhabillé, ils marchèrent plusieurs kilomètres sans croiser quiconque ou presque, en s'arrêtant régulièrement sans raison particulière pour scruter la mer, l'horizon ou un bateau au loin. Andersen écouta les explications de Henry sur la manière dont la terre avait regagné du terrain et transformé en bourgades de l'intérieur des villes qui étaient autrefois des ports.

— Si on était à Newport, dit Andersen, on pourrait marcher jusqu'à la jetée et regarder les bateaux décharger ou préparer la pêche de nuit.

Andersen commença alors à parler du Newport qu'il avait connu enfant en débarquant de Norvège avec ses parents, ses deux frères et sa sœur. C'est alors qu'il avait entendu parler pour la première fois des James, dit-il. Il savait dans quelle maison ils avaient vécu et que le fils était devenu écrivain parce que tout le monde le racontait. Les Andersen, dit-il, avaient tout sauf l'argent ; son frère aîné avait montré un talent précoce pour la peinture, comme lui pour la sculpture, et son frère cadet était un musicien prometteur. Les vieilles dames et les familles à demi européanisées du vieux Newport avaient foi dans le talent plus que dans l'argent, mais ça tenait au fait qu'elles en gagnaient beaucoup, ou qu'elles avaient fait un héritage suffisant pour ne jamais y penser. Les Andersen, dit-il, leur ressemblaient peut-être à l'extérieur, quand ils étaient en visite ou à l'église, mais à la maison, la réalité était qu'ils n'avaient pas d'argent, et qu'ils ne pensaient donc à rien d'autre.

— Ces gens-là nous achetaient des couleurs et des chevalets en feignant de ne pas voir nos vêtements rapiécés. Ils discutaient avec nous du grand art en fin d'après-midi, pendant que nous, nous sentions les bonnes odeurs de leur dîner qui se préparait en sachant que pour nous, en rentrant, ce serait un dîner froid ou alors un dîner affreux.

— Rome, dit Henry, a dû être un soulagement.

— Si seulement Rome avait de longues plages et de l'eau salée.

— Si seulement Newport avait le Colisée. Si seulement les Andersen avaient été riches.

— Et si seulement les frères James avaient eu des culottes rapiécées, répliqua Andersen en riant et en lui bourrant les côtes pour rire avant de lui passer le bras autour des épaules.

Ils rentrèrent en roue libre dans le crépuscule, en descendant de selle une première fois à Udimore et de nouveau à l'approche de Lamb House. Ils convinrent de se retrouver au jardin après s'être habillés pour le dîner.

En attendant l'apparition d'Andersen, Henry pensa que son jardin modeste et protégé, éclairé par la lumière oblique du couchant, paraissait plus naturel, plus proche de l'échelle du paysage qu'ils avaient traversé dans l'après-midi et aussi, étrangement, plus proche de la gamme de leurs sentiments que l'aspect exposé et les panoramas sublimes de Rome. Il serait peut-être plus facile, maintenant que la pluie avait cessé et qu'Andersen semblait avoir trouvé une sorte d'équilibre, de se détendre ensemble et de profiter l'un de l'autre.

Andersen arriva, les cheveux encore mouillés aux pointes et sa peau claire légèrement rougie par le soleil. Il sourit, s'installa confortablement, accepta un apéritif et se mit à examiner le jardin comme s'il ne l'avait jamais vu avant. Henry lui avait déjà indiqué le pavillon comme l'endroit où il travaillait pendant les mois d'été, mais il ne l'avait pas encore invité à y entrer. Il le fit à présent, et ils traversèrent la pelouse, leurs verres à la main.

— Voici donc l'endroit où se fait tout le travail, dit Andersen quand Henry eut refermé la porte derrière eux.

— Voici l'endroit où les histoires se racontent, répliqua Henry.

À gauche de la porte, il y avait un mur entier de rayonnages, et quand Andersen eut admiré la vue et fait l'éloge de la lumière, il s'en approcha pour inspecter les livres, sans s'apercevoir dans un premier temps qu'ils portaient tous le nom de son hôte. Il en choisit un ou deux au hasard, et parut prendre conscience peu à peu qu'il était face aux romans et nouvelles de Henry James dans toutes leurs éditions sur l'une et l'autre rive de l'Atlantique. Il devint alors très agité et se mit à sortir les volumes les uns après les autres pour examiner la page de titre.

— Vous avez écrit toute une bibliothèque. Je vais être obligé de tout lire.

Il se retourna vers Henry et le dévisagea.

— Avez-vous toujours su que vous écririez tous ces livres ?

— Je sais quelle sera la prochaine phrase, et souvent aussi je sais de quoi parlera la prochaine nouvelle, et je prends des notes pour des romans.

— Mais n'avez-vous rien projeté ? Ne vous êtes-vous pas dit à un moment : voilà ce que je vais faire de ma vie ?

Le temps qu'il pose la deuxième question, Henry s'était détourné vers la fenêtre sans aucune idée de la raison pour laquelle ses yeux s'étaient remplis de larmes.

Lorsqu'ils eurent bavardé un moment après dîner, Henry monta se coucher en laissant Andersen avec un recueil de nouvelles de lui ; son invité avait dit qu'il en finirait un bon nombre avant son départ de Rye le lendemain. Après un certain temps il entendit grincer les marches de l'escalier et imagina la haute silhouette d'Andersen sur le palier, son livre à la main ; il l'imagina ouvrant sa porte et entrant dans sa chambre. Puis il l'entendit ressortir et traverser le palier dans l'autre sens, en direction de la salle de bains, avant de retourner sur ses pas et de refermer la porte.

Au grincement du parquet sous les pieds d'Andersen, il crut voir son ami en train d'enlever son veston et sa cravate. Puis il y eut un silence pendant que le jeune homme s'asseyait peut-être sur le lit pour ôter ses chaussures et ses chaussettes. Henry attendit, aux aguets. Après quelque temps les grincements recommencèrent, et Henry l'imagina retirant sa chemise et restant ensuite planté torse nu au milieu de la pièce, avant d'aller chercher ses affaires de nuit. Henry se demanda ce qu'allait faire Andersen maintenant. Peut-être retirer son pantalon et son linge de corps et se mettre nu devant la glace pour voir comment le soleil avait marqué sa nuque, examiner sa musculature et contempler sans ciller le bleu de ses propres yeux, en silence.

Puis il perçut un autre grincement, comme si Andersen avait changé de position. Henry visualisait le décor, le vert sombre des rideaux et le vert clair des murs, les tapis qui couvraient le sol, le grand lit ancien que Lady Wolseley lui avait fait acheter et les lampes sur de petites tables disposées de part et d'autre, que Burgess Noakes avait dû allumer après avoir éteint, comme tous les soirs, le plafonnier. Henry était allongé sur le dos, son livre posé à côté de lui, sa propre lampe encore allumée ; fermant les yeux, il imagina son invité dans le même éclairage, nu, debout, son corps puissant, parfait, sa peau lisse et douce au toucher, faisant grincer une fois de plus les lames du plancher pendant qu'il enfilait ses vêtements de nuit après une dernière vérification dans le miroir et traversant ensuite la chambre pour aller chercher, peut-être, son livre et se mettre au lit. Le silence se fit. Henry n'entendait plus que sa propre respiration. Il attendit, immobile. Andersen devait être couché. Henry se demanda s'il était allongé dans l'obscurité ou s'il lisait encore. Il y eut un bruit léger, comme s'il s'éclaircissait la gorge, mais ce fut tout. Henry rouvrit son livre, retrouva la ligne et reprit sa lecture en se concentrant de toutes ses forces sur les mots imprimés. Il tourna la page dans le silence descendu sur Lamb House.

Au matin, sous un ciel clair, ils allèrent se promener dans le bourg pendant que Burgess Noakes préparait les bagages d'Andersen et que l'Écossais tapait au propre quelques histoires prêtes à être envoyées à des revues. Après le déjeuner – les valises attendaient dans le vestibule et le train pour Londres partait une heure plus tard –, Henry et Andersen eurent fort à faire pour empêcher les guêpes de se régaler des desserts qu'ils avaient emportés dans le jardin, sur un plateau.

Henry ne savait pas quel souvenir Andersen garderait de sa visite à Rye, ni s'il était sincère en affirmant qu'il regrettait la brièveté de son séjour et qu'il avait l'intention de revenir très bientôt et de rester cette fois plus longtemps. Il remarquait surtout chez lui une agitation intense, qui l'intéressait mais qu'il ne lui enviait pas. Il savait qu'à New York, et plus tard à Rome, Andersen continuerait d'attirer amis et admirateurs par sa beauté et son charme déconcertant. Henry éprouvait à son endroit un sentiment étrangement protecteur et possessif. Il imaginait la mère d'Andersen à Newport, l'effort qu'elle avait dû faire pour assurer à ses enfants une place dans le monde, combien ce jeune homme-ci, doué, innocent, versatile, vulnérable et certainement pas un modèle de vertu épistolaire, devait lui causer du souci et combien elle souhaitait le voir revenir à Newport, tout comme Henry aurait voulu le garder à Rye. Andersen, pensa-t-il, était prêt à tout sauf à rentrer à la maison, sous quelque forme que ce soit. L'idée de l'affrontement entre les manières et les ambitions du fils, soigneusement raffinées par son séjour romain, et les besoins, les inquiétudes et les désirs de la mère fascinait à présent Henry comme un possible drame.

Andersen, il le voyait bien, ne s'intéressait guère au drame ; il était amoureux de l'avenir. Il était ce qu'il paraissait être – un jeune homme qui attendait son train avec bonheur et impatience. Il était affectueux et reconnaissant mais, plus que tout, il était content de poursuivre son voyage.

Andersen prit la main de Henry et la retint un moment dans la sienne, puis il l'embrassa pendant qu'on hissait ses bagages dans le compartiment.

— Vous avez été tellement bon pour moi, dit-il. C'est si important que vous croyiez en moi.

Il embrassa Henry une fois de plus avant de monter dans le train, en glissant maladroitement au passage un pourboire dans la main de Burgess Noakes. Henry et Noakes restèrent debout sur le quai. Noakes se tenait immobile pendant que Henry agitait la main et que le train quittait Rye en direction de Londres.

11

Octobre 1899

Andersen, lui-même si rempli de projets, avait demandé innocemment à Henry, lors de sa dernière matinée à Rye, quels étaient ses projets à lui – s'il pensait partir en voyage bientôt, ou s'il avait une idée de ce qu'il allait écrire ensuite, ou si d'autres visiteurs occuperaient l'espace qu'il s'apprêtait à laisser vacant. Henry avait hésité avant de répondre en souriant qu'il passerait sans doute les prochains mois à travailler à des nouvelles et qu'il aurait peut-être la chance de ne pas avoir d'inspiration pour un nouveau roman avant la nouvelle année, au moins.

Une fois Andersen parti, Henry regretta de ne lui avoir pas appris qu'il attendait en effet des visiteurs, son frère William, sa belle-sœur Alice et sa nièce Peggy. Il regretta aussi de ne lui avoir pas raconté son apparition sur scène à la fin de la première de *Guy Domville*. Il avait été plus facile de lui présenter un moi assuré, en pleine possession de son orgueil. Il se demanda si cela aurait changé quelque chose si son ami était resté deux ou trois jours de plus, mais il ne le pensait pas. Les échecs passés n'intéressaient pas Andersen, qui restait fasciné par les triomphes à venir. Le jeune homme, il le savait, aurait été surpris d'apprendre qu'il avait pris part à quelque chose d'aussi désolant que le naufrage de *Guy Domville* et il fut finalement content d'avoir gardé sa carapace pendant le séjour d'Andersen à Rye.

Il était sidéré par la propension d'Andersen à attaquer son propre père, ou à discuter tranquillement de ses relations intimes et difficiles avec son frère aîné. Dans la mesure où Henry ne lui avait pas rendu la pareille en disséquant les nombreuses errances de Henry James senior ou la disposition constante de William à le blesser – convaincu comme il l'était que sa loyauté allait en premier lieu à son père et son frère – il ne pouvait reprocher à Andersen de croire qu'il n'avait rien à dire sur ces sujets.

Andersen avait fait plusieurs allusions, à Rome d'abord, puis de nouveau pendant son séjour à Rye, à la fortune de la famille James, dont il avait beaucoup entendu parler à Newport. Il était manifestement surpris par la modestie de l'hôtel de Henry à Rome et par la petitesse relative de Lamb House. Il avait cru spontanément que les efforts littéraires de Henry tenaient à son désir d'être régulièrement publié plutôt qu'à la nécessité de s'assurer un revenu. Or juste avant l'arrivée d'Andersen, la question de l'argent, jointe à la manière possessive qu'avait William de gérer les affaires de la famille et à son besoin de prodiguer ses conseils alors qu'on ne lui en demandait pas, avait été au centre des préoccupations de Henry.

Lamb House, dont le propriétaire était mort, avait été mis en vente quelque temps plus tôt par sa veuve, qui en demandait deux mille livres. Cette situation avait mis Henry dans un état voisin de l'anxiété – il fallait agir vite à moins de perdre la maison – et d'une satisfaction profonde à l'idée qu'il pourrait désormais fermer sa porte à clé sans que quiconque soit autorisé à empiéter sur son territoire. Seulement, il fallait réunir la somme très vite et Henry n'avait pas d'argent disponible. Il couvrait ses dépenses par l'écriture, et il accordait beaucoup d'attention aux paiements qu'il recevait pour ses nouvelles et ses feuilletons. Son héritage, capital et dividendes, était géré par William. Il s'agissait principalement de loyers d'immeubles dans la ville de Syracuse, État de New York, des immeubles qu'il avait vus une seule fois, qu'il espérait bien ne jamais revoir et dont William s'occupait, pour autant qu'il pût en juger, avec compétence et circonspection. En écrivant à William, son projet n'était pas d'amputer le capital ou d'hypothéquer Syracuse. Il pensait tout simplement emprunter l'argent à sa banque et le rembourser rapidement grâce à son travail.

Comme William s'apprêtait à venir en Europe, Henry lui avait écrit que son appartement de Kensington, qu'il avait sous-loué pendant un temps, était à nouveau disponible et qu'il espérait que William et sa famille en profiteraient avant de venir à Lamb House. Cette proposition était entendue comme une attention désintéressée, mais William lui fit comprendre qu'il souhaitait organiser son séjour européen à sa guise. William James et Alice iraient donc d'abord en Allemagne, où William devait prendre les eaux à Nauheim, et ensuite seulement ils viendraient en Angleterre. L'offre de l'appartement ne semblait pas l'intéresser.

Henry lui écrivit à Nauheim au sujet de son intention d'acheter Lamb House. Par la suite, il s'aperçut qu'il s'était beaucoup trop expliqué sur son désir, comme un fils prodigue s'adressant à son père ou comme un cadet dissolu à un aîné plein de sagesse.

Il n'avait demandé à William ni conseils ni argent. Rétrospectivement, il se demandait pourquoi il avait même pris la peine de lui en parler, pourquoi il n'avait pas fait une offre pour Lamb House sans consulter quiconque en dehors de son banquier. Au lieu de cela, tout à son excitation, il avait voulu décrire à son frère l'occasion unique qui s'offrait à lui, et il en subissait les conséquences. William lui avait envoyé deux lettres coup sur coup ; la première était une exhortation en règle, chargée de toute l'autorité d'un spécialiste en transactions et gestion immobilières, expert en taux d'intérêt, pratiquant l'art de la négociation avec toute la dureté, la ruse et l'habileté requises. Après avoir croisé à Nauheim quelqu'un qui avait vu la maison autrefois, et après s'être permis d'en discuter librement avec cette personne, William lui avait écrit une deuxième fois pour signifier que le prix demandé était extravagant et que Henry devait absolument prendre conseil auprès d'un ami qui s'y connaissait en affaires avant de signer quoi que ce soit.

En recevant cette deuxième missive, Henry décida de répondre sèchement à William que la situation était sous son contrôle et qu'il ne sollicitait pas de nouveaux conseils de sa part. Il lui serait d'ailleurs reconnaissant de ne pas évoquer l'achat de Lamb House au prix mentionné, ou à n'importe quel autre prix, avec quiconque, et pas davantage avec lui-même quand ils se verraient.

Il dut reprendre cette lettre plusieurs fois, en découvrant que malgré son intention de départ – qui était d'être bref et froid et d'affirmer simplement qu'il allait acquérir Lamb House pour la simple raison qu'il le désirait – il ne pouvait s'empêcher d'ajouter des explications sur sa valeur et sur le caractère raisonnable du prix demandé. Il précisa au passage qu'il n'était pas encore complètement sénile. Ayant reçu entre-temps un autre message, de sa belle-sœur cette fois, qui se proposait, avec l'approbation de William, de lui prêter de l'argent à titre personnel pour l'achat de Lamb House, il ajouta un paragraphe à sa lettre pour exposer fièrement qu'il n'avait pas besoin d'emprunter un centime, qu'il était très reconnaissant à Alice, mais que William devait comprendre, et il tenait à souligner ce point, que sa décision d'acheter la maison ne dépendait en rien de l'avis de son frère et qu'elle ne saurait être influencée par lui.

Henry précisa qu'il n'avait jamais douté du bien-fondé des acquisitions de William et qu'il ne lui avait jamais adressé de conseils impromptus à ce sujet. Il ajouta que sa joie d'acquérir la maison s'était étiolée sous les mises en garde fraternelles, mais qu'elle allait certainement refleurir. C'était une joie très rare pour lui de désirer quelque chose de la manière dont il désirait Lamb House et il concluait en exprimant l'espoir que son frère pourrait au moins comprendre cela.

Il était tard quand il mit le point final à sa lettre. Il la scella sans l'avoir relue et la déposa dans l'entrée pour qu'elle soit apportée à la poste le lendemain à la première heure. Il était persuadé qu'Alice, sa belle-sœur, avait agi par pure gentillesse et que les conseils de William étaient bien intentionnés ; mais leur besoin de le voir agir selon leurs propres critères était, pensa-t-il, si profond qu'il dépassait de loin leur conscience. Ils auraient sûrement trouvé plus facile de séjourner dans sa maison s'ils avaient pu dicter eux-mêmes les conditions de son achat.

William répondit à sa lettre en s'excusant d'avoir pris son frère à rebrousse-poil, pour reprendre ses termes, et en lui proposant derechef de l'argent provenant du fonds de Syracuse, qui pouvait être mobilisé en cas de besoin. Cela ne fit qu'ajouter au ressentiment de Henry, qui couvait depuis un certain temps à cause du refus de William d'accepter clairement l'offre de profiter de son appartement de Kensington, et aussi à cause de sa décision de passer par l'Allemagne avant de venir en Angleterre. William était tellement fier d'incarner l'homme pragmatique, le père de famille qui n'écrivait pas des romans mais donnait des conférences, l'Américain aussi simple dans ses habitudes qu'il l'était dans ses arguments, la masculinité bourrue par opposition au style efféminé de son frère ; son refus d'occuper l'appartement de Henry paraissait complètement contraire au bon sens.

Ce à quoi Henry ne réfléchit guère, tout au long de cette correspondance, fut la raison pour laquelle son frère se rendait à Nauheim. William avait beau avoir écrit que son cœur lui causait du souci – et Henry lui-même avait fait des allusions pleines de sympathie à ce sujet –, il ne lui était apparu à aucun moment que la santé de son frère pût être sérieusement en danger. Mais en l'accueillant à sa descente du train, début octobre, alors qu'il ne l'avait pas revu depuis sept ans, l'état de faiblesse de William le choqua, bien qu'il s'efforçât de masquer sa réaction.

William descendit du train avec l'air d'un homme qui aurait été tiré d'un profond sommeil. Il ne vit pas Henry ; immobile, il attendait d'être rejoint par sa femme avant de commencer à le chercher parmi la petite foule qui se pressait sur le quai. Burgess Noakes s'était déjà précipité pour récupérer ses bagages quand William aperçut enfin Henry et se mit en marche dans sa direction. Instantanément son attitude de vieil homme avait cédé la place à une animation enthousiaste. Il était très émacié, constata Henry. Quand ils se furent embrassés et qu'Alice les eut rejoints sur le quai, ils revinrent sur leurs pas pour superviser l'empilement des bagages. William insista pour porter une des valises ; Alice tenta de l'en dissuader, et Henry fit valoir qu'il y avait encore de la place sur la brouette et que Burgess Noakes était un athlète et un champion, beaucoup plus solide qu'il n'en avait l'air. Burgess prit la valise, la hissa sur la brouette et partit devant.

William restait immobile à dévisager Henry avec un sourire. Il avait, pensa Henry pour la première fois, un visage extraordinaire. Son expression était ouverte et attentive, son regard intense comme s'il avait besoin d'enregistrer les nombreux aspects concurrents de la scène qu'il avait sous les yeux avant de pouvoir se former une opinion à son sujet. Sa considérable et brillante intelligence avait une façon de se manifester qui l'apparentait au charme. Son regard était à la fois provocateur et amusé ; ses yeux et ses traits trahissaient un jugement empli de compassion, mais aussi de distinctions complexes qu'il avait visiblement l'habitude d'opérer avec beaucoup d'assurance et de clarté intellectuelle. Il ne ressemblait pas à un Américain, ni même à un membre de la famille James. Il avait acquis une physionomie absolument singulière. Alice, pensa Henry, était plus facile à situer, avec sa beauté, sa mise impeccable et sa gentillesse qui ne masquait son intelligence pas plus qu'elle ne la diminuait, mais affirmait simplement que la sympathie serait toujours son mouvement premier. Le temps de monter la colline, il eut la sensation qu'ils étaient venus comme auraient pu le faire des parents, le père un peu distrait, absorbé dans ses pensées, la mère tout sourire. Il fut heureux de leur avoir écrit si sèchement à propos de l'achat de Lamb House ; le sujet resterait ainsi hors de portée de leurs critiques, comme sa propre personne peut-être, avec un peu de chance, tout au long de leur séjour.

Alice avait manifestement pris d'avance le parti que Rye lui plairait. Elle soignait à présent ses remarques pour qu'elles ne paraissent pas d'un enthousiasme trop grossier. Elle parla de la beauté patinée de Rye, de l'intimité merveilleuse de Lamb House, comme une maison de campagne à la ville, dit-elle. William lui fit écho pendant qu'ils l'observaient de l'extérieur. Le jardin, expliqua Henry, n'était pas au mieux de sa beauté, pour cela il faudrait revenir en été, et le mauvais temps des derniers jours n'avait guère arrangé les choses. Dès le seuil franchi, il montra à William le bureau dont il lui laisserait l'usage, puis il accompagna ses invités jusqu'à leur chambre, en s'arrêtant au passage pour leur désigner la chambre où dormirait leur fille à son arrivée. Puis il leur fit visiter la salle à manger, le salon du rez-de-chaussée, le pavillon qui n'allait pas tarder à entrer en hibernation, la cuisine et l'office. Il les présenta au personnel et les précéda une fois de plus à l'étage pour leur montrer sa propre chambre, en gardant pour la fin la pièce la plus vaste de Lamb House, le grand salon, en sachant que William et Alice, habitués aux dimensions généreuses de Cambridge et de Boston, avaient sans doute trouvé les autres pièces un peu exiguës.

Il leur fit les honneurs de la maison comme s'ils étaient des acheteurs potentiels ; et ils trouvèrent le moyen de réagir par des commentaires pleins d'approbation. Au cours du dîner, ce soir-là, il songea que si les Smith étaient brusquement reparus dans la salle à manger, débraillés et ivres, Alice aurait eu une repartie pleine de gaieté sur la qualité du service à Lamb House et William aurait hoché la tête en signe d'acquiescement viril.

Le lendemain après déjeuner, une fois qu'on eut débarrassé la table, Alice James ferma la porte de la salle à manger et demanda à Henry s'ils pouvaient lui parler en tête à tête d'une affaire de quelque importance. Henry trouva Burgess Noakes dans le couloir et le pria de veiller à ce qu'ils ne soient pas dérangés. Quand il revint dans la pièce, Alice était assise à la table, les mains jointes, et William se tenait debout à la fenêtre. Leur expression était grave. Si un avocat s'était matérialisé à cet instant pour lui lire un long testament, Henry n'aurait pas été surpris.

— Harry, dit Alice, nous sommes allés voir un autre médium, une certaine Mrs Fredericks. Nous y sommes retournés plusieurs fois. J'ai commencé par y aller seule, et je suis absolument certaine qu'elle ne savait pas qui j'étais, ni rien me concernant.

— Par la suite je l'ai accompagnée, ajouta William. Nous avons eu en tout quatre entrevues avec elle.

— Nous pensions t'écrire après la première séance, reprit Alice, mais nous avons finalement décidé d'attendre notre venue en Angleterre. Harry, ta mère s'est manifestée à nous.

— Elle avait déjà parlé par l'intermédiaire de Mrs Piper, l'interrompit William, mais son message était plus personnel cette fois.

— Est-elle en paix ? demanda Henry. Ma mère est-elle en paix ?

— Harry, elle est en paix. Elle veille simplement sur

nous tous à travers la gaze mystérieuse qui sépare son état du nôtre, dans la blancheur radieuse de l'au-delà.

— Elle veut que tu saches qu'elle est en paix, ajouta Alice.

— A-t-elle dit quelque chose au sujet de ma sœur ?

— Non, répliqua William, rien sur Alice.

— Et sur Wilky ? Sur mon père ?

— Elle n'a pas parlé des morts. Dans aucune séance.

— Qu'a-t-elle dit alors ? De qui a-t-elle parlé ?

— Elle veut que tu saches que tu n'es pas seul, Harry, répondit Alice.

Elle le dévisagea gravement pendant qu'il assimilait cette information en silence.

— Sa conscience n'a pas été abolie alors...

— Elle est en paix, Harry, répéta Alice. Elle veut que tu le saches.

William traversa la pièce et vint s'asseoir à la table. Henry vit plus clairement à présent que la chair avait perdu sa densité au niveau de la mâchoire ; ses yeux étaient tristes mais brillants lorsqu'il prit la parole.

— Notre médium a décrit cette maison. Il y a des détails qu'elle ne pouvait pas connaître. Hier, quand nous avons parcouru les pièces l'une après l'autre, tout nous a été confirmé.

— Harry, dit Alice, elle a décrit ce buste à côté de la cheminée.

Tous trois examinèrent le buste du jeune comte par Andersen.

— Et il y a quelque chose de plus étrange encore dans le salon, poursuivit Alice. Un tableau qui représente un paysage désert.

Henry se leva avec brusquerie et s'éloigna de la table.

— Je ne sais pas si tu as observé la manière dont je le regardais hier soir, poursuivit Alice. Harry, c'est parce qu'elle me l'avait décrit en détail, en précisant que ce tableau avait une signification très spéciale pour toi. Mais quand je t'ai interrogé hier, tu n'as rien dit.

— Il appartenait à Constance Fenimore Woolson. C'est le seul objet dans cette maison qui me vienne d'elle. Je l'ai rapporté de Venise.

— Mrs Fredericks a décrit la maison, reprit Alice, les fenêtres, les couleurs, mais ces deux objets, la statue et le tableau, étaient particuliers, a-t-elle dit. Nous devons la croire, Harry, nous devons la croire.

Henry ouvrit la porte et resta un moment dans le couloir, jusqu'à ce que l'apparition de Burgess Noakes le fasse battre en retraite une fois de plus vers la salle à manger. William et Alice, assis à la table, l'observaient.

— J'ai besoin d'être seul un moment, murmura-t-il.

Tous deux se levèrent.

— Nous n'avions pas l'intention..., commença Alice.

— Rien, répliqua Henry. Rien. Laissez-moi un jour ou deux. C'est un choc pour moi, et je vous promets que nous en reparlerons quand je serai prêt à accepter l'idée que la voix de ma mère nous appelle.

Cet après-midi-là il marcha des kilomètres et, à son retour, il se glissa furtivement dans le pavillon ; mais il ne pouvait ni lire ni écrire, et il avait froid. Il aurait voulu que William et Alice s'en aillent maintenant, après avoir apporté leur message. Au dîner, pourtant, il éprouva pour eux un immense élan d'affection en comprenant que son frère et sa belle-sœur s'étaient concertés afin de réserver pour cette occasion d'innombrables anecdotes concernant leurs amis communs. Il observa William pendant que celui-ci déployait des trésors de drôlerie, de finesse et d'informations sur l'ascension de Oliver Wendell Holmes ou les vicissitudes de John Gray et de Sargy Perry, qui étaient vieillis avant l'âge, dit-il, et sur William Dean Howells, qu'il admirait encore. William racontait des histoires qui frôlaient la méchanceté pure, sauvées in extremis par une remarque si bien tournée qu'elle plongeait son frère dans un ravissement miséricordieux, sans mélange.

Ce soir-là après qu'il se fut retiré, il pensa avec regret à l'absence de leur sœur Alice ; il aurait adoré entendre sa parodie acide de ce couple formidable, qui offrait au monde un sourire apparemment ouvert, alors qu'en réalité il fonctionnait comme une énorme forteresse construite tout exprès pour rejeter les intrus. Il aurait voulu trouver un moyen d'aborder le sujet de sa sœur, le mépris total dans lequel elle tenait les médiums, son opinion selon laquelle les séances spirites étaient de pures absurdités. Dans son journal intime, il le savait, elle n'avait guère épargné son frère et sa belle-sœur. Leurs incursions dans le monde occulte étaient, aux yeux d'Alice, de l'idolâtrie sous sa forme la plus grossière. Elle le leur avait signifié sans détours, mais personne ne leur avait jamais raconté de quelle manière elle s'était moquée d'eux, alors qu'ils lui avaient demandé une mèche de ses cheveux pour une séance, en leur envoyant à la place celle d'une amie morte. Elle avait beaucoup ri de leur compte rendu solennel après coup, mais Henry voyait bien que, malgré les années, il était toujours impossible de raconter cette espièglerie à William et Alice, tant leur système de protection était complexe et sérieux, et leur foi profonde. Henry ne savait toujours pas ce qu'il était personnellement disposé à croire. Il était plus facile pour lui d'écouter en faisant le moins de commentaires possible.

William trouvait son petit bureau du rez-de-chaussée agréable, et il avait découvert dans le jardin un coin protégé qui recevait le soleil du matin et qui était propice à la lecture. William et Alice prirent l'habitude de se promener dans le bourg en emmenant le chien, Maximilian, et devinrent rapidement familiers de plusieurs établissements de Rye où ils prenaient le café dans l'après-midi et achetaient des gâteaux qu'ils rapportaient à Lamb House.

William marchait lentement, mais il parvenait à feindre que c'était la profondeur de sa réflexion qui rendait ses mouvements si circonspects. Au début, Henry ne prêta aucune attention au fait qu'Alice ne le quittait jamais du regard. Si William se trouvait au jardin, elle était immanquablement près d'une fenêtre qui surplombait le jardin ; s'il travaillait dans son bureau provisoire, elle était dans une pièce voisine, avec la porte ouverte. S'il voulait se promener, Alice allait tout de suite chercher son manteau, même si Henry se proposait de l'accompagner ou si William lui-même laissait entendre avec douceur qu'il souhaitait marcher seul. Après quelque temps, cette manière de suivre son mari partout parut à Henry presque perverse, et il vit que William s'en irritait. Alice étant connue pour son tact et n'ayant absolument pas la réputation d'être une personne perverse ou irritante, cet étalage de sollicitude ne lui ressemblait guère. Dès lors que Henry commença à remarquer son manège, il n'eut plus qu'une envie : le voir cesser.

Ils étaient chez lui depuis dix ou onze jours lorsqu'il comprit de façon abrupte la raison de la vigilance de sa belle-sœur. Henry lisait au salon du premier étage, après le petit déjeuner ; il venait de s'approcher de la fenêtre, comme il le faisait souvent quand son frère était au jardin. Il aperçut Alice penchée au-dessus de William, qui souffrait visiblement, les mains posées sur la poitrine et les yeux fermés. Henry ne pouvait distinguer le visage d'Alice, mais il comprit à ses gestes qu'elle ignorait si William devait essayer de bouger ou au contraire rester immobile. Henry recula au moment où sa belle-sœur se retournait pour prendre William dans ses bras. Puis il descendit au jardin aussi vite qu'il le put.

Au cours des jours suivants, il apprit que William souffrait d'un grave problème cardiaque ; ce n'était pas pour échapper à l'hospitalité de son frère qu'il s'était rendu à Nauheim. William était malade. Alice le guettait sans cesse au cas où il serait victime d'une attaque ; d'après les médecins, une telle attaque serait potentiellement mortelle. William n'avait pas soixante ans.

Le lendemain, dans le train qui l'emmenait à Londres où il devait rencontrer le meilleur spécialiste d'Angleterre, William voulut à tout prix lire et prendre des notes, refusant la couverture sur ses genoux et leur jurant que s'ils le regardaient encore une fois avec un air de pitié ou d'inquiétude ou un intérêt tant soit peu insolite, il rendrait l'âme à l'instant même en laissant son argent à un refuge pour chiens et chats.

— Et je tiens aussi à vous dire que je ne reviendrai pas sous une forme normale. Pas besoin de médium avec moi. Moi, je bondirai. Droit au but.

Alice, au lieu de sourire, continua à regarder par la fenêtre d'un air glacial. Henry songea que l'histoire de la mèche de cheveux de sa sœur égaierait peut-être le voyage, mais il comprit aussitôt qu'elle pouvait aussi bien avoir l'effet inverse. William était capable de plaisanter sur ces choses-là, mais toujours dans une perspective sérieuse. L'ambiance suscitée par son frère et sa belle-sœur, qui empêchait par exemple de raconter cette histoire, était à tout prendre renforcée plutôt qu'affaiblie par la maladie de William.

Le docteur Bezly Thorne, le plus couru parmi les médecins de Harley Street qui se consacraient aux cœurs délicats, fut déclaré par William beaucoup trop jeune pour connaître quoi que ce soit à ce sujet, mais Henry et Alice lui firent valoir que, du même coup, il n'était pas contaminé par les vieux remèdes et, en revanche, familiarisé avec les plus récents.

— Je déteste les jeunes tous autant qu'ils sont, rétorqua William, médecins ou pas médecins, familiarisés ou pas, je les déteste du fond du cœur.

— Du fond du cœur, c'est parfait, releva Alice.

— Oui, ma chère, je sais. Le fond est la partie intacte.

Le docteur Thorne demanda à rester seul avec le patient ; quand il ressortit quelques minutes plus tard de la chambre de l'appartement de Kensington où était allongé William, il annonça à Alice et à Henry qu'ils trouveraient le professeur James très assagi, prêt à se reposer, prêt à observer un régime strict, sans féculents, et prêt, sur le conseil du médecin, à être sérieusement, gravement et précairement malade, afin de pouvoir aller mieux ensuite.

— Mes instructions sont claires, dit le docteur Thorne. Il va vivre, je le lui ai dit. Et pour cela, il doit m'obéir en tous points et rester à Londres jusqu'à ce que je lui donne l'autorisation d'en bouger. Il peut lire s'il le veut, mais il ne doit pas écrire.

Ils convinrent de rester tous les trois dans l'appartement de Kensington et, au cours des jours suivants, pendant que William commençait son régime et qu'Alice attendait l'arrivée de leur fille Peggy, Henry et Alice eurent beaucoup de temps pour bavarder.

La mauvaise santé de William n'avait pas adouci la résolution de Henry : son propre cas restait fermé aux critiques. Sa belle-sœur, dont le flair pour ce qu'on pouvait ou non évoquer dans le cadre de la conversation était, selon Henry, raffiné à l'extrême, s'en tenait à des thèmes généraux, évitant même de parler de ses propres enfants à moins qu'il ne lui pose des questions précises. Un soir cependant, alors que Peggy, qui était entre-temps arrivée de France, venait de se retirer pour la nuit et que William dormait, Alice aborda le sujet de sa belle-sœur, morte depuis sept ans. Elle le fit avec prudence, sur un ton sérieux et réfléchi. Elle parla de l'aversion de l'autre Alice à son égard et rappela à Henry qu'elle s'était même alitée à l'époque de son mariage avec William.

Henry était mal à l'aise. Le souvenir qu'il avait de sa sœur devenait de plus en plus tendre avec les années ; il n'était disposé à évoquer sa souffrance qu'avec chagrin et beaucoup de compassion. S'il y avait eu un combat entre les deux Alice, celle qui s'exprimait à présent en était sortie victorieuse et il comprit à l'écouter que parmi les privilèges de la victoire figurait le droit de parler librement de la vaincue. Il comprit aussi que sa belle-sœur se trompait sur la nature de leurs relations ; elle croyait qu'Alice James, à son arrivée en Angleterre, avait posé le même problème à Henry qu'à elle auparavant, qu'il était entendu qu'ils partageaient la même opinion à son sujet et qu'ils avaient toute latitude pour discuter ensemble de sa personnalité singulière. Sa belle-sœur s'exprimait sur un ton factuel.

— Elle avait beaucoup d'esprit, mais elle aurait pu l'employer plus utilement qu'en le retournant contre elle.

Henry fut tenté de se lever et de s'excuser. Il avait cru jusqu'à cet instant que son silence suffirait à faire taire sa belle-sœur.

— Et, poursuivait celle-ci, elle a toujours trouvé quelqu'un pour l'écouter et s'occuper d'elle. Ta pauvre tante Kate n'était pas assez réceptive. C'est la raison pour laquelle Alice est venue en Angleterre.

Henry sentit soudain qu'elle était peut-être consciente de son malaise, et que, précisément, cela l'encourageait à continuer. Cette idée était si saugrenue qu'il se mit à observer sa belle-sœur avec intérêt, ayant peine à croire en son impression. Sa curiosité était maintenant éveillée ; au lieu de mettre un terme à la conversation, de changer de sujet ou de quitter la pièce, il encouragea intérieurement Alice à poursuivre, pendant qu'il restait en apparence aussi imperméable et froid que possible.

— Je pense qu'Alice et Miss Loring étaient faites l'une pour l'autre, dit sa belle-sœur. Miss Loring était une femme forte en quête d'une amie faible dont elle pourrait s'occuper. Chaque fois que je les voyais ensemble, je pensais qu'elles formaient le couple le plus heureux de la terre.

Le visage d'Alice s'était animé et ses yeux pétillaient. Elle n'était plus l'épouse sagace et raisonnable de William

James, mais quelqu'un qui avait sa propre manière de voir et qui cédait soudain à son besoin de l'exprimer. Si ses opinions devaient offenser quelqu'un ou frôler le scandale, tant mieux, semblait-elle laisser entendre. Henry n'avait jamais auparavant perçu chez elle le moindre signe d'une telle disposition. Il se demanda si elle était ainsi quand elle était seule avec William. Il se demanda aussi pourquoi lui-même y prenait un intérêt aussi vif, et pourquoi le fait de la regarder et de l'écouter lui procurait cet étrange plaisir.

— J'ai toujours dit à William qu'Alice et Miss Loring avaient peut-être de très bonnes raisons de venir en Angleterre, loin de leur famille et de leurs amis.

Henry lui jeta un regard incrédule.

— Tu sais bien, Harry : la bonne, à la maison, était très bavarde, et tante Kate ne frappait pas toujours à la porte des chambres avant d'entrer. Je pense par conséquent que Miss Loring et Alice ont peut-être trouvé en Angleterre le genre de bonheur qui n'est pas mentionné dans la Bible.

Pendant que sa belle-sœur jubilait, Henry comprit pour quelle raison il l'avait écoutée si attentivement. Alice, raisonna-t-il très vite, ne pouvait pas avoir connu Minny Temple, mais elle en avait peut-être entendu parler. Sa manière de dire l'indicible sans rien perdre de son attitude posée ni de sa merveilleuse et originale curiosité vis-à-vis du monde tel qu'il était et tel qu'il pouvait être, voilà ce qui avait distingué Minny de ses sœurs et de ses amies. L'esprit de Minny avait eu cette faculté de se jeter en avant et de rebondir sur une question ou une remarque qui donnait peut-être envie à certaines personnes présentes de quitter la pièce – ce dont elles s'abstenaient, tant la question ou la remarque avaient été formulées avec grâce. Alice, trente ans après la mort de Minny, montrait la même verve et le même courage.

— Les femmes, conclut-elle, ne sont pas au-dessus de tout soupçon dans ce domaine, pas plus que dans les autres.

Henry se demanda soudain si elle parlait avec la même liberté de lui et de sa vie privée. Il repensa aux questions circonstanciées qu'elle avait posées sur la visite de Hendrik Andersen, dont elle avait entendu parler à Boston, et sur la présence de Burgess Noakes à Lamb House, qui lui paraissait remarquable. De fait, il l'avait surprise à observer Burgess, et il songea qu'elle cherchait peut-être des indices qui lui permettraient de pousser plus loin ses spéculations quant à la vie intime des membres de la famille de son mari et de leurs serviteurs. Il réprima un sourire en imaginant malgré lui sa tante Kate ouvrant la porte de la chambre d'Alice et la surprenant avec Miss Loring. Puis sa belle-sœur se leva en disant qu'elle allait rapporter la théière à la cuisine et voir ensuite si William dormait toujours. Henry annonça son intention de se retirer pour la nuit. Calmement, ils se souhaitèrent une bonne nuit.

Henry retourna à Lamb House pendant que William, Alice et Peggy restaient à Londres, jusqu'au moment où le docteur Thorne envoya son patient à Malvern pour un traitement qui, à en croire William, aggrava rapidement son état. Londres étant froid et inhospitalier, et l'océan Atlantique trop tumultueux pour qu'un homme dans son état envisage de le traverser, William revint à Rye avec sa femme et sa fille, comme si Rye avait été leur deuxième foyer ; ils paraissaient de fait très heureux et reconnaissants quand Henry les accueillit à la gare et leur déclara qu'il se réjouissait de les avoir à Lamb House pour les fêtes.

Malgré les ordres du médecin, William travaillait dans la matinée ; l'après-midi il se reposait, et il passait la soirée à plaisanter sur ses soucis de santé. Il se moquait aussi beaucoup du docteur et des membres de sa famille, avec des remarques à la fois intéressantes et savoureuses sur la nature du dilemme humain. Sa fille, constata Henry, l'adorait et faisait parfois équipe avec lui en ironisant sur sa mauvaise santé, pour le plus grand plaisir de son père.

Lorsque Lady Wolseley fit savoir qu'elle était dans la région, Henry pensa qu'un déjeuner à Lamb House en son honneur serait susceptible d'intéresser William sans trop le fatiguer, et de montrer à Alice et à Peggy un spécimen aussi rare qu'amusant de féminité anglaise contemporaine. Il ne parla pas trop d'elle pour ne pas les intimider, mais quand elles eurent compris que Lady Wolseley était la femme du commandant en chef des forces de Sa Majesté, Alice insista pour prendre les rênes à la cuisine, avec efficacité et douceur. Sa fille et elle essayèrent plusieurs robes en vue de le visite de la Duchesse, comme ne cessait de l'appeler Peggy. Alice accompagna Burgess Noakes chez le tailleur de la ville, où on lui commanda un costume et un uniforme à réaliser en un temps record, pour que Burgess soit lui aussi présentable lors de l'arrivée de Sa Majesté, ainsi que William encourageait sa fille à surnommer Lady Wolseley mais surtout pas, l'avertit-il, en sa présence.

En remarquant, la veille du jour de la visite, que Henry avait retiré une tapisserie élimée du palier du premier étage pour la remplacer par une vue de Rye, Alice et Peggy le taquinèrent en répétant qu'il voulait faire bonne impression à la Duchesse et cacher tout ce qui dans la maison était vieux et miteux. Il ne leur expliqua pas qu'il avait acquis la tapisserie contre le conseil de Lady Wolseley et qu'il craignait d'affronter son jugement sur cet achat capricieux et peut-être stupide.

Lady Wolseley était vêtue d'une soie écarlate d'un effet spectaculaire une fois ôté son long manteau noir. Ses joues étaient passées au rouge et ses cheveux, pensa Henry, avaient un reflet dans le même ton, qui les rendait plus lustrés, plus brillants que jamais. Ses manières n'étaient pas moins étincelantes, et tout ce que pouvait dire William,

Alice ou Peggy était accueilli par un torrent d'effusions. On aurait cru qu'un orage plein d'éclairs de la meilleure espèce était arrivé à Lamb House à bord d'une voiture de maître, très en avance pour le déjeuner, et se déchaînait joyeusement dans le salon.

— Nous savons tous, ma chère, dit-elle en s'adressant directement à Peggy, dont la robe et le cardigan bleu ciel assortis aux rubans de ses cheveux paraissaient incolores par contraste avec le feu incandescent de son interlocutrice, que votre pays possède la plus grande démocratie du monde connu et qu'au cours de sa courte histoire il a fait à la civilisation bien des cadeaux, mais le plus précieux de tous, soyez-en sûre, n'est autre que votre oncle. Il est à lui seul le fleuron le plus remarquable de votre jeune nation et notez bien qu'il ne le nie pas, tant il s'agit d'une vérité communément admise.

Henry regardait William, qui souriait chaleureusement à Lady Wolseley, lui offrant tout le poids et la douceur de son ironie.

Au cours du déjeuner, leur visiteuse posa de nombreuses questions sur Harvard et Cambridge, sur la différence entre la psychologie et la philosophie, sur la vie des jeunes filles, à quoi pouvait-elle bien ressembler dans l'environnement merveilleusement intellectuel des États-Unis. Elle écoutait très attentivement avant d'en poser d'autres, révélant ainsi un intérêt authentique. William, remarqua Henry, en était presque à flirter avec Lady Wolseley pendant que Peggy la dévisageait avec des yeux ronds, pour ne pas dire bouche bée. Alice gardait le regard calmement fixé sur leur invitée, dans l'assurance heureuse qu'elle pourrait ensuite écrire à sa mère afin de lui raconter, pensa Henry, cette visite qui lui fournirait également matière à discussion avec son mari pendant plusieurs jours.

À la fin du repas, William exprima sa désapprobation pour l'intense vie sociale londonienne, et assura Lady Wolseley que leur existence tranquille à Cambridge était par comparaison un pur délice. Il pouvait à peine supporter ne fût-ce que l'idée d'une telle frénésie.

— Oh ! vous avez mille fois raison, approuva Lady Wolseley. Cambridge doit être un délice.

En voyant l'expression de sa nièce, Henry crut qu'elle allait devoir s'excuser et quitter la pièce, tant elle était proche du fou rire nerveux.

— Et le théâtre à Londres, continuait Lady Wolseley sur sa lancée, est d'un tel ridicule, d'une vulgarité si insensée que c'en est intolérable. D'ailleurs, au moment où le pauvre Henry est venu séjourner chez nous en Irlande, sa merveilleuse pièce venait de se faire éreinter par le public. Mon mari, comme vous le savez, s'occupe de l'armée. Je pense que c'est le seul soir où ses soldats auraient été parfaitement en droit de tirer sur la foule. Peut-être est-ce une chance qu'il en ait le commandement plutôt que moi.

Peggy s'excusa et quitta la table.

— Oui, l'Angleterre est affreuse, poursuivit Lady Wolseley. Mais l'Irlande, d'un autre côté, a beaucoup changé depuis notre départ. C'est devenu, paraît-il, le coin le plus paisible de tout l'Empire.

— Je me demande pour combien de temps encore, dit William.

— Oh ! mais pour toujours, à ce qu'on prétend, répliqua Lady Wolseley.

William leva la tête comme si un de ses étudiants avait pris la parole de façon déplacée.

— J'ai croisé Lady Gregory, votre vieille amie, ajouta Lady Wolseley en se tournant vers Henry. Ses terres sont dans le fin fond de l'intérieur. Elle jure qu'il n'y a pas le moindre scandale social en Irlande. D'ailleurs, elle s'est mise à apprendre le celtique et elle affirme que c'est plein de tournures tout à fait merveilleuses. C'est une langue très ancienne, me dit-elle, plus ancienne que le grec et le turc.

— Je crois que la langue parlée en Irlande s'appelle le gaélique, intervint William.

— Non, c'est le celtique. Lady Gregory m'a assuré qu'on disait le celtique, et je regrette énormément de ne pas en avoir entendu parler pendant que j'étais là-bas. Je l'aurais appris moi-même et j'aurais donné des fêtes en celtique.

Elle sourit à Alice, qui lui rendit son sourire. William, constata Henry, n'était plus disposé à flirter avec Lady Wolseley.

— J'ai voyagé plusieurs fois en Irlande, dit William. Et je crois fermement que l'Angleterre est responsable de la manière dont ce pays a été géré.

— Oh ! je suis tout à fait d'accord. D'ailleurs, mon mari en a parlé personnellement avec la reine, avant d'aller là-bas. Ils étaient tous les deux d'avis qu'une fois Mr Parnell éliminé sans remplaçant, tout ce mouvement fenian mourrait de lui-même. Vous devriez y aller maintenant, ou en parler à Lady Gregory. Je suis convaincue que l'Irlande a beaucoup changé.

— Êtes-vous déjà allée aux États-Unis ? demanda Alice.

— Non, chère amie, non. Pourtant j'adorerais y aller. Je voudrais voir l'Ouest sauvage. Je crois que cela me plairait beaucoup.

Elle avait parlé avec tristesse, comme si le fait de ne s'y être jamais rendue était le regret de sa vie. Puis elle adressa un grand sourire à Peggy, qui venait de refaire son apparition, et se tourna vers Henry.

— Henry, dit-elle, je suis tellement heureuse que nous ayons acheté cette table pour la salle à manger.

— Lady Wolseley m'a été d'une aide précieuse à l'époque où je meublais Lamb House, expliqua Henry.

— Cher ami, poursuivit-elle, nous devons absolument vous acheter d'autres tapis. Vous ne pouvez pas entrer dans la nouvelle année sans quelques tapis supplémentaires. On me parle d'un merveilleux arrivage, à Londres, il faut absolument que je remonte au premier étage revoir le salon, afin que nous puissions décider des couleurs.

— Oui, dit Henry. Passons au salon.

Dans l'entrée, Henry se trouva nez à nez avec Hammond, qu'il n'avait pas revu depuis l'époque où il était l'invité des Wolseley en Irlande. Le visage de Hammond avait changé, ses yeux semblaient plus grands, plus doux. Il adressa un sourire timide à Henry et s'effaça pour le laisser passer.

— Oh ! s'exclama Lady Wolseley, bien sûr, vous vous connaissez. Je m'en suis souvenue.

Henry conduisit ses invités à l'étage, laissant Hammond en bas.

— Oui, dit Lady Wolseley, Hammond est toujours avec nous. Il fait partie de la garde de Lord Wolseley.

Elle se trouva un siège près de la fenêtre pendant qu'Alice et Peggy prenaient place sur le sofa. William resta debout près de la cheminée, le visage grave.

— L'Irlande nous manque énormément, Mr James, dit Lady Wolseley en s'adressant directement à lui. Nous avons ramené Hammond avec nous, ainsi que deux jardiniers. Et tous nos invités les adorent, Casey et Leary les jardiniers, ils enchantent tout le monde. Je suis obligée de dire à nos invités « Ne faites pas attention à leur charme, ils ne le font pas exprès », mais il reste qu'ils ont une façon de parler vraiment délicieuse.

Henry quitta discrètement la pièce sans prendre le temps d'écouter la réponse de son frère et commença à descendre l'escalier. Hammond était encore dans l'entrée, comme s'il l'attendait.

— J'ignorais que vous étiez revenu en Angleterre, dit Henry.

— Oui, monsieur. J'ai suivi monsieur le vicomte et je voyage parfois avec madame la vicomtesse.

Sa voix n'avait rien perdu de son calme, au grand soulagement de Henry.

— Je suis très heureux de vous voir dans ma maison, déclara-t-il. J'espère qu'on s'occupe bien de vous.

— Votre garçon a veillé à ce que je sois bien nourri.

Comme Henry continuait de le regarder, Hammond leva les yeux. Puis il rougit. Il semblait plus jeune qu'à l'époque où Henry avait fait sa connaissance en Irlande, cinq ans plus tôt. Son sourire s'élargit, mais il ne bougea pas.

— J'aimerais vous montrer le jardin et le pavillon, dit Henry.

— Vraiment, monsieur ?

Le ton de Hammond était plein de douceur.

— C'est plus joli en été, bien sûr, reprit Henry en le précédant dans la salle à manger et en ouvrant les portes donnant sur le jardin, où l'air était froid et sec. Et votre famille à Londres, comment va-t-elle ?

— Très bien, monsieur.

— Et votre sœur ?

— Il est étonnant que vous vous souveniez d'elle, monsieur. Elle va on ne peut mieux.

Ils commencèrent à traverser le jardin, Hammond s'arrêtant chaque fois que Henry prenait la parole pour mieux écouter ce qu'il disait.

— Vous devriez revenir en été quand tout est fleuri, dit Henry.

— Ce serait avec plaisir, répondit Hammond.

Henry fit jouer la clé et ils entrèrent dans le pavillon. Il eut la sensation qu'ils venaient tous les deux de pénétrer en territoire semi-défendu ; mais en se retournant et en voyant le visage de Hammond, il comprit que celui-ci ne partageait pas cette perception. Hammond regardait la table de travail, les papiers et les livres. Il s'approcha de la fenêtre et admira la vue.

— C'est un très bel endroit, monsieur.

— Il y fait froid en hiver. Trop froid pour y travailler.

— Vous devez être heureux ici en été.

Hammond alla vers les rayonnages.

— J'ai lu quelques-uns de vos livres, monsieur. Il y en a un que j'ai lu trois fois.

— Un de mes livres ?

— *La Princesse Casamassima*, monsieur. J'ai eu le sentiment que je vivais dans ce livre. Toutes ces rues de Londres sont des rues que je connais. Et puis le personnage de la sœur. C'est beaucoup mieux que Dickens, monsieur.

— Vous aimez Dickens ?

— Oui, monsieur. *Les Temps difficiles* et *La Maison déserte*.

Hammond se détourna et commença à examiner les livres, en s'agenouillant pour inspecter ceux des étagères inférieures. Puis il se retourna et parla d'une voix douce.

— Excusez-moi, monsieur, mais il y a certains titres que je n'avais jamais vus avant.

Il refusa absolument que Henry les lui offre, jusqu'à ce que Henry lui eût donné la preuve qu'il possédait dans ses rayonnages plusieurs exemplaires de chaque édition. Enfin, après beaucoup de discussions, il l'autorisa à mettre de côté trois livres pour lui – Henry avait fini par comprendre que son embarras et son hésitation provenaient du fait qu'il ne voulait pas que Lady Wolseley aperçoive le paquet et l'interroge sur son contenu. Il nota très lisiblement sur une feuille son adresse à Londres, et Henry lui promit d'envoyer les livres par la poste.

— Et je ne dirai rien à madame la vicomtesse, ajouta-t-il.

Hammond eut un sourire de gratitude.

— Et moi non plus, monsieur.

Pendant qu'ils se dirigeaient ensemble vers l'endroit où Henry se proposait de faire construire une nouvelle serre, il constata malgré lui qu'ils étaient observés sans vergogne par Lady Wolseley. Elle se tenait avec William, Alice et Peggy à la fenêtre du salon du premier étage et leur indiquait quelque chose dans le jardin. Quand Henry croisa son regard, elle agita la main. Il s'inclina légèrement. Il avait eu le temps de voir que William les observait, Hammond et lui, avec une sorte d'intensité perplexe. Il ne jeta aucun regard direct à sa belle-sœur ni à sa nièce.

Au cours des jours suivants, il supposa que Lady Wolseley faisait l'objet de nombreuses discussions entre son frère, sa belle-sœur et sa nièce ; mais alors qu'Alice et Peggy semblaient très animées par sa visite, l'humeur de William s'était assombrie. Henry ignorait ce qu'avait pu ajouter Lady Wolseley après que lui-même eut quitté le salon ; d'un autre côté, ce qu'il avait entendu était en soi suffisant. Au moment du départ, alors que Hammond se tenait en retrait, Lady Wolseley avait manifesté, plus clairement encore que pendant tout le reste de sa visite, son intérêt possessif pour Henry et l'admiration qu'elle lui vouait. Elle ne prit pas la peine d'étendre à sa famille l'invitation à venir la voir quand il le voudrait, à la campagne ou à Londres. Elle n'avait pas l'air de penser que William James, sa femme et sa fille méritaient beaucoup d'attention, et cela, pensa Henry, avait pu irriter William au moins autant que ses opinions sur la question irlandaise.

À l'approche de Noël, Alice et Peggy décidèrent dans un élan de nostalgie sentimentale de préparer une fête authentiquement américaine, sans comprendre à quel point les coutumes de leur pays coïncidaient avec celles de l'Angleterre. William lisait, dormait et parlait suffisamment pour ne pas trop attirer l'attention sur son état préoccupé. Un jour après le déjeuner, alors qu'Alice et Peggy s'activaient à la cuisine, il demanda à Henry de rester dans la salle à manger car il souhaitait lui parler. Henry referma poliment la porte et s'assit à la table en face de son frère.

— Harry, je t'ai déjà fait part de mes regrets que tu n'aies pas choisi de rester en Amérique pour devenir le chroniqueur de notre société. Je crois que l'Amérique attend encore le romancier qui aurait à la fois l'acuité de ton regard et l'étendue de ta compassion.

— Certainement, dit Henry avec un sourire.

— Je ne pense pas que tu aies trouvé dans ce pays-ci ton véritable sujet, poursuivit William avec sévérité. – Il contemplait fixement la fenêtre tout en parlant, comme s'il répétait un discours ou un sermon. – Je ne pense pas que *Les Dépouilles de Poynton* ou *L'Âge difficile* ou *L'Autre Maison* soient dignes de ton talent. Les Anglais n'ont pas de vie spirituelle ; la matérielle leur suffit. Leur unique sujet concerne les différences de classe, et c'est un sujet auquel tu n'entends rien. Leur seule ambition est une ambition matérielle, que tu ne connais pas davantage. Tu n'as pas la connaissance profonde qu'ont Dickens, George Eliot, Trollope ou Thackeray de l'avidité anglaise et de ses mécanismes. Il n'y a pas de ferveur en Angleterre, pas de passion ardente pour la vérité.

— Dieu soit loué.

— En bref, poursuivit William comme si Henry n'avait pas répondu, je crois que les Anglais ne pourront jamais être ton véritable sujet. Je crois aussi que ton style a souffert de cet effort constant pour mettre en scène l'insipidité sociale. Ton travail se ressent d'un je-ne-sais-quoi de froid, d'anémié et d'étrangement satisfait.

— Je te remercie de ton opinion.

— Harry, je suis un lecteur avide et un admirateur de ton talent.

— Tu penses donc que j'aurais dû rester à la maison, dit Henry en levant la main pour empêcher William de l'interrompre, et me faire le chroniqueur de la vie des intellectuels pincés de Boston. C'est en effet un sujet incomparable.

— Harry, je m'aperçois que je suis obligé de relire la plupart de tes phrases actuelles au moins deux fois en me demandant quel peut bien être leur sens. Voilà ce que je voulais te dire, en clair. Dans cet âge de lecteurs nombreux et pressés, tu resteras méconnu et négligé tant que tu continueras à te laisser aller à ce style et à ces sujets.

— Je vais donc travailler à l'avenir dans l'optique de te satisfaire. Cependant, je devrais peut-être ajouter que je serais encore plus humilié si tu te prenais à aimer mes œuvres au même titre que d'autres pour lesquelles je t'ai entendu exprimer ton admiration et dont je dirai seulement que je préfère encore m'allonger dans une tombe couverte d'opprobre plutôt que les avoir écrites.

— Personne n'a prétendu que tu méritais une tombe couverte d'opprobre. En fait, j'avais une proposition concrète à te faire : un roman qui confondrait tes critiques, qui te gagnerait un vaste public et qui te procurerait une immense satisfaction.

— Un roman que je serais censé écrire ?

— Oui, un roman sans le moindre aristocrate anglais, qui parlerait de l'Amérique que tu connais.

— Tu dis cela avec beaucoup d'assurance.

— Oui. J'ai un peu réfléchi à la question. Ce livre traiterait non pas de la question dérisoire des manières anglaises, qui sont d'ailleurs exécrables, mais de l'Histoire. Ce serait le roman des pères fondateurs puritains, raconté par toi.

Henry se leva et s'approcha de la fenêtre, obligeant William à continuer à parler en se tournant vers lui. Henry sentit qu'il avait maintenant l'avantage, debout dans le peu de lumière qui s'attardait encore dans la pièce, tandis que son frère était assis à la table parmi les ombres grandissantes.

— Puis-je t'interrompre ? Ou bien s'agit-il d'une conférence dont la fin sera annoncée par une sonnerie ?

William fit pivoter sa chaise, apparemment décidé à poursuivre envers et contre tout.

— Alors, reprit Henry, je vais mettre un terme à cette conversation en déclarant solennellement devant toi que le roman historique est à mes yeux un genre littéraire marqué par un mauvais goût fatal, et puisque tu tiens tellement à ce que je me plie aux exigences de la foule pressée dont tu m'entretenais tout à l'heure, puis-je te dire en langage simple ce que serait un roman écrit par moi sur les pères puritains ?

Il se tut pour attendre la réponse.

— Je t'en prie. Je ne peux pas t'en empêcher.

— Ce serait de la fumisterie, dit Henry avec un doux sourire et un regard presque indulgent pour son frère.

Au dîner, il constata que William n'avait pas confié à Alice ses tentatives courageuses pour le sermonner sur l'échec de sa prose. William avait les yeux rouges, et Alice essayait de le convaincre de dormir davantage et de lire un peu moins, pendant que William, nota Henry, jouait le rôle du patient récalcitrant. Depuis quelque temps, il avait tendance à errer nerveusement dans Lamb House, si bien que Henry ne savait jamais dans quelle pièce il était, ni même à quelle heure du jour ou de la nuit il risquait de découvrir son frère dans le couloir ou dans l'escalier.

Il comprit que William essayait de remplir Lamb House de sa présence à l'aide d'un système invisible qui consistait à imposer son autorité, par exemple en modifiant de façon subtile mais insistante l'heure des repas et la manière dont ils étaient servis. William commençait à déstabiliser Burgess Noakes et les autres domestiques. À un certain moment il alla jusqu'à vouloir changer la disposition des meubles du salon et demander à Burgess de retirer du dessus de la cheminée certains bibelots qui ne lui plaisaient pas. Ce fut Alice qui le força à y renoncer.

Henry l'évitait ; s'il le croisait au salon ou dans une des pièces du rez-de-chaussée il trouvait un moyen discret de l'y laisser seul. Alice surveillait toujours William telle une ombre. Bien qu'elle s'assît rarement dans la même pièce que lui, elle rôdait toujours à proximité en feignant de s'occuper à quelque ouvrage. Peggy, de son côté, s'était enfouie dans les romans, passant d'un classique à l'autre, sans lever la tête si possible. Quand elle en eut fini avec Jane Austen, elle attaqua *Un portrait de femme*. Henry fut surpris et amusé de voir ses parents exprimer ouvertement leur désapprobation de ce dernier choix, mais il fut aussi satisfait le lendemain de constater qu'elle avait persisté dans sa lecture. Elle était, expliqua-t-elle à ses parents, trop plongée dans le roman pour ne pas le finir ; elle ajouta qu'elle sauterait les passages difficiles ou inconvenants. D'ailleurs, dit-elle avec fierté, elle était presque une adulte. Et elle regarda calmement Henry, sans trace d'embarras, quand il lui dit que, comparée en particulier à ses cousines Emmet qui parlaient si mal, elle était la jeune dame la plus parfaite de sa connaissance.

Quand William était venu à Londres dans le cadre de son année sabbatique suivant la mort de leur mère, il avait logé chez Henry et donné libre cours au même étrange ressentiment envers sa vie londonienne, ressentiment qui s'étendait jusqu'aux objets de l'appartement. Et Henry avait permis à la réprobation de William de lui dicter les endroits où il pouvait encore se rendre ou non, et d'organiser la maisonnée à son idée.

Au cours de ce séjour de William, ils apprirent que leur père n'en avait plus pour longtemps. Henry se rappelait un télégramme annonçant que le cerveau de leur père faiblissait et, avec une urgence apparemment égale, que William ne devait pas rentrer. C'était au mois de décembre. Alice, la femme de William, était chez sa mère, qui l'aidait à s'occuper de ses deux jeunes garçons. Alice James, pendant ce temps, soignait leur père avec tante Kate. Les deux Alice étaient pour une fois d'accord : ni l'une ni l'autre ne voulait que William revienne aux États-Unis. En revanche, elles réclamaient toutes les deux Henry. Leur père, affirmait le télégramme, pouvait vivre encore plusieurs mois et il semblait donc facile de persuader William que, dans la mesure où il avait renoncé à sa maison de Cambridge, son retour signifierait l'obligation de partager un espace restreint avec sa famille, sans conférences à donner ni autres occupations professionnelles à Harvard. Elles lui suggéraient donc de profiter encore de cette année de loisir en Europe pour se faire plaisir, nouer de nouveaux contacts, lire et écrire en toute liberté. La formulation du télégramme était d'une intelligence consommée. En évoquant cet affaiblissement du cerveau paternel, les deux Alice laissaient entendre à William qu'il ne devait pas espérer profiter des derniers jours de son père pour découvrir de quelle manière leurs idées contraires sur l'âme et le sens de la vie pourraient enfin converger d'une façon magnifique et définitive.

Henry avait pris seul le bateau pour New York. À l'arrivée, il constata que les funérailles avaient eu lieu le jour même. Il était trop tard et il devait se contenter d'écouter les récits sur la fin rapide et paisible de son père, d'occuper la maison du deuil et de lire le testament. Au cours des années qui suivirent, il ne se permit jamais de ruminer la question de la date de l'enterrement et cette décision de consigner Henry senior à la terre hivernale sans permettre à son fils – qui était sur le point d'arriver – d'assister à la cérémonie, de toucher le visage mort de son père avant qu'on ne referme le cercueil.

Il avait compris peu à peu que cette décision ferme avait été prise par sa sœur Alice, et il se trouva trop fasciné par cette manière soudaine de s'emparer des rênes de la décision, dans une famille où elle n'avait jamais été autorisée à décider de quoi que ce soit, pour être blessé de son étrange exclusion. Pendant les semaines qui suivirent l'enterrement, il en vint aussi à comprendre le besoin désespéré qu'avait sa sœur de retenir William en Angleterre, d'insister pour que Wilky reste à Milwaukee – il était trop malade pour voyager – et pour que Bob y retourne au plus vite. En présence de William, Alice James n'aurait jamais pu se montrer aussi ouvertement désagréable et impatiente avec tante Kate ; William se serait interposé, et d'ailleurs sa présence aurait retenu l'attention de tout le monde, si bien que les efforts d'Alice pour rabaisser sa tante n'auraient pas connu le même succès. Elle n'aurait pas davantage pu s'accrocher aussi ouvertement à Miss Loring ; et Miss Loring ne se serait pas permis de telles libertés dans la maison des James, devant tous les cousins, avant de transférer Alice dans sa propre maison.

Henry ne fit rien pour encourager William à revenir à Boston. William n'aurait même pas eu besoin d'ouvrir la bouche ou de lever le petit doigt pour remplacer immédiatement leur père. Henry n'aurait pas pu jouir du silence de la maison, avec la seule compagnie de sa tante Kate qu'il adorait. Il n'aurait pas pu dormir dans le lit de son père, chose qu'il ressentait confusément comme un devoir, pas plus qu'il n'aurait pu prendre possession de la maison, dans toute son atmosphère d'absence en attente d'être remplie, avec un cœur aussi ouvert, si William n'avait pas été loin.

Le fait que son père l'eût désigné, lui et non William, comme exécuteur testamentaire n'avait pas dû faire plaisir à son frère. Et le fait d'apprendre par l'intermédiaire de Henry les détails des derniers jours de leur père ainsi que les condoléances de vieux amis tels que Francis Child et Oliver Wendell Holmes, le fait que Henry eût, autrement dit, pris le contrôle sans lui demander son avis ne devait guère améliorer l'humeur de William.

Une semaine environ après l'enterrement arriva à Boston une lettre de William adressée à Henry James. Dans la mesure où Henry attendait des nouvelles de son frère, il n'eut pas l'idée qu'elle pût être destinée à son père. Quand il s'aperçut de sa méprise, il avait déjà lu le premier paragraphe alors même que la lettre, ainsi qu'il le remarqua ensuite, commençait par « Cher père ». Il garda la lettre par-devers lui pendant plusieurs jours sans en parler à quiconque, puis un dimanche matin, le dernier jour de l'année, alors que tout était silencieux, la neige profonde et la lumière rare, il se rendit au cimetière où reposaient ses parents. Il était seul, mais il s'assura encore, pendant qu'il s'approchait de la tombe, que personne ne l'observait. Il espérait que sa présence aiderait ses parents à éprouver la grande tranquillité qu'il souhaitait pour eux, et aussi qu'ils sachent combien il leur était reconnaissant et combien il restait inconsolable de leur disparition de la surface de la terre. Il sortit de sa poche la lettre de William et entreprit d'une voix claire et distincte de la lire au vieux fantôme à qui elle était destinée. Mais peu à peu, sentant venir les larmes, il baissa la voix jusqu'au murmure, et plusieurs fois il dut s'arrêter et poser la main sur son visage parce que ces mots, d'une intention si tendre, l'émouvaient plus que n'importe quels mots qu'il avait lui-même pu écrire ou n'importe quels autres mots concernant son père entendus depuis son arrivée. Il se força à poursuivre :

> Pour l'autre côté, et pour Mère, et pour nos possibles retrouvailles à tous, je ne peux rien en dire. Plus que jamais en cet instant je sens que si cela était vrai, tout serait justifié. Et je ressens très fort en cet instant, au moment de vous dire adieu, que la vie a en effet la brièveté du jour et qu'elle n'exprime pour l'essentiel qu'une note unique. Cet adieu, alors, revient presque à vous souhaiter un bonsoir ordinaire.

Bonsoir, mon cher vieux Père ! Si je ne vous revois plus –
Adieu ! Adieu et soyez béni !

Quelque part dans les profondeurs de la terre froide,
Henry sentit la présence rémanente de l'esprit de son père,
assez pour qu'il n'eût pas envie que la lettre se finisse,
mais qu'elle se poursuive indéfiniment, qu'il n'ait pas à
repartir en silence en laissant ses parents là, dans ce lieu
qu'il voyait à présent comme un lieu sacré et indulgent
entre tous. Il maudit la stérilité de la saison d'hiver et le
bruit de ses propres pas sur la glace pendant qu'il s'éloignait.

Il se rendit à pied du cimetière à la maison où logeait
sa belle-sœur, pour découvrir que William menaçait une
fois de plus de rentrer à Boston. Alice lui montra l'indigence des lieux, elle lui expliqua avec désespoir qu'elle
était épuisée par les soins prodigués à son beau-père dans
les derniers jours, quand elle avait rejoint l'autre Alice et
tante Kate à son chevet. Ses enfants aussi devenaient difficiles, ils consumaient presque toute son énergie, et
d'avoir en plus un mari éploré, dans ces quelques pièces
étroites – non, elle souhaitait à tout prix l'éviter. Henry
répondit qu'il écrirait une nouvelle fois à William. Il faillit
lui dire qu'il comprenait quel fardeau pouvait être la présence oisive et affligée de son frère dans n'importe quelle
maisonnée, mais dans la mesure où l'intensité exprimée
par sa belle-sœur lui paraissait un peu étrange et très différente de la manière dont sa mère à lui traitait habituellement son mari, il se tut.

Ce soir-là, Henry s'assit devant le bureau de son père
et écrivit à William ce qu'il avait fait au cimetière, en
essayant de rendre vivante la manière dont ses mots avaient
été solennellement offerts à l'esprit du vieil homme. Il
ajouta qu'il n'y avait aucune raison d'écourter son séjour
européen, et qu'il le suppliait de renoncer à l'idée d'un
retour anticipé. Au moment même où il écrivait cela, il

pensa qu'en apprenant ce qu'il avait fait de sa lettre strictement personnelle et pleine d'émotion, William lui en voudrait d'avoir pris de telles libertés, peu importe la solennité de l'intention.

Il attendit la réponse de son frère. Quand elle arriva enfin, elle était pleine de haine pour cette ville de Londres où il était forcé d'habiter, à l'en croire, contre son gré. William évoquait le sale brouillard poisseux et enfumé, et la stupidité universelle de la population dont il n'existait, selon lui, pas d'équivalent sous le soleil.

Henry était occupé. En tant qu'exécuteur testamentaire il avait beaucoup d'entrevues avec les avocats. Il avait été consterné par la décision de son père d'exclure Wilky de son testament, pour la raison que Wilky en aurait reçu assez de son vivant. Henry présumait que les autres membres de la fratrie partageraient son avis que ce n'était pas tolérable, et il entreprit donc de corriger cette décision en proposant que chacun des quatre fasse un don à Wilky de manière à rendre sa part égale à la leur. Il avait l'intention d'aller à Milwaukee pour rendre visite à la fois à Wilky et à Bob, et ensuite à Syracuse pour voir de ses propres yeux les immeubles paternels et décider s'il était plus sage de les vendre ou de les conserver en distribuant les dividendes des loyers au fur et à mesure.

Pendant qu'il s'occupait de tout cela, avec force discussions où il était question d'actions et de rentes, d'obligations et de pourcentages, les lettres qui lui parvenaient régulièrement de William à Londres commencèrent à l'impatienter avec leurs jérémiades ponctuées de menaces de rentrer en Amérique. Sa belle-sœur paraissait de plus en plus agitée à la perspective d'un éventuel retour de son mari. Elle lui montrait chacune des lettres que lui envoyait William, et leur ton la faisait soupirer.

Bien qu'il fût à la fois mal à l'aise de les lire et plein d'interrogations sur l'état du ménage de son frère, Henry n'eut pas de difficulté à écrire une fois de plus à William pour lui demander de se montrer raisonnable. En finissant sa lettre tard le soir, après y avoir ajouté de nombreux détails liés à son rôle d'exécuteur, il éprouva une étrange sensation de pouvoir, qui augmenta encore le lendemain matin lorsqu'il comprit combien William en serait blessé et furieux. Jointe à la conviction d'être, quant à lui, dans son droit et soucieux d'agir pour le mieux, cette perspective lui inspira une légère euphorie.

William répondit aux provocations de Henry en exprimant son indignation d'être traité comme un enfant qui ne comprenait pas ses propres mobiles ni son propre intérêt. Il ajouta plusieurs remarques insultantes sur Londres et sur l'appartement de Henry, et fit une tentative pour rompre le rang dans le projet consistant à compenser l'injustice paternelle vis-à-vis de Wilky. Il revint à Cambridge avant la fin de son année sabbatique et, là, Henry l'informa qu'il comptait faire don de sa part d'héritage à sa sœur Alice et qu'il abandonnait à William tout le contrôle qu'il voulait en laissant les finances de la famille entre ses mains. Pendant ce temps, il allait se consacrer à son travail, dans cette ville de Londres que William méprisait tant, travail dont il tirait en tout état de cause un revenu suffisant pour ne pas avoir à entrer dans des discussions supplémentaires concernant la gestion du patrimoine de son père.

La mort de Wilky l'année suivante, puis celle de Herman, le fils de William et d'Alice, enfin celle de leur sœur Alice apportèrent une trêve dans leurs querelles ; et les nombreuses lettres pleines de douceur, de gentillesse et de générosité adressées à Henry au fil des années par la femme de William contribuèrent, tout comme la vaste étendue d'océan qui les séparait, à restituer de la tendresse aux relations entre les deux frères.

Vingt ans plus tard, on aurait pourtant cru qu'un reliquat de la rancœur des mois qui avaient suivi la mort de leur père se consumait encore à Lamb House. Henry pouvait recourir à ses habitudes ; il avait son travail, ses domestiques, ses livres, des messages constants de la part d'amis et d'éditeurs. William était loin de chez lui. Quand William quittait sa maison de Cambridge pour se rendre à pied à Harvard Yard, il était observé avec un respect frisant l'adulation et salué avec chaleur, sa renommée formant autour de lui comme une grande ombre protectrice. Cette notoriété ne s'étendait pas jusqu'à Rye ; et cet état de fait achevait apparemment de le déprimer. Pour finir il ne voulut plus mettre le nez dehors. À force de rester dans la maison jour après jour, il commença à se comporter comme un animal en cage qui n'aurait rien perdu de sa faculté de rugir.

Un soir, alors que Henry s'apprêtait à aller se coucher et qu'il cherchait son livre, il trouva sa nièce assise dans une pièce du rez-de-chaussée. Elle paraissait troublée ; il se demanda si elle était affectée par l'humeur de son père et cela l'inquiéta immédiatement. Dans la mesure où l'enthousiasme et le ravissement de Peggy pendant les fêtes de Noël avaient réussi à chasser en partie la tristesse qui pesait sur Lamb House, il en était venu à la considérer comme une jeune femme pleine de charme et d'intelligence, source pour lui d'amusement et d'orgueil. Quand il lui demanda ce qui n'allait pas, elle refusa de lui confier la raison de son air d'indifférence, voire d'abattement. Il voulut savoir si ses frères et ses amis de Cambridge lui manquaient, mais elle secoua la tête. Il en était à soupeser intérieurement la pertinence d'une allusion à l'humeur de William, quand sa nièce lui demanda soudain s'il avait l'intention d'écrire une suite à *Un portrait de femme*. Elle lui apprit qu'elle avait fini le livre moins d'une heure plus tôt. Henry répondit qu'il l'avait écrit plus de vingt ans auparavant et l'avait oublié depuis longtemps ; il ne pensait pas lui donner une suite.

— Pourquoi y est-elle retournée ? insista Peggy.

— Auprès de son mari ?

— Oui. Pourquoi l'a-t-elle fait ?

Peggy semblait en colère. Henry s'assit en face d'elle et essaya de réfléchir à une réponse possible ; il savait qu'il ne devait surtout pas lui dire que, quand elle serait plus vieille, elle comprendrait que le devoir et la résignation étaient des voies souvent plus faciles à suivre que d'autres, qui pouvaient paraître plus justes à une jeune fille pleine d'imagination.

— Il est très difficile pour quiconque dans la vie d'opter pour l'inconnu, commença-t-il. Le fait de quitter Albany, d'aller en Europe en laissant derrière elle toute sa famille, puis d'épouser Osmond contre l'avis de tous et contre son propre jugement, tous ces actes étaient autant de sauts dans l'inconnu. Oser de tels sauts exige beaucoup de courage et de détermination ; mais cela implique peut-être aussi que l'on se ferme aux autres possibilités. Il est plus facile de renoncer à la bravoure que d'être brave encore et encore. Dans son cas, cela ne pouvait se faire une fois de plus. La volonté et l'audace nécessaires à de telles actions ne nous viennent pas souvent, qui que nous soyons, et moins encore à Isabel Archer d'Albany.

Pendant que Peggy prenait son temps pour méditer ces paroles, on entendit un choc sourd dans la chambre du dessus où dormaient William et Alice, comme si l'un ou l'autre était tombé du lit. Il y eut un cri, puis un gémissement – William – et la voix d'Alice qui l'implorait, puis un bruit répété, comme si l'un des deux heurtait un objet contre le sol. Peggy s'était levée. Henry lui fit signe d'attendre.

— Non, il faut monter tout de suite.

Elle était pleine de détermination, sa bouche et son menton une réplique exacte de ceux de sa mère. Son regard était différent cependant, presque tendre, quand elle prit la main de Henry.

— Il faut monter tout de suite, répéta-t-elle.

Elle l'entraîna ainsi jusqu'à la chambre de ses parents, dont elle ouvrit la porte sans frapper. William était étendu par terre en chemise de nuit, ses jambes nues très blanches à la lumière des lampes. Il appelait en frappant le parquet avec ses poings. Alice le surplombait de toute sa hauteur, immobile, tout habillée, son visage semblable à un masque.

— Tu l'as vu, et il est parti, dit-elle à William comme si elle avait désespérément besoin qu'il entende ses paroles et qu'il y croie. Il est venu, et maintenant il est reparti, et nous allons rester avec toi. Tu ne seras seul à aucun moment.

Elle répéta ces derniers mots, mais rien ne pouvait calmer William, et les gémissements continuèrent.

Henry ne dit rien, mais quand Burgess Noakes descendit l'escalier, il lui ordonna vivement de retourner dans sa chambre. Lui-même était resté sur le seuil, au cas où sa présence augmenterait la détresse de William. En voyant Alice aider William à se lever, le conduire jusqu'au lit et repousser les couvertures, il recula bien vite vers l'ombre du palier.

— Nous allons rester avec toi toute la nuit, William, disait Alice. Si tu te réveilles, quelle que soit l'heure, tu trouveras l'un de nous dans la chambre.

William murmura quelque chose et se recroquevilla dans le lit.

— Nous sommes tous ici, et nous allons tous rester avec toi, lui répéta Alice. Peggy va aller chercher un fauteuil dans sa chambre et elle restera avec nous jusqu'à ce que tu te sois endormi. Mais je ne vais pas te laisser. Et Harry veille sur toi, lui aussi.

Elle éteignit la lampe de chevet du côté de William.

— Dors maintenant, dors.

Elle avait posé la main sur la tête de son mari ; elle dégageait une gentillesse imperturbable et une détermination mêlée de tristesse. Quand Henry essaya d'attirer son attention pour demander si elle souhaitait qu'on lui apporte quelque chose de la cuisine, elle ne réagit pas. Enfin, quand William parut s'être endormi, elle se dirigea vers un fauteuil dans un coin de la pièce et, une fois assise, elle ne quitta plus son mari des yeux. Peggy avait apporté un siège près du lit de ses parents. Henry se retira mais ne ferma pas la porte ; il redescendit sans bruit au rez-de-chaussée et tenta de ranimer le feu. Il avait retrouvé son livre et l'avait posé sur ses genoux, mais il ne lisait pas, guettant les bruits du premier étage.

William lui avait semblé dans un état de rage non moins que de transe. Il se demanda quel nom son frère donnerait à cet état, lui qui écrivait sur ce genre de phénomènes, et en quels termes il décrirait la réaction de sa femme et de sa fille. Il se demanda si William ferait référence à l'incident une fois qu'il serait rétabli.

Un peu plus tard, alors qu'il s'était assoupi, il se redressa en entendant des pas dans l'escalier. Sa belle-sœur entra dans la pièce.

— Peggy s'est endormie et je l'ai installée confortablement. S'il a besoin de moi, j'irai tout de suite. Mais il n'aura pas besoin de moi, il va dormir pendant des heures, maintenant, rien ne pourra le réveiller.

Elle lui sourit.

— Tu es très patient, dit-elle.

— Et toi ? Comment devrais-je te qualifier ?

— Je suis quelqu'un qui a appris beaucoup alors qu'elle en savait très peu.

— J'aimerais posséder un peu de ta sagesse et de ton calme, dit-il.

— Tu possèdes bien plus que cela. Ta nièce t'adore, elle pense que tu es le gentleman le plus accompli qui soit. Et je partage son avis.

— C'est la saison des compliments, dit Henry.

— William souffre parfois. Ses rêves sombres le submergent. Au début, j'avais envie de l'éloigner de moi, envie d'être ailleurs quand il semblait prêt à céder à l'obscurité. Je ne pouvais rien faire pour lui, mais j'ai découvert, comme les garçons et comme Peggy, qu'il en fallait très peu pour le rassurer.

Henry essaya de lui faire sentir par son silence qu'il l'écouterait avec sympathie aussi longtemps qu'elle désirerait lui parler.

— Peggy était une enfant très difficile, reprit Alice. Chaque soir, elle hurlait dans son lit au moment d'éteindre la lumière. Et parce que nous pensions qu'il fallait qu'elle apprenne à s'endormir dans le noir, nous la laissions hurler. Nous croyions qu'il n'y avait aucune raison objective à ses cris mais, en réalité, il y en avait une. Une bonne sœur lui avait dit que, puisqu'elle n'était pas catholique, elle souffrirait la damnation éternelle, et elle l'avait crue. C'était pour cela qu'elle hurlait. Si nous lui avions posé la question, pourquoi as-tu peur, elle aurait pu nous l'expliquer.

Henry se leva pour poser de nouvelles bûches sur le feu et se rassit ensuite, dans un silence interrompu seulement par le vent de la mer et le crépitement des flammes. Alice soupira. Quand Henry lui proposa un verre de porto, elle accepta. Il en servit deux et lui tendit le sien avec un sourire plein de douceur.

— Quand je suis allée voir ma première voyante, Mrs Piper, nous ne comprenions rien, ni l'une ni l'autre, aux messages qui arrivaient. Puis un jour, peut-être était-ce la troisième séance, nous nous concentrions très fort, elle m'a demandé si mon père s'était suicidé et je lui ai répondu que oui, alors elle a demandé si ma mère, mes trois sœurs et moi étions loin quand cela s'était passé, et j'ai répondu que oui. Elle a dit alors que quelqu'un m'exhortait désespérément à ne pas avoir peur, que cela ne se reproduirait pas, que je devais ignorer la peur qui me poussait à vouloir être loin de William quand je ressentais sa détresse. Je ne le laissais pas approcher, dans les moments où il entrait dans sa nuit. J'ai voulu qu'il reste à Londres à la mort de son père, je ne voulais pas qu'il revienne. Mrs Piper n'a jamais pu me préciser qui étaient ces voix, mais elles me disaient que je devais le garder près de moi et être calme avec lui, et qu'alors rien ne nous séparerait, rien de terrible ne nous arriverait.

Elle regarda Henry et sourit.

— William va aller mieux maintenant, dit-elle. Par certains côtés, c'est plus facile pour nous deux quand il est déprimé. C'est beaucoup plus difficile quand nous sommes tous les deux en forme. Nous discutons trop.

Ils restèrent un moment en silence à regarder le feu. Henry devina qu'il était plus d'une heure du matin.

— Harry, reprit Alice très doucement, il y a quelque chose que nous ne t'avons pas dit concernant Mrs Fredericks.

— Vous m'avez dit que ma mère était en paix.

— Oui, Harry, elle l'est, mais quelque chose la tourmente.

— À mon sujet ?

— Quelque chose, oui. Elle m'a demandé de venir au cas où tu aurais besoin de moi. Elle ne voulait pas que tu sois seul si tu devais tomber malade.

— Elle veille sur nous, alors ?

Alice eut un mouvement, comme si elle ravalait ses larmes.

— Tu seras le dernier, Harry.

— Tu veux dire que William mourra avant moi ?

— Son message était clair.

— Et Bob ?

— Tu seras le dernier, Harry, et je viendrai. Tu m'appelleras. Tu ne seras pas seul au moment de mourir. Et je ne dois rien te demander en retour, excepté ta confiance.

— Tu l'as.

— Alors je t'ai communiqué son message. Elle voulait que tu saches que tu ne seras pas seul

Quand Alice fut remontée dans sa chambre pour veiller William, Henry resta assis devant les braises à imaginer sa mère telle qu'il l'avait vue pour la dernière fois, le lendemain de sa mort, son visage au repos éclairé par la flamme vacillante des bougies, et l'idée de l'amour de sa mère pour lui flottait dans la pièce comme une exquise présence calme ; elle était toute noblesse, toute tendresse dans son rôle de protectrice et gardienne de son fils. Il n'était donc pas surpris, dans cette maison sombre où l'année approchait de son terme, qu'elle eût pensé à la fin, elle qui avait consacré son abondante énergie à assurer les commencements. L'idée qu'elle ne connaîtrait pas le repos tant que lui-même ne serait pas en repos n'avait rien d'étrange à ses yeux. Il se sentait humble, et il avait peur, mais il éprouvait aussi de la gratitude et une certaine équanimité face ce qui pourrait se présenter désormais.

Le jour du nouvel an, ils invitèrent Edmund Gosse à déjeuner. William avait passé les derniers jours dans son bureau ; sa bonne humeur était revenue et il y avait, nota Henry, un scintillement dans ses commentaires à table. Il avait découvert un modeste itinéraire dans Rye qui lui plaisait autant qu'à Maximilian et, pendant plusieurs jours de suite, il revint à Lamb House très ragaillardi, après avoir parlé à plusieurs personnes. Il commençait, disait-il, à apprécier davantage la topographie des lieux, la couleur de la brique et des pavés ronds, et les manières des gens. Aucune allusion ne fut faite à la scène dont Henry avait été témoin dans la chambre à coucher.

Henry n'avait pas encouragé les visiteurs à venir à Lamb House et il avait décliné toutes les invitations, mais lorsqu'il annonça qu'il avait reçu une lettre d'Edmund Gosse précisant qu'il serait à Hastings et qu'il pourrait facilement faire un saut à Rye, William insista pour l'inviter et répéta plusieurs fois combien il se réjouissait de le revoir après tout ce temps, d'autant plus qu'il était un admirateur du travail de son père.

Une fois de plus, Alice et Peggy entrèrent en action après avoir mis Henry à contribution en l'interrogeant sur les goûts de Gosse et la meilleure manière de les flatter. Alice avait mis au point une série de plaisanteries avec Burgess Noakes, qui allait de la qualité de ses chaussures, qu'elle réprouvait, jusqu'à sa coupe de cheveux, qu'elle jugeait trop sévère. Burgess prit la liberté d'informer Alice que Gosse avait séjourné de nombreuses fois à Lamb House et qu'il n'avait trouvé jusqu'ici aucune raison de se plaindre. Toute cette agitation n'était cependant pas pour lui déplaire, et il entra gaiement dans l'esprit de cette réception d'honneur, qu'Alice et Peggy voulaient rendre à la fois sophistiquée au possible et simple à l'extrême, une formule qui semblait beaucoup les amuser et qu'elles répétèrent plusieurs fois pendant qu'elles arrangeaient le salon, la salle à manger et Burgess Noakes en vue de l'arrivée de Gosse.

Henry expliqua à Peggy, en présence de ses parents et à leur grande hilarité, que bien qu'il ne fût pas grand par lui-même, Gosse savait reconnaître la grandeur quand il la croisait, et non seulement cela, il connaissait le Premier ministre, et celui qui l'avait précédé, comme il connaîtrait le suivant, et celui d'après. Peggy fronça le nez et demanda s'il était vieux.

— Il est moins vieux que moi, répondit Henry, et je suis vraiment très vieux. Je suis vieux, en tout état de cause. En réalité, le mot « ancien » me vient à l'esprit. Alors disons qu'il est un peu moins qu'ancien. Mais le principal concernant Gosse, c'est qu'il aime Londres plus que la vie. Quand ton père fera allusion à son existence intellectuelle tranquille de Boston, il n'y comprendra rien. Pour lui, quand on est fatigué de Londres, on est fatigué de vivre. Alors, ma chère enfant, tu ferais mieux de trouver un sujet sur lequel ton père et notre invité pourront s'accorder.

Dans le sillage de la convalescence de William, Lamb House avait été transformé en un club régi par de nombreuses règles établies par Peggy et Henry, parfois en concertation avec les parents de Peggy, parfois en opposition à eux. La règle numéro un concernait l'heure du coucher de Peggy qui, avait-elle décidé avec l'aide de Henry, devait être rendue identique à celle des adultes de la maison. Non seulement en raison de son état semi-adulte, mais parce que Peggy, qui venait de découvrir Charles Dickens, avait dévoré *Les Temps difficiles* en quelques jours et lisait à présent *La Maison déserte*. La règle numéro deux stipulait le droit pour Peggy de quitter la table après le plat principal et d'emporter son dessert dans le lieu de son choix pour y poursuivre sa lecture. La règle numéro trois donnait à William le droit de ronfler librement dans toutes les pièces de la maison. D'autres règles autorisaient Burgess Noakes à porter les chaussures qu'il voulait, et accordaient à Alice le droit de tremper son biscuit du matin dans sa tasse de café tant que rien ne tombait sur « les tapis de la Duchesse », comme les appelait Peggy. William avait proposé une autre règle qui permettait à Henry de lire une épaisse biographie en deux volumes de Napoléon sans se sentir coupable de perdre son temps. On eut l'idée de communiquer toutes ces règles à la mère d'Alice, à Cambridge, pour qu'elle les fasse lire aux trois frères de Peggy dont elle avait la garde. Dans la mesure où cette lettre devait être signée par tous, Alice et Peggy furent appelées à trancher entre les nombreux points d'exclamation assortis de petits dessins que souhaitait William, et la volonté de Henry de réduire ces ornements au strict minimum.

Gosse arriva chargé de petits cadeaux et déclara immédiatement qu'il était l'homme le plus heureux d'Angleterre depuis qu'il avait quitté Londres, que c'était un lieu horrible pendant la saison festive, avec une vie sociale d'une frivolité consternante et un brouillard indescriptible, qui avait fini par pénétrer dans le crâne des meilleurs esprits de sa génération.

William sourit d'un air approbateur pendant que Peggy jetait un coup d'œil à Henry.

— J'ai dit à ma nièce que tu aimais Londres plus que la vie, objecta Henry.

— Et c'est la vérité, répliqua Gosse. Mais ce n'est pas un argument en faveur de la vie.

Gosse se tourna ensuite vers William, qui sirotait son sherry, accoudé à la cheminée, et s'adressa à lui sur un ton changé ; de charmant, il devint officiel.

— Permettez-moi de vous dire combien je suis heureux de vous revoir. Je vous lis depuis de nombreuses années. Je partage avec Leslie Stephen l'habitude de fréquenter vos livres par plaisir, comme ceux de votre frère. Je trouve très peu de choses de nos jours qui possèdent à la fois une telle précision, une telle énergie et une telle poésie.

William sourit, hocha la tête et lui retourna le compliment. Alice resplendissait de bonheur : enfin un invité qui ne risquait pas d'énerver William. Elle adressa un regard complice à Henry.

À table, Gosse les informa de la controverse annoncée concernant le jour de prière, suite à la défaite des Boers. Il ne donnait pas, nota Henry, son propre avis, mais réussit à glisser qu'il avait entendu s'exprimer sur cette question le prince de Galles ainsi que Lord Randolph Churchill, Mr Asquith et Mr Alfred Austen. Pendant qu'il résumait la position des uns et des autres, en fixant sur les convives un regard entendu chaque fois qu'un nouveau dignitaire était mentionné, Henry vit qu'Alice présentait des signes d'agitation et qu'elle jetait à William des regards qu'il ne lui avait jamais vus, presque menaçants.

— Oui, dit William quand Gosse marqua une pause, j'ai écrit une lettre au *Times* à ce sujet mais ils ne l'ont pas publiée.

— William ! s'exclama Alice.

— Une lettre au *Times* ? s'étonna Gosse. Quel était votre argument ?

William hésita. Puis il fixa son regard sur un point indéfini.

— Je disais que j'étais un Américain voyageant dans ce pays et que j'avais noté la controverse concernant le jour de la prière. Je suggérais que le principe établi par un des premiers pionniers du Montana serait peut-être le plus utile et les plus généralement acceptable.

— Et quel était-il ? demanda Gosse.

— Notre pionnier croisa un jour un grizzly énorme, très en colère. Il tomba à genoux et sa prière fut la suivante : « Ô Seigneur ! je n'ai jamais demandé ton aide et je ne vais pas te la demander maintenant. Mais par pitié, Seigneur, s'il te plaît, ne viens pas en aide à l'ours. » Le *Times*, dans sa grande sagesse, n'a pas publié ma lettre.

— J'espère que tu as donné « le désert » comme adresse de l'expéditeur, dit Henry.

— J'ai indiqué « c/o Lamb House, Rye ».

— Je crois bien que c'est une des principales différences entre les États-Unis et nous, dit Gosse. On peut être certain d'un certain nombre de choses ici, et l'une d'entre elles, c'est que le *Times* n'allait pas publier cette lettre.

— Tant mieux pour le *Times*, dit Henry.

— Tant pis pour ma pauvre lettre.

— Je suis sûr que plusieurs revues irlandaises la publieraient, dit Gosse. Il ne faudrait pas qu'elle soit perdue.

— Elle n'est pas perdue, intervint Alice. Il vient de nous en raconter le contenu, après m'avoir promis qu'il n'en reparlerait jamais à âme qui vive.

— C'est vrai, je ne le ferai pas.

— Peut-être pourriez-vous la transmettre au prince de

Galles, proposa Henry à Gosse, qui lui jeta un regard aigu et changea de sujet.

— Je me demandais, en ce début d'année, si les deux écrivains ici présents pourraient nous révéler ce qu'ils ont en réserve.

— Mon frère va prononcer des conférences à Édimbourg dans le cadre des *Gifford lectures*, dit Henry.

— Sur la science nouvelle de la psychologie ?

— Sur la vieille science de la religion, répliqua William.

— Avez-vous déjà écrit le texte de ces conférences ?

— J'ai des notes, des idées, quelques pages et un mauvais cœur. Alors ça prend du temps.

— Quelle position adopterez-vous ?

— Je crois que la religion, dans son sens le plus large, est indestructible. Je crois que l'expérience mystique individuelle, dans n'importe quelle manifestation, est une propriété du moi subliminal étendu.

Henry fit signe à Peggy que si elle souhaitait quitter la table maintenant pour retrouver son livre, elle pouvait le faire. Sa mère hocha la tête en signe d'approbation. Peggy s'excusa et quitta la salle à manger.

— Mais qu'en serait-il, demanda Gosse, s'il était prouvé un jour que la religion avait tort ?

— J'avancerais, dit William, que le sentiment religieux ne peut être réfuté dans la mesure où il appartient fondamentalement au moi. Et si c'est une croyance qui appartient fondamentalement au moi, alors elle doit être bonne, et dans cette mesure, elle doit être vraie.

— Mais considérez les arguments de Darwin et de ses adeptes. Ils sont bien capables de prouver que certaines croyances sont fausses, n'est-ce pas ?

— Plutôt qu'aux arguments, je m'intéresse au sentiment religieux ou à l'expérience religieuse. D'ailleurs, vous remarquerez que les mots même que j'emploie sont ouverts, évasifs, parfois inutiles ; il n'y a pas de mots précis parce qu'il n'y a pas de sentiments précis. Nous avons des sentiments mêlés et des sensibilités complexes et nous devons faire place à cette réalité dans nos vies, dans nos lois et dans notre action politique, mais surtout en nous-mêmes.

— Où la transcendance a sa place ?

— Oui, mais peut-être est-ce plus fondamental encore que cela. Le monde qui est au-delà des sens, où existe une sphère de vie plus puissante et plus vaste que la nôtre, est peut-être en continuité avec notre conscience ; nous pouvons le sentir, et cela à son tour peut nous pousser à croire, ou à éprouver un sentiment religieux, même très vague, qui est à sa manière plus satisfaisant que ne l'est l'argumentation religieuse.

William parlait avec naturel et aisance, sa bonne humeur s'ajoutant au ton presque anodin de ce discours, un ton que Henry n'avait jamais entendu auparavant chez son frère.

— On croirait bien que vous les avez déjà écrites, ces conférences, dit Gosse.

— Je les ai formulées. L'écriture ne me vient pas naturellement. Je préfère parler, mais puisque dans ce cas précis ils veulent aussi les publier, je vais être obligé de les épeler mot à mot.

— Peut-être seront-elles publiées dans le *Times*...

— Le *Times* ne recevra pas d'autre communication de ma part. Il a laissé passer sa chance, dit William en riant et en levant son verre.

— Henry, reprit Gosse, c'est ton tour. Raconte-nous ce que tu vas écrire pour que nous puissions nous réjouir à l'avance.

— Je suis un pauvre conteur, un romanceur qui s'intéresse aux petites finesses dramatiques. Pendant que mon frère rend le monde compréhensible, moi j'essaie juste, brièvement, de le rendre vivant, ou plus étrange qu'il ne l'est. Autrefois j'écrivais sur la jeunesse et sur l'Amérique ; maintenant j'en suis réduit à l'exil, à l'âge qui vient et aux histoires de déception qui ne risquent guère de m'attirer beaucoup de lecteurs d'un côté ou de l'autre de l'Atlantique.

— Harry, tu as beaucoup de lecteurs dévoués, protesta Alice.

— J'ai en tête un homme qui croit toute sa vie qu'il va lui arriver quelque chose d'affreux, une catastrophe. Il s'en ouvre à une femme, qui devient sa plus grande amie ; mais ce qu'il ne voit pas, c'est sa propre froideur, son incapacité à croire en cette femme, et c'est ça, la catastrophe ; elle est déjà là, elle vit en lui depuis le début.

— C'est la fin ? interrogea William.

— Oui, mais il y a aussi un homme, dans une autre histoire, qui quitte la Nouvelle-Angleterre pour Paris. Il s'agit d'un Américain entre deux âges, d'une grande intelligence et d'une nature sensuelle qui est restée cachée toute sa vie. Il voit Paris et il comprend, comme celui de la première histoire, qu'il est de notre devoir de vivre de toutes nos forces, mais il est trop tard, ou peut-être non.

— Si un clergyman était ici, commença William avec un sourire chaleureux, et s'il te demandait quelle est la morale de ces histoires, que lui dirais-tu ?

— La morale ?

Henry réfléchit un instant.

— Eh bien, la morale la plus pragmatique qu'on puisse imaginer : que la vie est un mystère, que seules les phrases sont belles, que nous devons nous tenir prêts au changement, surtout quand nous allons à Paris, et que personne, dit-il en levant son verre, après avoir connu la douceur de Paris ne peut vraiment revenir à celle des États-Unis.

— Laquelle de ces histoires écriras-tu en premier ? s'enquit Gosse.

— Je suis peut-être déjà embarqué dans l'une et dans l'autre.

— Et vous, monsieur, demanda William à Gosse, qu'allez-vous écrire ?

— Quand j'en trouverai le temps et le courage, j'écrirai un livre sur mon père.

— Mais vous en avez déjà écrit un, que j'admire beaucoup d'ailleurs. La tension entre l'esprit religieux et la recherche de la vérité scientifique est une chose qui a beaucoup compté pour moi.

— Je vais maintenant écrire sur la tension entre mon père et son fils, et je ne nous épargnerai ni l'un ni l'autre. Je dois trouver un style neuf pour ce livre, quoi qu'il en soit, et je dois trouver du temps, mais je ne crois pas que ce livre-ci attirera de nouveaux admirateurs à mon père.

— Ce sera peut-être un grand dommage, dit William.

— Et sans nul doute un grand livre, ajouta Henry.

Quand William revint de sa promenade, Gosse les ayant quittés peu avant la tombée de la nuit, il trouva le Lamb House Club en pleine action. Alice et Peggy se partageaient le sofa, une lampe sur la table, et lisaient tranquillement. Burgess Noakes dans ses vilaines chaussures allait et venait avec des bûches et du charbon jusqu'à ce qu'un énorme feu flambe dans la cheminée. Les rideaux étaient tirés. Henry était installé dans le fauteuil le plus proche de l'âtre avec sa biographie de Napoléon.

— Ce fut une journée d'hiver, déclara William, et maintenant c'est une soirée d'hiver.

— Demain matin, dit Alice, nous devrons écrire une autre lettre aux garçons. Je crois qu'ils aimeraient bien nous voir rentrer.

— Je ne veux plus écrire de lettres, soupira Peggy.

— Tu en es exemptée, répondit Henry. C'est une nouvelle règle de notre club.

William sortit et revint avec un livre.

— C'était le rêve de mère pour nous tous ! s'exclama soudain Henry.

— Quoi, que nous finissions en Angleterre ?

— Non, répondit Henry avec un sourire. Que nous puissions tous être là, chacun avec un livre, pendant que tante Kate et elle termineraient leur travail, et qu'il n'y aurait pendant des heures que le bruit des pages tournées.

— N'était-ce jamais ainsi, Harry ? demanda Alice.

— Jamais. Mon père entamait une discussion, ou ton mari renversait quelque chose, ou les plus jeunes commençaient à se battre.

— Et toi, oncle Harry ? demanda Peggy en levant la tête de son livre.

— Je rêvais d'une vieille maison anglaise avec un feu crépitant dans la cheminée ; une maison où on ne renverserait jamais rien.

— Si ça peut te faire plaisir, je veux bien me retenir, dit William. Et puis non, d'ailleurs, le temps où je renversais les choses est révolu.

Dans la soirée, le vent se leva et fit gémir les fenêtres. Peggy, farouchement concentrée sur chaque mot qu'elle lisait, était lovée contre sa mère, qui avait posé son livre et regardait les flammes. Ils se firent servir le dîner sur des plateaux, devant le feu. Quand Burgess Noakes eut débarrassé, Henry proposa un alcool à William et à Alice, et on trouva du chocolat pour Peggy. William retourna à son livre et à sa prise de notes. On entendait le grattement de sa plume sur le papier et, peu à peu, chacun s'absorba de nouveau dans sa lecture ou dans ses pensées, si bien que personne ne remarqua que William s'était endormi jusqu'au moment où il se mit à ronfler.

— On va ajouter des bûches, murmura Henry, mais sans le réveiller.

Alice soupira.

— Il est tard.

— Les règles stipulent que j'ai le droit de rester debout, protesta Peggy.

— Et que William peut ronfler, dit Henry avec douceur, autant qu'il en a envie.

Le temps qu'ils se décident à partir – ils avaient résolu de passer la fin de l'hiver sous les cieux plus cléments du Sud de la France – Peggy avait fini plusieurs autres romans de Dickens et elle était, remarqua Henry le matin de leur départ, profondément plongée dans *David Copperfield*. Il lui dit qu'elle n'était pas obligée de sauter des pages, qu'elle pouvait emprunter le volume et tous les autres livres qu'elle aurait envie d'emporter en vue de son voyage et de son séjour en France, sauf sa biographie en deux volumes de Napoléon, dont rien ne pourrait le séparer tant qu'il n'aurait pas tourné la dernière page.

Après le petit déjeuner, en voyant le livre que lisait Peggy, William éclata de rire.

— C'est le même qui a piégé Henry !

Peggy leva un regard interrogateur vers son oncle.

— On l'avait envoyé au lit, chez nous, dans Fourteenth Street, expliqua William, parce qu'une cousine était arrivée d'Albany avec le premier épisode de *David Copperfield* qu'elle voulait nous lire à haute voix, et ma mère ne pensait pas que c'était convenable pour un petit garçon. Mais au lieu de faire ce qu'on lui demandait, il s'est caché.

— Et toi, papa ?

— Je n'étais pas un petit garçon.

— Il avait un an de plus, précisa Henry.

— Et alors, elle l'a lu ?

— Oui, et il y avait beaucoup de suspense parce qu'elle imitait toutes les voix. Tout à coup on a entendu des sanglots dans le recoin où Harry s'était caché pour écouter l'histoire et où il avait fini par craquer sous la pression des Murdstone, et il a fallu le chasser pour de bon. C'était un gros pleurnichard.

— Et toi, papa, tu ne l'étais pas ?

— Moi, j'ai un cœur de pierre, dit William en touchant sa poitrine avec un sourire.

Henry pensait au salon new-yorkais où avait été lu ce chapitre de *David Copperfield*, tout en meubles lourds, en paravents et en nappes à franges, et il entendait la voix de sa mère plutôt que celle de sa cousine, sa mère en colère contre lui parce qu'il s'était caché et qui le prenait ensuite dans ses bras en le voyant en larmes. La scène lui revenait avec beaucoup de vivacité, comme si aucune barrière ne séparait ce soir-là de maintenant. Il savait à quel point tout cela devait paraître lointain à Peggy, et que pour William aussi cela appartenait au passé. Il avait raconté l'histoire de la manière dont on l'avait toujours racontée dans la famille, du même air affairé et jovial dont il ramassait ses valises. Henry se leva et jeta un regard à son frère, en plein préparatifs de départ. Puis il secoua la tête et soupira.

Alice avait laissé cinq livres pour Burgess Noakes, qui jeta un regard à Henry comme pour le prendre à témoin que c'était beaucoup trop.

— Acceptez cet argent, dit Henry. Ma belle-sœur appartient à la branche fortunée de la famille.

Burgess se mit en route avec la brouette, suivi par Henry, William, Alice et Peggy ; les trois visiteurs avaient passé assez de temps à Rye pour être salués avec chaleur par plusieurs personnes, dans la ville. Son frère, constata soudain Henry, brûlait d'impatience de s'en aller. Il se rappela alors que William avait toujours été ainsi, pressé, prêt à tous les changements, se languissant de nouvelles aventures, même s'il ne s'agissait que de quitter une pièce pour aller dans une autre ou de se mettre debout alors qu'il avait été assis. Quand ils étaient petits, il tournait la page du livre d'images avant que Henry ait pu examiner comme il le voulait chaque illustration, et il refusait de le laisser revenir en arrière ; pour finir, il se lassait du livre lui-même et demandait à sortir, ce qui permettait à Henry de reprendre le livre depuis le début et de l'examiner en paix, avant de s'approcher de la fenêtre pour voir ce que faisait William à présent.

Leur destination était Douvres, et ensuite la France. À l'approche du train, Henry crut sentir qu'ils hésitaient entre le sourire et la tristesse. Peggy, il le savait, n'avait qu'un désir, retrouver son livre. Il l'aida à monter dans le train et lui dénicha une place à la fenêtre. Puis il redescendit pendant qu'on chargeait les bagages et qu'Alice exhortait William à ne pas soulever de valises. Il embrassa William et Alice à tour de rôle avant de redescendre une fois de plus sur le quai. Il resta debout avec Burgess à regarder la lourde portière se refermer.

Lamb House était de nouveau à lui. Il fit le tour de la maison en jouissant du vide et du silence. Il salua l'Écossais qui l'attendait pour commencer le travail de la journée, mais auparavant il avait besoin de rester seul un petit moment encore. Il monta l'escalier, le redescendit, parcourut les pièces l'une après l'autre comme si, dans la manière dont elles cédaient devant lui, elles appartenaient elles aussi à un passé irrécupérable où elles allaient rejoindre le salon avec ses nappes à franges, ses paravents et ses recoins ombreux, et toutes les autres pièces par la fenêtre desquelles il avait observé le monde, afin qu'elles soient remémorées et capturées et retenues.

Remerciements

J'ai trouvé un certain nombre d'ouvrages sur Henry James et sa famille extrêmement utiles en travaillant à ce roman. Je citerai en particulier : la biographie en cinq volumes de Leon Edel, et son édition des lettres et des carnets de Henry James ; *Henry James : The Imagination of Genius*, de Fred Kaplan ; *Henry James : The Young Master*, de Sheldon Mr Novick ; *The Jameses : A Family Narrative*, de R.W.B. Lewis ; *Alice James : A Biography*, de Jean Strouse ; *Biography of Broken Fortunes : Wilky and Bob, brothers of William, Henry and Alice James*, de Jane Maher ; *The Father : A Life of Henry James Senior*, d'Alfred Habegger ; *A Private Life of Henry James : Two Women and his art*, de Lyndall Gordon ; *The Metaphysical Club*, de Louis Menand ; *Alice James : Her Life in Letters*, édité par Linda Andersen ; *Amato Ragazzo : Lettere a Hendrik C. Andersen*, édité par Rosella Mamoli Zorzi ; *William and Henry James : Selected Letters*, édité par Ignas K. Skripskelis et Elizabeth Mr Berkeley ; *Dear Munificent Friends : Henry James's Letters to Four Women*, édité par Susan E. Gunter ; *The Legend of the Master*, compilé par Simon Nowell-Smith.

Je tiens à préciser que j'ai émaillé le texte d'expressions et de phrases tirées des écrits de Henry James et de sa famille.

Toute ma gratitude à Peter Straus, Nan Graham, Andrew Kidd, Ellen Seligman, Catriona Crowe, Brendan Barrington et Angela Rohan pour leur soutien et leurs conseils. Ce livre a été en partie écrit à la Fondation Santa Maddalena près de Florence ; je remercie Beatrice Monti pour sa gentillesse et son hospitalité.

Table

Achevé d'imprimer sur les presses de

BUSSIÈRE
GROUPE CPI
à Saint-Amand-Montrond (Cher)
en août 2005

Composition réalisée par PCA
44400 Rezé

N° d'édition : 46103/01. — N° d'impression : 052893/4.
Dépôt légal : août 2005.

Imprimé en France